¡Nos vemos.

Libro del alumno

Eva María Lloret Ivorra
Rosa Ribas
Bibiana Wiener
Margarita Görrissen
Marianne Häuptle-Barceló
Pilar Pérez Cañizares

Índice A1

Índice (A2)

Audios descargables gratuitamente en:
www.difusion.com/nva1a2_libro

Estructura de ¡Nos vemos!

¡Nos vemos! A1-A2 es un manual para descubrir el mundo de habla hispana y aprender a comunicarse en muchas situaciones de la vida cotidiana. Al final de este nivel el estudiante habrá alcanzado el nivel A2 del Marco Común Europeo de Referencia para las Lenguas.

Cada unidad tiene la siguiente estructura:

Una página doble de **portadilla** presenta los objetivos, activa los conocimientos previos e introduce el tema de la unidad.

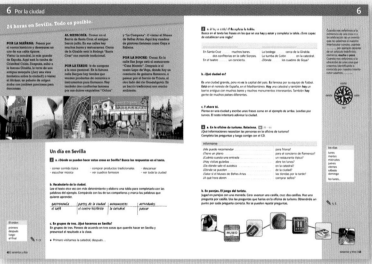

Tres páginas dobles forman el corazón de la unidad. Contienen textos vivos e informativos para familiarizarse con el idioma y actividades para aplicar de inmediato lo aprendido.

Una **tarea final** servirá para convertir los conocimientos adquiridos en algo práctico para la vida real. Junto con sus compañeros, el estudiante elaborará un "producto" que podrá guardar en el dosier de su portfolio.

En el nivel A1, la sección **¿Qué me llevo de esta etapa?** da cabida a las necesidades personales del alumno. Aquí reflexionará sobre los aspectos de la unidad necesarios para él, conocerá las estrategias que ha usado consciente o inconscientemente y encontrará consejos que le facilitarán el aprendizaje.

En el nivel A2, con la "novela policíaca por entregas" **La clave está en el pasado** los estudiantes practicarán la comprensión lectora y ejercerán como ayudantes de detective para resolver el caso de un robo en un museo.

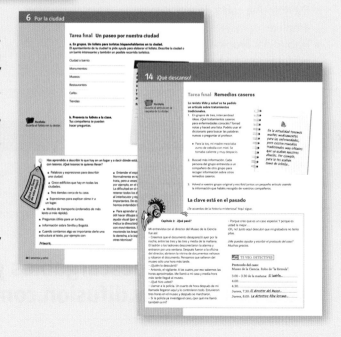

En el nivel A1, en el apartado **Panamericana**, una persona que habla de su propio país toma la palabra. De esta manera, a lo largo del manual se realiza un interesante recorrido cultural por toda Latinoamérica.

En el nivel A2, en el apartado **De fiesta**, diferentes personas cuentan en qué consisten y cómo se viven algunas fiestas y celebraciones en sus respectivos países.

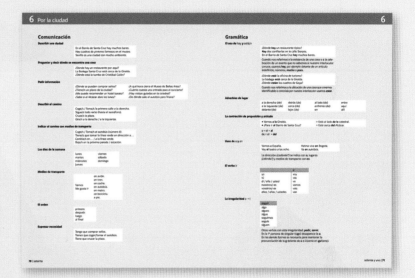

La doble página final es una recopilación de **recursos comunicativos** y **contenidos gramaticales**.

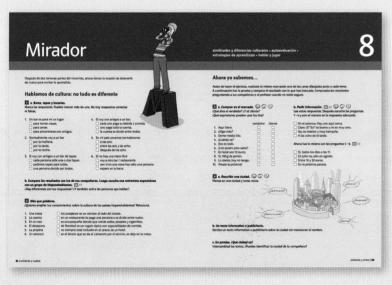

Las unidades 4, 8, 12, 16, 20 y 24 son **unidades de revisión**. Se llaman **Mirador** porque ofrecen una vista global sobre todos los conocimientos lingüísticos y culturales adquiridos. Además, permiten experimentar con las estrategias de aprendizaje y tratar los errores.

Símbolos utilizados en el libro:

 audiciones del libro junto con los números de las pistas del CD

✏ ejercicio adicional en el Cuaderno de ejercicios

 actividad que implica ir por la clase y preguntar a varios compañeros

Viaje al español

**presentarse • saludar y despedirse • preguntar por el nombre •
preguntar por palabras desconocidas • decir para qué se estudia español •
los números del 0 al 10**

1

1   a. Palabras españolas.

Seguramente conoces algunas palabras en español.
Relaciónalas con las fotos.

- ☑ culturas antiguas
- ☐ ruinas mayas
- ☐ las playas del Caribe
- ☐ el museo del Prado
- ☐ las ruinas de Machu Picchu
- ☐ café
- ☐ chocolate
- ☐ cactus

- ☐ sangría
- ☐ música
- ☐ flamenco
- ☐ guitarra
- ☐ catedral
- ☐ paella
- ☐ tacos
- ☐ pampa

b. Un viaje al español. Escucha.   CD1 ▶▶ 1

En la lista anterior marca las palabras
que escuchas en la audición.

c. Comparad los resultados.

¿Qué palabras has marcado? Enuméralas
y compara tus resultados con los de tus
compañeros.

- Uno: culturas antiguas

 1, 2

0	cero
1	uno
2	dos
3	tres
4	cuatro
5	cinco
6	seis
7	siete
8	ocho
9	nueve
10	diez

Viaje al español

Penélope Cruz Sánchez

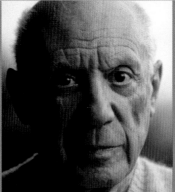

Pablo Ruiz Picasso

Frida Kahlo Calderón

Gabriel García Márquez

Hola, ¿cómo te llamas?

2 **a. Personas famosas.**

Arriba tienes los nombres completos de algunos famosos. ¿Son los nombres que usamos para hablar de ellos? ¿Conoces otras personas famosas del mundo de habla hispana?

b. ¿Cómo se llaman las personas? Escucha. CD1 ▶▶ 2 – 4

Escucha los tres diálogos y relaciona los apellidos con los nombres españoles más comunes.

nombre	apellido 1	apellido 2
Alejandro	Rodríguez	Moreno
Ana María	Sánchez	Alonso
Antonio	García	Jiménez
Carmen	Martín	Muñoz
Cristina	Pérez	Gutiérrez
Francisco	Fernández	Ruiz
Javier	Gómez	Hernández
Manuel	González	Díaz
María	López	Álvarez
María José	Martínez	Romero

- El uno es…

Generalmente, las personas de España y Latinoamérica tienen dos apellidos aunque no siempre se usan los dos. El primer apellido es el primer apellido del padre y el segundo el primer apellido de la madre. Las mujeres mantienen sus apellidos al casarse.

Antonio Sánchez Ruiz ⌐ Helena Pérez Díaz

Ana Sánchez Pérez

tratarse de tú

- ¿Cómo te llamas?
- Me llamo…, ¿y tú?
- Soy…

tratarse de usted

- ¿Cómo se llama (usted)?
- Me llamo…, ¿y usted?
- Me llamo…

3 **En cadena. ¿Cómo te llamas?**

Cada uno se presenta a sus compañeros.

- Me llamo Rita, ¿y tú?
- Susanne. ¿Cómo te llamas?
- Soy Robert.

Saludos y despedidas

4 **a. Escucha otra vez.**

Escucha de nuevo los diálogos del ejercicio 2b y subraya los saludos o despedidas que aparecen. ¿Qué significan?

hola | adiós | buenos días | buenas tardes | buenas noches | hasta pronto | hasta luego | hasta mañana

- "Hola" es *Hello*.
- "Adiós" es…

b. ¿Saludos o despedidas?
Escribe las expresiones en la columna correspondiente.

saludos	despedidas
....	....
....	....
....	....
....	....

¿Cómo se pronuncia?

5 a. Escucha estos nombres. CD1 ▶▶ 5
Escucha estos nombres y marca las letras que tienen
una pronunciación diferente en tu lengua.

Mallorca | Cristina Sánchez | José Jimeno | Gerardo García |
Zaragoza | Ecuador | Roberto Rodríguez | Antonio Muñoz | Chile |
Honduras | María Moreno | Quito

Se usa:
Buenos días hasta las 14 h.
Buenas tardes de 14 – 20 h.
Buenas noches después de
las 20 h.

✎ 3, 4

b. Escucha y lee los nombres. Luego completa las reglas de pronunciación. CD1 ▶▶ 6

		¿Cómo se pronuncian las letras?
c	Carmen Cecilia	como .... pero ante .... y .... interdental como **th** en inglés
ch	Chema	como ....
g	Gabriel, Gerardo Miguel	como .... pero ante .... e i como .... en la combinación .... y **gui** no se pronuncia la **u**
h	Hilda	no se pronuncia
j	Julia	como ....
ll	Guillermo	como ....
ñ	Toñi	como .... en **Cognac**
qu	Joaquín	como ...., la **u** no se pronuncia
r	Roberto María	una sola **r** en medio de la palabra es vibrante y a principio de palabra y como **rr** es vibrante múltiple
v	Virginia, Eva	**v** y **b** suenan igual
y	Yolanda, Eloy	como ...., al final de palabra como **i**
z	Azucena	como **th** en inglés

En Latinoamérica y en algunas regiones de España no
existen los sonidos interden-
tales: la **z** y la **c** ante e e i se
pronuncia como una **s**.

c. ¿Cómo se pronuncian estas palabras?
Intentadlo. Una cada uno.

la tortilla	la música	la información	el teatro	el español
la paella	la guitarra	la organización	el quiosco	el hotel
la playa	la geografía	la universidad	el concierto	el chocolate

✎ 5, 6

6 Frases difíciles.

¿Cuántas frases puedes leer sin fallar? Primero, en grupos de cuatro, practicáis la lectura; después, cada miembro del grupo lee una frase sin parar en voz alta. El grupo consigue un punto por cada frase correcta.

1. ¿Cuántos cuentos cuenta Carmen?
2. Doña Antonia come castañas en otoño.
3. Gerardo Jiménez Juárez trabaja en Jerez.
4. Cecilia cena cinco cebollas.

5. Ocho gauchos escuchan chachachá.
6. Me llamo Guillermo y soy de Sevilla.
7. Jorge es un jurista genial de Gijón.
8. Rita corre rápido para robar rosas.

Nombres favoritos

7 a. Nombres de bebé.

Antes de leer el texto responde a las siguientes preguntas:
¿Qué nombres de pila están de moda en tu país?
¿Hay diferencias regionales?

b. Lee el texto.

¿Qué significan las palabras **favoritos**, **niños**, **niñas**? ¿Qué nombre te gusta más?

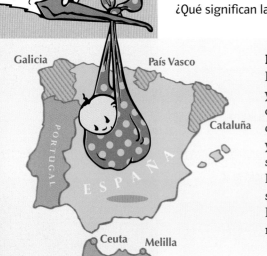

Los nombres favoritos de bebé

En España los nombres favoritos de 2008 son Alejandro, Daniel y Pablo para niños y Lucía, María y Paula para niñas. En las comunidades con dos lenguas oficiales los nombres favoritos son diferentes. Por ejemplo, en Cataluña los niños se llaman Marc, Alex y Pau, las niñas Paula, Carla y Laia. En el País Vasco muchos niños se llaman Iker, Unai y Ander, las niñas se llaman Irati, Ane y Naroa. En Galicia, además de María y Laura, los nombres favoritos de niña son Iria y Sabela, y de niño, Pablo y Adrián.
En Ceuta y Melilla, las ciudades españolas en el norte de África, los nombres favoritos son árabes: Mohamed, Adam, Salma y Mariem.

8 a. Mi identidad española.

Invéntate una nueva identidad combinando un nombre y un apellido españoles de la lista de nombres de la página 12 u otros nombres que conozcas.

Me llamo ....

b. La identidad de tus compañeros/-as.

Levántate y saluda a algunos de tus compañeros. Preséntate con tu nuevo nombre. Pregunta por el nombre de los demás y despídete.

- Hola, ¿cómo te llamas?
- Ana María Ruiz Moreno. ¿Y tú?
- Me llamo Antonio Pérez Díaz.
- Hasta luego.
- Adiós.

Palabras con historia

9 **a. El español, una lengua con historia.**
Lee el texto sobre la procedencia de las palabras españolas y subraya todas
las palabras que entiendes.

Todas las lenguas son el resultado de la historia y de muchas
influencias.
El 80 % de las palabras del español viene del latín, por ejemplo *la
universidad, la familia, el trabajo, el metal;* el resto viene de otras
lenguas. Muchas palabras son del árabe, como *el aceite, el arroz, la
taza, el alcohol, la naranja,* o del griego, como *el teatro, la biblioteca,
la geografía, el carácter.*
Otras palabras vienen de las lenguas indígenas de América:
el tabaco, el cóndor, el chocolate, el gaucho, la pampa. Los tomates
también son "americanos".
Hoy el inglés es el origen de muchas palabras nuevas: *el champú,
el cámping* y *el fútbol.*

b. Aceite **significa...**
Ahora pregunta por el significado de las palabras que no entiendes en el texto.

● ¿Qué significa...?
○ ...

10 **a. El artículo determinado.**
Completa la tabla y escribe en cada casilla un ejemplo más de las palabras que
aparecen en el texto. Fíjate en las terminaciones. ¿Descubres alguna regla?
¿Cómo se forma el plural?

	masculino	femenino
singular	**el** teatr............ **el** metal	**la** palabr....... **la** universidad ....
plural	**los** teatro**s** **los** metal**es**	.... palabra**s** .... universidad**es** ....

b. En cadena. Singular y plural.
Un compañero dice una palabra, el siguiente forma el plural y dice
una palabra nueva.

● La guitarra.
○ Las guitarras. El cóndor.
■ Los cóndores. ...

80% se dice "ochenta por
ciento"

> **¿Qué significa?**
> ● ¿Qué significa "aceite"?
> ● ¿"Taza" significa...?
> ○ Sí. / No. / No sé.

Las palabras españolas son
masculinas o femeninas.
Generalmente las palabras
masculinas terminan en
..........., las femeninas en ....
Hay que estudiar el resto de
las palabras junto con el artículo u otras palabras que las
acompañen.

Para formar el plural se añade
una .... cuando las palabras
terminan en vocal. Cuando
terminan en consonante se
añade ....

 7, 8

11 Bingo de palabras.

Escribe ocho palabras de la unidad. Tu profesor dirá unas palabras que aparecen al final de la página 21. Tacha las que coincidan con las tuyas. El primero en tachar una línea completa dirá ¡Bingo!.

el	la	los	las ....
el	la	los	las ....

¿Para qué estudias español?

12 Escucha y marca los motivos. CD1 ▶▶ 7

¿Para qué estudian español estos cuatro alumnos?

Estudio español…
- [ ] para viajar a Latinoamérica.
- [ ] para trabajar en un hotel en Tenerife.
- [ ] para estudiar en España.
- [ ] para trabajar en México.
- [ ] para pasar las vacaciones en Málaga.
- [ ] para hablar con la familia de mi pareja.

¿Para qué estudias español?

13 a. Verbos en -ar. Completa.

Para preguntar por los motivos de tus compañeros necesitas las formas verbales. Completa la tabla con los verbos regulares en -ar.

	estudiar	hablar
yo	estudio	....
tú	....	hablas
él / ella / usted	estudia	....
nosotros / nosotras	estudiamos	....
vosotros / vosotras	estudiáis	....
ellos / ellas / ustedes	estudian	....

En español sólo se usan los pronombres personales para resaltar a la persona en oposición a otra o si no está claro de quién se habla. Para el trato formal se usa **usted** cuando nos dirigimos a una persona y **ustedes** cuando nos dirigimos a más de una. En Latinoamérica no se usa **vosotros**, sino **ustedes**.

b. ¿Tú o usted?

Di si el trato en las siguientes preguntas es de tú o de usted y si se trata de una persona o más.

1. ¿Habla usted inglés?
2. ¿Trabajáis en un hotel?
3. ¿Escuchas música clásica?

4. ¿Para qué estudian español?
5. ¿Pasan ustedes las vacaciones en España?
6. ¿Compráis un apartamento en Tenerife?

✎ 9 – 11

c. Escucha y marca si las personas se hablan de tú o de usted. CD1 ▶▶ 8 – 11

Escucha los cuatro diálogos y marca si el trato es de tú o de usted. ¿Qué relación mantienen las personas? ¿En tu país las personas en estos casos se hablarían de tú o de usted?

	1	2	3	4
tratarse de tú				
tratarse de usted				

14 a. Estudio español para...

Anota con ayuda de los datos siguientes para qué estudias español.

viajar a	Argentina / Cuba / México…
trabajar en	Madrid / Lima / Bogotá…
pasar las vacaciones en	Mallorca / Andalucía…
estudiar en	España / la universidad…
hablar con	amigos / la familia de mi pareja…
…	…

Estudio español para viajar a...

b. Los motivos del grupo.

Pregunta a tres de tus compañeros y anota sus motivos.

✎ 12 – 15

● Karin, ¿para qué estudias español?
○ Estudio español para viajar a Perú, ¿y tú?

nombre	motivo
1.	
2.	
3.	

c. Presenta ahora los resultados.

¿Hay coincidencias?

● Lucile estudia español para viajar a Perú.
○ Inge y yo estudiamos español para hablar con amigos en España.

Portfolio

Ya puedes elaborar el primer producto para el dosier de tu portfolio: un dominó.

Tarea final Dominó español

a. La preparación.

Preparad en grupos de tres tarjetas para un dominó. Para cada categoría de la lista escribid dos palabras situándolas en dos tarjetas diferentes, por ejemplo:

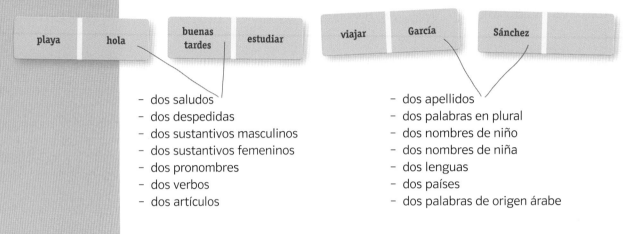

| playa | hola | buenas tardes | estudiar | viajar | García | Sánchez |

– dos saludos
– dos despedidas
– dos sustantivos masculinos
– dos sustantivos femeninos
– dos pronombres
– dos verbos
– dos artículos

– dos apellidos
– dos palabras en plural
– dos nombres de niño
– dos nombres de niña
– dos lenguas
– dos países
– dos palabras de origen árabe

b. El juego.

Ahora vais a jugar en grupos de tres. Cada uno recibe el mismo número de tarjetas cubiertas y las descubre cuando sea su turno. Las palabras relacionadas de diferentes tarjetas se ponen juntas, por ejemplo, dos saludos, nombre y apellido, artículo y nombre, etc. El que no pueda colocar ninguna pasa. El primero en quedarse sin tarjetas es el ganador.

Aprender otra lengua es como hacer un viaje. Al final de cada unidad tendrás la oportunidad de hacer balance y de decidir qué te quieres llevar de la unidad a tu viaje: vocabulario, gramática, aspectos culturales…

¿Qué me llevo de esta etapa?

■ Letras o palabras con pronunciación difícil:
....
....

■ Nombres y apellidos favoritos:
....
....

■ Expresiones útiles:
....
....

■ Temas de gramática:
....
....

■ Aspectos culturales:
....
....

■ Diez palabras favoritas:
....
....
....
....

■ No sólo has aprendido palabras, contenidos y algunas cosas del mundo de habla hispana. También has empleado estrategias para usar la nueva lengua, consciente o inconscientemente. Ve al texto de la página 15 y piensa en lo que has hecho para entender palabras desconocidas.

■ ¿Qué palabras has entendido porque son parecidas en tu lengua?
....
....

■ ¿Cuáles has podido entender por el contexto?
....
....

Las dos estrategias son importantes y te ayudarán también en el futuro para leer los textos de ¡**Nos vemos!**.

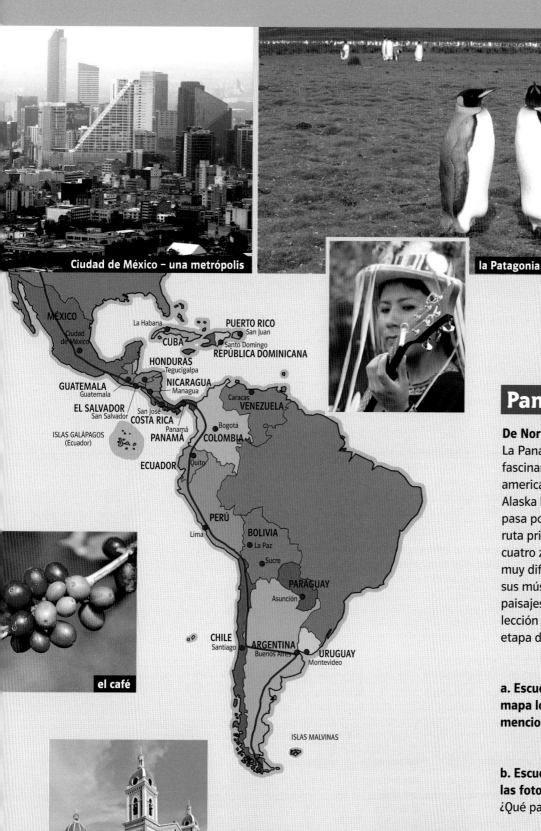

Ciudad de México – una metrópolis

la Patagonia

el café

arquitectura colonial

el lago Titicaca

Panamericana

De Norte a Sur: la Panamericana.
La Panamericana es una ruta
fascinante por el continente
americano. De Norte a Sur, desde
Alaska hasta Argentina, esta ruta
pasa por 17 países (si contamos la
ruta principal y las secundarias),
cuatro zonas climáticas y culturas
muy diferentes con sus lenguas,
sus músicas, su gastronomía y sus
paisajes impresionantes. Cada
lección del nivel A1 presenta una
etapa de esta ruta.

**a. Escucha y marca en el
mapa los países que se
mencionan.** CD1 ▶▶ 12

**b. Escucha otra vez y relaciona
las fotos con los países.**
¿Qué países te gustaría conocer?

Comunicación

Saludarse y despedirse

Hola.	Adiós.
Buenos días.	Hasta luego.
Buenas tardes.	Hasta pronto.
Buenas noches.	Hasta mañana.

Los números hasta 10

0	cero	4	cuatro	8	ocho
1	uno	5	cinco	9	nueve
2	dos	6	seis	10	diez
3	tres	7	siete		

Preguntar por el nombre

- ¿Cómo te llamas?
- ¿Cómo se llama usted?

Presentarse y reaccionar

- Me llamo Rosa, ¿y tú?
  - Soy Carmen.

- Me llamo Eva Santos, ¿y usted?
  - Me llamo Pablo Gómez.

Preguntar por el significado

- ¿Qué significa "aceite"?
- ¿"Aceite" significa...?
- ¿"Arroz" significa ....?

Decir para qué se estudia español

Estudio español para viajar a Guatemala.
Estudio español para hablar con mi pareja.
Estudiamos español para comprar una casa en Mallorca.

Gramática

El artículo definido

	masculino	femenino
Singular	**el** teatro	**la** palabra
Plural	**los** teatros	**las** palabras

El género de los sustantivos

masculino	femenino
el teatro	la paella
el flamenco	la playa
el señor	la señora
el chocolate	la noche
el hotel	la universidad

Las palabras españolas son masculinas o femeninas. Los sustantivos que terminan en **-o** son generalmente masculinos; los que terminan en **-a**, femeninos (hay excepciones: **el día**, **el problema, la mano**...). Son femeninos los que terminan en **-ción** y **-dad**. Los sustantivos que terminan en **-e** pueden ser masculinos o femeninos.

El plural de los sustantivos

	vocal + **s**		consonante + **es**		
Singular	teatro	playa	universidad	hotel	región
Plural	teatro**s**	playa**s**	universidad**es**	hotel**es**	region**es**

Las palabras que terminan en consonante y que llevan tilde en
la última sílaba la pierden en plural.

Los pronombres personales

yo	nosotros, nosotras
tú	vosotros, vosotras
él	ellos
ella	ellas
usted	ustedes

El tratamiento

tú	usted	
¿Hablas español?	¿Habla (usted) español?	*una persona*
¿Estudiáis inglés?	¿Estudian (ustedes) inglés?	*2 o más personas*

Verbos regulares en –ar

	estudi**ar**
yo	estudi**o**
tú	estudi**as**
él / ella / usted	estudi**a**
nosotros / nosotras	estudi**amos**
vosotros / vosotras	estudi**áis**
ellos / ellas / ustedes	estudi**an**

Se usan los pronombres personales **yo**, **tú** … sólo cuando
queremos resaltar la persona por oposición a otra o para evitar
confusiones. Cuando el trato es formal y nos dirigimos a una
sola persona, usamos **usted**; cuando nos dirigimos a más de
una persona, **ustedes**. En Latinoamérica no se usa **vosotros/as**,
incluso cuando se tutea a varias personas se usa **ustedes**.

---

11 **Bingo de palabras.**
el café, la playa, la guitarra, los nombres, el cactus, las lenguas, los tacos, el teatro, los
niños, la geografía, las palabras, los tomates, la música, el español, las ciudades, el
chocolate

Primeros contactos

presentarse • decir el lugar de procedencia • preguntar por el estado físico o anímico • deletrear • preguntar por el número de teléfono y la dirección de correo electrónico • decir la profesión e indicar el lugar de trabajo • negar una frase

2

Gracias
a la Obra Social de la Caixa muchas personas con problemas de integración laboral tienen un trabajo.

1 **a. Mira las fotos y escucha la grabación.** CD1 ▶▶ 13
¿Cuál de las personas habla?

b. Escucha otra vez.
¿Cuál de los siguientes datos es correcto?

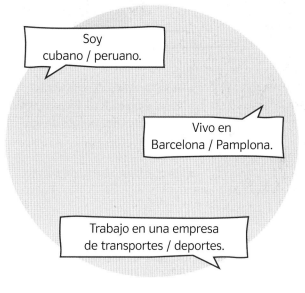

Soy cubano / peruano.

Vivo en Barcelona / Pamplona.

Trabajo en una empresa de transportes / deportes.

c. ¿Qué nombres de profesiones entiendes?
¿Qué profesiones tienen las personas de las fotos?

médico/-a
informático/-a
ingeniero/-a
economista
secretario/-a
jardinero/-a
operario/-a

Mucho gusto

2 **a. La Fundación "la Caixa" organiza un congreso. Lee y escucha los diálogos.** CD1 ▶▶ 14–16
Marca en el texto cómo se reacciona cuando otra persona se presenta. ¿Entiendes cuándo se dice **encantado** y cuándo **encantada**?

1.
- ● Buenas tardes, soy Nuria Ribas, la organizadora del congreso.
- ○ Mucho gusto, señora Ribas. Soy Marc Martí.
- ● Encantada. ¿Es usted de Cataluña?
- ○ Sí.
- ● Ah, yo también. ¿De dónde es usted?
- ○ De Tarragona.
- ● Yo, de Barcelona.

Encantado se usa cuando
.... ,
encantada, cuando
....

Mucho gusto siempre funciona.

2.
- ● Hola, Antonio. ¿Cómo estás?
- ○ Bien, gracias. Y tú, Ricardo, ¿qué tal?
- ● Muy bien. Oye, tú eres de aquí, de Bilbao, ¿verdad?
- ○ Sí, sí…
- ● Es que busco un hotel barato.

3.
- ● Hola, ¿qué tal? Soy Margarita Fuentes.
- ○ Encantado. Me llamo Gabriel Vargas.
- ■ Y yo soy Ana Segura. ¿De dónde eres, Margarita?
- ● De Salamanca. ¿Y vosotros?
- ■ Nosotros somos de Guadalajara, en México.

b. En grupos de dos o tres. Leed uno de los diálogos.
Sustituye en uno de los diálogos los nombres y los lugares de procedencia por los tuyos y léelo en alto.

c. Completa con las expresiones de los diálogos.
¿Cómo preguntan por el estado físico y la procedencia las personas de los diálogos anteriores?

formal	informal	reacción
● ¿Cómo está usted?	● ¿Cómo .... ● ¿Qué tal?	○ Muy bien, gracias. ○ Bien, gracias, ¿y tú / usted?
● ¿De dónde es usted? ●	● .... ● ¿Eres de Bilbao?	○ Soy de Colonia / Viena. ○ Sí. / No, soy de Londres.

3 **¿De dónde son?**
Preséntate y pregunta a cinco compañeros cómo están y de dónde son.
¿Quién es del país más lejano?

4 El verbo ser.
Mira las formas del verbo **ser** y completa las frases.

1. La señora Ribas .... la organizadora del congreso.
2. Me llamo Margarita Fuentes y .... de Salamanca.
3. Ana y Gabriel .... de México.
4. Tú .... de aquí, ¿verdad?
5. Marc y tú, ¿.......................... de Tarragona?
6. Ana y yo .... de Guadalajara.

	ser
yo	soy
tú	eres
él / ella / usted	es
nosotros/-as	somos
vosotros/-as	sois
ellos/-as / ustedes	son

1–4

¿Cómo se escribe?

5 a. Escucha el alfabeto en español. CD1 17
Los participantes del congreso se inscriben. Para ello es importante saber cómo se deletrea su nombre. Escucha el alfabeto español. ¿Qué letras se diferencian de la pronunciación en tu lengua?

A a	B be	C ce	Ch che	D de
E e	F efe	G ge	H hache	I i
J jota	K ka	L ele	Ll elle	M eme
N ene	Ñ eñe	O o	P pe	Q cu
R erre	S ese	T te	U u	V uve
W uve doble	X equis	Y i griega	Z zeta	

b. Escucha. ¿Qué letra es? CD1 18
Escucha y une las letras de la tabla de arriba en el orden de aparición en la audición. ¿Qué sale?

6 a. En parejas. Tu nombre español.
Deletrea tu nombre real o el nombre español que escogiste en la primera unidad.

- Me llamo Ana Pillado.
- ¿Cómo se escribe el apellido?
- Pe – i – elle – a – de – o.

b. Una palabra difícil.
Piensa en una palabra difícil (en tu lengua o española) y deletréala en español. La persona que la adivine antes puede deletrear la siguiente palabra.

c. ¿Qué significa?

ie – ese – te – u – de – i – o   e – ese – pe – a – eñe – o – ele
ce – o – ene   ge – u – ese – te – o!

é   e con acento
ü   u con diéresis
M   eme mayúscula
m   eme minúscula

en Latinoamérica:
b   be larga
v   be corta

En español hay pocos casos de aparición de una consonante seguida de otra igual. Sólo **c, r, l** y **n. rr** y **ll** se pronuncian con un solo sonido. **cc** y **nn** se pronuncian como dos sonidos.

¿Cómo se escribe…?
- ¿Pillado se escribe con i griega?
- No, con elle.
- ¿Con acento o sin acento?
- Sin acento.

5, 6

@ arroba
. punto
- guión
_ guión bajo

En España: el móvil
En Latinoamérica: el celular

Información personal

7 **a. Los datos de Sofía.** CD1 ▶▶ 19

Los participantes del congreso intercambian los números de teléfono y las direcciones de correo electrónico. Escucha y completa la ficha.

Nombre: Sofía Romero Jiménez

Correo electrónico: ....

Teléfono: ....

b. Los datos de tus compañeros.

Levántate y pregunta a cinco compañeros por su número de teléfono y su dirección de correo electrónico. Anótalos.

teléfono y correo electrónico
• ¿Cuál es tu / su teléfono?
• ¿Cuál es tu / su número de móvil?
o Es el 2-4-5-6-7-7-8.
• ¿Tiene/s correo electrónico?
o Sí, es rosa@difusion.com.

tener	
yo	**tengo**
tú	tienes
él / ella / usted	tiene
nosotros/-as	tenemos
vosotros/-as	tenéis
ellos/-as / ustedes	tienen

8 **a. Pregunta a dos compañeros...**

Pregunta a dos compañeros si tienen las cosas de la lista. Tienes que encontrar dos cosas que coinciden.

una guitarra eléctrica | un diccionario de español | amigos latinoamericanos |
un trabajo interesante | un jefe autoritario | amigos españoles | hijos |
un móvil con cámara | un músico en la familia | un nombre con la letra "s"

el artículo indefinido
masculino: **un** diccionario
femenino: **una** guitarra

• ¿Tiene/s un diccionario de español?
o Sí. / No.

b. Presenta ahora los resultados.

• Laura y yo tenemos un trabajo interesante y amigos españoles.

9 **¿Quién es quién? Completa la tabla.**

Antonio es de Caracas. Guadalupe trabaja en un hotel internacional. El ingeniero se llama García Ruiz. La recepcionista es de Buenos Aires y se llama Palaoro de apellido. Pilar estudia en la universidad de Granada. La estudiante se llama Gómez Moreno.

nombre y apellido(s)	profesión	ciudad

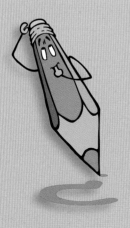

Tengo un trabajo interesante

10 **a. Una persona de la página 22 habla de su trabajo.**
Lee el texto y completa el formulario de la derecha.

Me llamo Verónica Borja Martínez. Soy de Valencia pero ahora vivo en Sevilla. Gracias al programa de la Obra Social tengo trabajo. Soy secretaria en una empresa que vende instrumentos musicales. En la oficina trabajo con una compañera: escribimos cartas y correos electrónicos, hablamos por teléfono…, pero además yo organizo conciertos (reservo hoteles, busco salas para los conciertos, tengo contacto con músicos…). Es un trabajo interesante porque siempre aprendo cosas nuevas.
En mi trabajo es importante hablar inglés. También hablo un poco de italiano y estudio alemán en una escuela de idiomas.
Soy la representante de la empresa en el congreso de "la Caixa" en Bilbao. Mañana viajo a Bilbao para intercambiar ideas sobre el tema de la integración laboral.

Nombre:
Apellidos:
Lugar de nacimiento: *Valencia*
Lugar de residencia:
Profesión:
Función especial:

Idiomas:

b. Las actividades de Verónica.
Marca en el texto las cosas que hace Verónica. ¿Qué verbos conoces? ¿Cuáles son nuevos? ¿Cuál es la terminación de la primera persona de estos verbos?

c. Verbos en -er y verbos en -ir. Completa la tabla.
Completa la tabla de los verbos regulares en **-er** e **-ir** y compara: ¿qué formas tienen las mismas terminaciones? ¿Cuáles son diferentes?

	aprend**er**	viv**ir**
yo		
tú	aprend**es**	viv**es**
él / ella / usted	aprend**e**	viv**e**
nosotros / nosotras	aprend**emos**	viv**imos**
vosotros / vosotras	aprend**éis**	viv**ís**
ellos / ellas / ustedes	aprend**en**	viv**en**

✎ 7–10

11 **Completa este folleto con la forma correcta de los verbos.**

LA CASA DE LA MÚSICA

¿ *Vives* .... en Sevilla? ¿............... (aprender) piano? ¿O .... (ser) músico y no .... (tener) piano?
¿............... (buscar) una sala de conciertos?
Nosotros .... (tener) la solución para tus problemas: .... (organizar) tus conciertos y .... (reservar) la sala.
En resumen: vivimos para la música.

¡Esperamos tu visita!

casamusica@teleline.es

veintisiete | **27**

12 **a. Escribe cuatro frases sobre el texto de Verónica.**

Escribe cuatro frases sobre el texto con ayuda de los siguientes datos. Escribe dos con la información correcta y otros dos con información falsa.

	ser	secretaria / profesora / pianista
	hablar	inglés / francés / español / alemán / italiano
Verónica	organizar	congresos / conciertos / programas de integración
Las dos chicas	vivir	en Sevilla / en Valencia / en Málaga
	aprender	idiomas / guitarra / piano
	vender	instrumentos musicales / cámaras fotográficas

b. Lee tus frases. Tus compañeros reaccionan.

Lee las frases en alto. El resto de la clase tiene que detectar cuáles son las falsas y decir la información correcta.

● Las dos chicas organizan congresos.
○ No, las dos chicas no organizan congresos, organizan conciertos.

La profesión y el lugar de trabajo

13 **a. Las profesiones mejor valoradas.**

En el gráfico de abajo puedes ver cuáles son algunas de las profesiones mejor valoradas por los españoles. Cada uno de vosotros elige cuatro profesiones y les asigna uno, dos, tres y cuatro puntos. Después cada uno dice sus favoritas y la puntuación. Un miembro del grupo anota los puntos y presenta los resultados. ¿Coinciden con los del gráfico?

● Médico, cuatro puntos; arquitecto, tres puntos…
○ …
■ Las profesiones mejor valoradas en la clase son: médico con ocho puntos, …

---

la negación

Verónica **no** es profesora.
Las chicas **no** organizan congresos.

● ¿Hablas francés?
○ **No, no** hablo francés.

No se coloca siempre delante del verbo.

✎ 11–13

Algunas de las profesiones mejor valoradas por los españoles

médico/-a · enfermero/-a · profesor/a · arquitecto/-a · informático/-a · fontanero/-a · veterinario/-a · escritor/a

b. ¿Puedes añadir una profesión en cada grupo?

-o → -a	-or → -ora	masculino = femenino
enfermero / enfermera empleado / empleada camarero / camarera	profesor/a programador/a director/a	dentista policía representante

Muchos nombres de profesión tienen una forma masculina y femenina. Las terminaciones **-ista**, **-ía** y **-e** valen para los dos géneros. Actualmente se tiende a crear una forma femenina para las profesiones en **-e**, p. ej. **presidenta**.

c. ¿Dónde trabajan?

Un alumno piensa en una profesión y el resto de la clase tiene que adivinarlo haciendo preguntas sobre el lugar de trabajo.

un hospital | un supermercado | un bar | un hotel | una oficina | un restaurante | una escuela | una empresa | un banco

- ¿Trabaja en un hospital?
- No.
- ¿En un bar?
- Sí.
- ¿Es camarero?

14 a. ¿Qué haces?

Pregunta a tres compañeros por su profesión y anota los resultados.

preguntar por la profesión	
• ¿Qué haces/hace? • ¿Dónde trabajas/trabaja?	○ Soy programador/a. ○ Estoy jubilado/-a. ○ Trabajo en un banco / en una fábrica... ○ Soy ama de casa.

b. Presentad los resultados.

- Antonia y David trabajan en una empresa internacional.

15 Los datos personales de Verónica.

Haz las preguntas correspondientes a la información.

1. ¿...? Verónica Borja Martínez.
2. ¿...? En Sevilla.
3. ¿...? Soy secretaria.
4. ¿...? En "La Casa de la Música".
5. ¿...? Sí, inglés y también italiano.

16 Escucha y corrige los datos de la tarjeta de visita. CD1 ▶▶ 20

Tecnochip Servicios Informáticos

Analía González
Técnica

Avenida Orinoco, 19
1010 Caracas
Tel 0212 / 991 85 57
anago@tecno.com

14-17

Tarea final Compañeros de clase

a. En parejas. Completad las fichas con los datos de dos compañeros.
Elige a dos compañeros de clase e intenta recordar la información necesaria para rellenar estas fichas. A continuación haz preguntas para completar los datos que te falten.

Nombre ....
Apellido ....
Profesión ....
Lugar de residencia ....
Idiomas ....
Estudia español para ....
Correo electrónico ....

Nombre ....
Apellido ....
Profesión ....
Lugar de residencia ....
Idiomas ....
Estudia español para ....
Correo electrónico ....

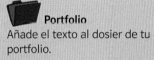

Portfolio
Añade el texto al dosier de tu portfolio.

b. Mis compañeros.
Resume la información en un texto breve.

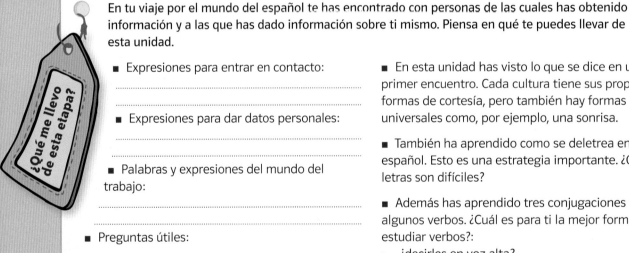

En tu viaje por el mundo del español te has encontrado con personas de las cuales has obtenido información y a las que has dado información sobre ti mismo. Piensa en qué te puedes llevar de esta unidad.

¿Qué me llevo de esta etapa?

- Expresiones para entrar en contacto:
  ....

- Expresiones para dar datos personales:
  ....

- Palabras y expresiones del mundo del trabajo:
  ....

- Preguntas útiles:
  ....

- Aspectos de gramática:
  ....

- Aspectos culturales interesantes:
  ....

- ¿Qué palabras de esta unidad no son tan importantes para ti?

- En esta unidad has visto lo que se dice en un primer encuentro. Cada cultura tiene sus propias formas de cortesía, pero también hay formas universales como, por ejemplo, una sonrisa.

- También ha aprendido como se deletrea en español. Esto es una estrategia importante. ¿Qué letras son difíciles?

- Además has aprendido tres conjugaciones y algunos verbos. ¿Cuál es para ti la mejor forma de estudiar verbos?:
  - ¿decirlos en voz alta?
  - ¿copiarlos varias veces?
  - ¿aprenderse las terminaciones de memoria?
  - ¿aprender ejemplos de uso en frases?

Elabora en tu cuaderno una página con un ejemplo por cada grupo de conjugación. Poco a poco puedes añadir en el grupo correspondiente todos los verbos que aparezcan y así tener tu propia lista para consultar.

Panamericana

En México con Víctor.
En nuestra primera etapa en el recorrido por la Panamericana, Víctor nos muestra su álbum de fotos y nos presenta su país.

Chichén Itzá

¡Hola! Me llamo Víctor y soy mexicano, de México D.F., la capital (las letras D.F. significan Distrito Federal). Soy profesor de español para estudiantes como ustedes.

Pero hablamos de mi país: en México hablamos español, pero existen también unas 60 lenguas indígenas, por ejemplo el náhuatl. Las palabras "tomate" y "cacao" vienen del náhuatl.
■ *¿Y tú? ¿Recuerdas otras palabras que proceden de las lenguas indígenas de Latinoamérica?*

tortillas de maíz

La comida mexicana es excelente: los tacos, el guacamole y las famosas tortillas de maíz (con chile, tomate o queso). ¡Qué rico!
■ *¿Y tú? ¿Conoces platos típicos mexicanos o algún restaurante de comida mexicana?*

En México la cultura se escribe con mayúscula. Tenemos grupos de música tradicional como los mariachis, pero también grupos de rock como los famosos Maná. También el cine mexicano tiene mucha tradición y una reputación internacional con películas como *Amores perros*. Durango, por ejemplo, es una ciudad que vive de la industria del cine.
■ *¿Y tú? ¿Conoces otras películas de origen mexicano o de otro país hispanoamericano? ¿Y españolas?*

Y al final: la historia. Los monumentos de la civilización maya son únicos. Chichén Itzá, Palenque y Uxmal son ciudades mayas fascinantes para visitar.
■ *Y ahora tú: ¿te atreves a deletrear los nombres de estas ciudades mayas?*

¡Chao y buen viaje a Guatemala, la próxima etapa en la Panamericana!

¿Preparados para México?
Las casillas resaltadas forman una palabra de origen indígena que tiene relación con la próxima unidad.

1. comida típica mexicana
2. lengua indígena
3. grupo de música tradicional
4. civilización antigua
5. "adiós" en Latinoamérica

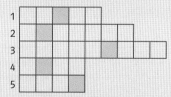

el grupo de rock Maná

Comunicación

Presentarse y reaccionar

- Soy Nuria Ribas.
- Me llamo Iñaki Martínez.
- Yo soy Ana Segura.

- Encantado. *(m)*
- Encantada. *(f)*
- Mucho gusto.

Preguntar por el estado físico o anímico y contestar

- ¿Cómo estás?
- ¿Cómo está (usted)?
- ¿Qué tal?

- Muy bien, gracias, ¿y tú?
- Bien, gracias, ¿y usted?
- Muy bien.

Preguntar por la procedencia y contestar

- ¿De dónde eres?
- ¿De dónde es (usted)?]
- ¿De dónde son (ustedes)?

- Soy de Colonia.
- Somos de Viena.

- (Tú) eres de aquí, ¿verdad?

- Sí.

- ¿Es (usted) de Madrid?

- No, soy de Bilbao.

Preguntar por el número de teléfono y la dirección de correo electrónico

- ¿Cuál es tu / su teléfono?
- ¿Cuál es tu / su número de móvil?

- Es el 2-4-5-6-7-7-8.

@	arroba
.	punto
-	guión
_	guión bajo

- ¿Tiene/s correo electrónico?
- ¿Cuál es tu / su correo electrónico?

- Es rosa@difusion.com.

Preguntar por la profesión

- ¿Qué haces?
- ¿Qué hace (usted)?

- Soy programador/a.
- Estoy jubilado/-a.

- ¿Dónde trabajas?
- ¿Dónde trabaja (usted)?

- Trabajo en un banco / una oficina.
- Soy ama de casa.

Hacer preguntas

¿**Cómo** te llamas?
¿**Qué** haces?
¿**Dónde** trabajas?
¿**De dónde** eres?
¿**Cuál** es tu teléfono?

Gramática

El artículo indefinido

	masculino	femenino
Singular	**un** diccionario	**una** guitarra
Plural	**unos** diccionarios	**unas** guitarras

Deletrear/El alfabeto

- ¿Cómo se escribe Pillado?
- ¿Pillado se escribe con i griega?
- ¿Con acento o sin acento?

- pe – i – elle...
- No, con elle.
- Sin acento.

Nombres de profesiones masculinos y femeninos

enfermero / enfermera	profesor/a	pianista
empleado / empleada	escritor/a	dentista
ingeniero / ingeniera	programador/a	representante
camarero / camarera	director/a	policía

Muchos nombres de profesión tienen una forma masculina y otra femenina. Las terminaciones **-ista**, **-ía** y **-e** sirven para los dos géneros.

La negación

• ¿Hablas francés?	Verónica **no** es profesora.
○ **No, no** hablo francés.	Margarita **no** tiene móvil.

No se coloca siempre delante del verbo.

Verbos regulares en -er e -ir

	aprend**er**
yo	aprend**o**
tú	aprend**es**
él / ella / usted	aprend**e**
nosotros / nosotras	aprend**emos**
vosotros / vosotras	aprend**éis**
ellos / ellas / ustedes	aprend**en**

	viv**ir**
yo	viv**o**
tú	viv**es**
él / ella / usted	viv**e**
nosotros / nosotras	viv**imos**
vosotros / vosotras	viv**ís**
ellos / ellas / ustedes	viv**en**

Los verbos tener **y** ser

	tener
yo	**tengo**
tú	**tie**nes
él / ella / usted	**tie**ne
nosotros / nosotras	tenemos
vosotros / vosotras	tenéis
ellos / ellas / ustedes	**tie**nen

	ser
yo	soy
tú	eres
él / ella / usted	es
nosotros / nosotras	somos
vosotros / vosotras	sois
ellos / ellas / ustedes	son

Cuando sólo se trata de mujeres se usan los pronombres femeninos (**nosotras**, **vosotras**, **ellas**), cuando son grupos mixtos se usan los masculinos.

Mi gente A1

1

Eva, Martina y Sergio

el vocabulario de la familia • expresar gustos • describir el aspecto físico y
el carácter de personas • los números hasta 100 • los meses y la fecha

3

Mamá y papá con Martina

Sonia y yo

Edurne y Fernando

1 **a. Escucha. Eva le enseña unas fotos a un compañero de trabajo.** CD1 ▶▶ 21
¿En qué orden se mencionan las fotos?

1. .....
2. .....
3. .....
4. .....

b. ¿Quién es quién? Escucha otra vez.
¿Con qué foto relacionas el siguiente vocabulario de la familia? En algunos casos, puede haber más de una opción.

primos
marido
hija
madre
hermana
abuelos

c. ¿Dónde tienes fotos de tu familia o de amigos? ¿De quién?

en el salón | en mi oficina | en el móvil |
en un álbum | en el ordenador | no tengo

mi marido | mi mujer | mi hijo | mi hija |
mis hijos | mis amigos | mis nietos |
mis padres

Una familia muy dulce

2 **a. ¿Quién es quién en la familia de Chocolates Valor? Lee el texto.**
Lee el texto sobre la empresa familiar y subraya el vocabulario relacionado con la familia.

La familia "Valor" delante de la fábrica. En el centro Pedro López Lloret. A su lado están su padre, Pedro López Mayor, y sus hermanas Ana e Isabel. Detrás están sus hermanos Vicente, Rafael, Francisco, su hijo Pedro y al lado de él, su sobrino Valeriano.

Cinco generaciones de chocolateros

"Mucha gente me pregunta por qué hacemos chocolate en Villajoyosa", comenta Pedro López Lloret, director de una fábrica de chocolate en la provincia de Alicante. "Quizás no es lógico, porque en España no tenemos cacao, la base del chocolate. Pero Villajoyosa es un pueblo con mucha tradición en la fabricación del chocolate y también para nosotros es una tradición familiar. Nuestra familia tiene pasión por el chocolate, y nuestra marca *Chocolates Valor* es famosa en toda España. También exportamos nuestros productos a muchos países."

Pedro López Lloret, hijo y nieto de chocolateros, es director de *Chocolates Valor*, una empresa familiar, con cinco generaciones que trabajan en ella. "Mi familia vive para el chocolate. Mis hermanos trabajan en la empresa, mi hermana Isabel, por ejemplo, es directora de exportaciones. Su hijo, mi sobrino Valeriano, ya es la nueva generación. Incluso mi padre, Pedro López Mayor, a sus 78 años, está todos los días en la fábrica."

b. ¿Qué título no corresponde al artículo?

Una familia con pasión por el chocolate

Vivir para el chocolate

Nueva fábrica de chocolate en Alicante

Valor: una empresa familiar con tradición

3 **a. Valeriano López habla de su familia.** CD1 ▶▶ 22
Escucha y completa el árbol genealógico con los nombres de pila de los miembros.

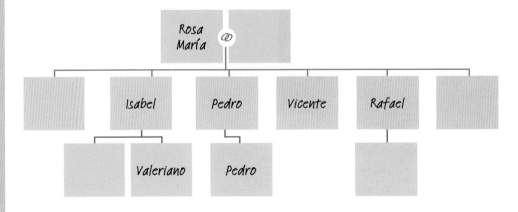

✎ 1–3

b. La familia. ¿Qué significan estas palabras?
Completa la tabla con la traducción a tu lengua del vocabulario de la familia.

♂	♀	♂	♀
abuelo	abuela	hermano	hermana ....
padre	madre	tío	tía ....
hijo	hija	sobrino	sobrina ....
nieto	nieta	primo	prima ....

4 En dos grupos. Preguntas sobre la familia Valor.
Haced preguntas sobre el texto. El otro grupo tiene que contestar. Por cada pregunta y respuesta correctas se consigue un punto.

¿Quién es…? | ¿Quiénes son…? | ¿Qué…? | ¿Cómo se llama…?

- ¿Quién es Valeriano?
- Es el sobrino de Pedro.

- ¿Qué hace Isabel?
- Es directora de exportaciones.

5 a. Los posesivos. Lee otra vez el texto sobre Chocolates Valor.
¿Qué artículos posesivos aparecen en el texto? ¿Cuáles tienen forma en masculino y femenino? ¿Qué significa **su** y **sus**?

los posesivos

mi tío / tía	**mis** tíos / tías
tu tío / tía	**tus** tíos / tías
su tío / tía	**sus** tíos / tías
nuestro tío / **nuestra** tía	**nuestros** tíos / **nuestras** tías
vuestro tío / **vuestra** tía	**vuestros** tíos / **vuestras** tías
su tío / tía	**sus** tíos / tías

b. En parejas. Preguntas sobre la familia.
Haceos preguntas sobre vuestras familias con ayuda de los siguientes elementos.

¿Cómo se llama/n
¿Dónde vive/n
¿De dónde es / son
¿Qué hace/n

tu / tus

abuelos?
hermano/s?
hermana/s?
padres?

6 Lee las siguientes frases y compara.
¿Cuándo se usa **ser**? ¿Cuándo **estar**?

La familia Valor **está** delante de la empresa.
Es una empresa familiar.
Pedro **está** en el centro de la foto. **Es** el director.
A su lado **están** su padre y sus hermanas.
Al otro lado **está** Valeriano. **Es** nuevo en la empresa.
Pedro López Mayor **está** todos los días en la empresa.

---

el padre + la madre = los padres
- ¿Tienes hermanos?
- Sí, una hermana.

En España:
el marido, la mujer
En Latinoamérica:
el esposo, la esposa

Atención:
hacer chocolate (*elaboración*)
- ¿Qué **hace** Isabel? (profesión)
- Es directora de exportaciones.

Los posesivos varían en función del poseedor, pero concuerdan con lo poseído, no con el poseedor.

 4, 5

estar
estoy
estás
está
estamos
estáis
están

 6

Con .... se indica el nombre, la profesión, la procedencia y la identidad.
Con .... se indica la situación espacial.

La empresa Valor en cifras

7 **a. Lee estos números.**
Un compañero tras otro.

11 once	**16** dieciséis	**21** veintiuno	**31** treinta y uno	**60** sesenta
12 doce	**17** diecisiete	**22** veintidós	**32** treinta y dos	**70** setenta
13 trece	**18** dieciocho	**23** veintitrés	…	**80** ochenta
14 catorce	**19** diecinueve	…	**40** cuarenta	**90** noventa
15 quince	**20** veinte	**30** treinta	**50** cincuenta	**100** cien

Uno se convierte en **una** delante de sustantivos femeninos (treinta y un**a** fábricas). Delante de sustantivos masculinos se queda en **un** (treinta y **un** empleados).

b. En cadena. ¿Qué número es?
Di dos números del 1 al 9. Tu compañero te dice el número que salga uniendo los dos y luego dice los siguientes dos números.

● Siete, cuatro.
○ Setenta y cuatro. Ocho, cinco.
■ Ochenta y cinco. …

¿cuántos/-as?

¿Cuánt**os** años tiene Pedro?
¿Cuánt**as** chocolaterías tiene la empresa?

Para preguntar por la edad se usa el verbo **tener**:
¿Cuántos años ~~eres~~ **tienes**?

8 **Unas cifras sobre la empresa Valor. Escucha y completa.** CD1 ▶▶ 23

1. Pedro López tiene .... años.
2. En la empresa trabajan .... miembros de la familia.
3. Además Valor tiene .... chocolaterías.
4. En ellas trabajan .... empleados.
5. Valor exporta sus productos a .... países.
6. Un .... % (por ciento) de la exportación va a los Estados Unidos.
7. Valor tiene en total .... productos diferentes.

9 **a. Mi familia.**
Escribe tu nombre en el centro de una hoja de papel. Alrededor escribe los nombres de pila de tus familiares más cercanos. Entrégale tu hoja a tu compañero.

b. En parejas. Pregunta por las personas.
Pregunta por las personas y da información. ¿Tu compañero es capaz de hacer un árbol genealógico de tu familia o tiene que hacerte más preguntas?

● ¿Quién es Patrick?
○ Es mi padre. Vive en… Tiene 72 años y está jubilado.

 7–8

Somos diferentes

10 **a. Lee la descripción de estos hermanos.**
Lee la descripción de estos hermanos y subraya las características de cada uno.

Cecilia Roth es de Argentina. Es actriz de
cine y teatro. Sus películas son excelentes.
Es una mujer rubia, delgada y guapa.
De carácter es comunicativa, pero un poco
difícil. Está divorciada y tiene un hijo. Vive
en Buenos Aires.
Su hobby: viajar a países exóticos.

Ariel, el hermano de Cecilia, es cantante
de rock. Su música es muy original.
Es un hombre alto, delgado y muy atractivo.
De carácter es simpático y optimista, pero un
poco tímido. Es una persona interesante.
Está casado y tiene dos hijos.
Su hobby: los coches rápidos.

b. Los adjetivos. Completa la tabla y la regla.
¿Qué adjetivos cambian para el femenino y cuáles no? ¿Qué ocurre con el plural?

		masculino		femenino
singular	un cantante	delgad........ excelent........ original	una persona	delgad........ interesant........ original
plural	cantantes	delgad**os** excelent**es** original**es**	personas	delgad**as** interesant**es** original............

Los adjetivos que terminan
en **-o** forman el femenino en
-a. Los adjetivos en **-e**, **-ista** o
consonante* son iguales para
ambos géneros.
* Atención:
Los adjetivos que en masculino
terminan en **-or** o los de procedencia que terminan en consonante forman el femenino
añadiendo una **-a**:
encanta**dor**/encanta**dora**
ingl**és**/ingl**ésa**.

11 **a. ¿Cómo son?**
Describe en un texto breve algunos miembros de tu familia o amigos. Debes emplear 10
adjetivos. ¿Quién termina antes?

*Mi padre es moreno y gordito. Tengo dos hermanas simpáticas y optimistas,
una es alta y delgada, la otra es bajita y un poco tímida. Mi amigo Rainer...*

joven	mayor
alto/-a	bajito/-a*
moreno/-a	rubio/-a
delgado/-a	gordito/-a*
guapo/-a	feo/-a
comunicativo/-a	tímido/-a
simpático/-a	antipático/-a
optimista	pesimista

b. En parejas. Intercambiad vuestros textos.
Corrige los adjetivos en el texto de tu compañero.

* Generalmente se evita el
uso de los adjetivos **bajo** y
gordo. En su lugar se usan
los diminutivos.

12 **¿Él o ella? Escucha.** CD1 ▶▶ 24

Escucha las frases sobre los hermanos Rot y decide si hacen referencia a él o a ella.

	1	2	3	4	5	6
él						
ella						
los dos						

13 **En parejas. Entradas para un concierto.**

Tienes dos entradas para el concierto de Ariel Rot y quieres regalar una. ¿A quién? Elige a una de las personas que esperan en la cola. Tu compañero tiene que averiguar a quién se la das haciendo preguntas sobre su físico.

- ¿Es un hombre?
  ○ No.

- ¿Es una mujer alta?
  ○ Sí.

- ¿Es rubia?
  ○ Sí.
- ¿Es el número…?

✎ 9–11

¿Te gustan las sorpresas?

14 **a. Un test. ¿Te gusta el riesgo? Completa.**

Cecilia y Ariel tienen algo en común, a los dos les gusta el riesgo. ¿Y a ti? Marca si estás totalmente de acuerdo ☺, en parte de acuerdo ☺ o en desacuerdo ☹. A continuación lee los resultados que aparecen a la izquierda.

		☺	☺	☹
1.	Me gusta improvisar planes.			
2.	Me gusta viajar en avión.			
3.	Me gusta aprender cosas nuevas.			
4.	Me gusta viajar a países exóticos.			
5.	Me gusta la rutina.			
6.	Me gustan las motos grandes y rápidas.			
7.	Me gustan los coches pequeños y prácticos.			
8.	Me gustan las sorpresas.			

poco de emoción?
tranquila. ¿Quizás necesitas un
☺ Eres una persona
equilibrada.
☺ Eres una persona
es una aventura.
arriesgada, tu vida
☺ Eres una persona
Mayoría de respuestas

b. Lee otra vez el test y completa la tabla.

agrado y desagrado

(No) Me gust............. ⎡ la música clásica.
                          ⎣ viajar en avión.

(No) Me gust............. ⎡ los países exóticos.
                          ⎣ las sorpresas.

Delante de sustantivos en singular y delante de verbos va **gusta**, delante de sustantivos en plural ....

15 **a. Me gusta mucho...**
Escribe las palabras siguientes en la tabla según tu grado de preferencia.

el café | el vino | el chocolate | las fiestas de cumpleaños | el cine | el teatro |
la ópera | el color rosa | tu jefe | viajar en avión | las fiestas familiares |
las personas pesimistas | el fútbol

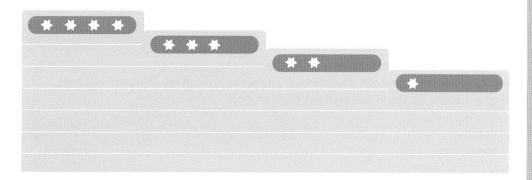

b. ¿Te gusta...?
Pregunta a tu compañero por las cosas de 15 a. o por otras diferentes hasta encontrar
tres cosas que os gustan a los dos y tres que no.

- ¿Te gusta el café?
- No mucho.

- ¿Le gusta el vino?
- Bastante.

me gusta
• ¿Te gusta/n...? *(a ti)*
• ¿Le gusta/n...? *(a usted)*
○ Sí, (mucho).
○ Bastante.
○ (No,) No mucho.
○ No, nada.

✏ 12

¿Cuándo es tu cumpleaños?

16 **a. Pregunta cuándo es cumpleaños de tus compañeros.**
Averigua el mes con el mayor número de cumpleañeros en clase. Ve por la clase y pregunta a tus compañeros hasta añadir todos los nombres en el mes correspondiente.

- ¿Cuándo es tu cumpleaños?
- El 18 de enero.

b. Escucha la canción 'Cumpleaños feliz'. CD1 ▶ 25
¿Alguien en clase cumple años en breve? Tendréis ocasión de cantar esta canción.

el

los meses	nombres de los compañeros
enero	
febrero	
marzo	
abril	
mayo	
junio	
julio	
agosto	
septiembre	
octubre	
noviembre	
diciembre	

La fecha se indica con el artículo definido delante del número:
El uno de abril.
El cinco de mayo.

✏ 13-15

Tarea final ¿Quién soy?

a. Yo soy...

Elabora una ficha con tus datos sin mencionar tu nombre y usando los aspectos que aparecen a continuación. El profesor recogerá las hojas y las repartirá de nuevo para que luego adivinéis a quién corresponden los datos.

Mi aspecto | Mi carácter | Mi familia | Me gusta mucho… | No me gusta…

b. Un poema para mi compañero.

Escribe un poema corto con los datos que has recibido o con los de otra persona de tu elección. Sigue los siguientes puntos y léelo en clase.

el nombre: ....

tres adjetivos: ....

una característica: ....

una actividad: ....

la relación contigo: ....

Claudia
rubia, delgada, optimista,
tiene cinco nietos,
pasa las vacaciones en Ibiza,
mi compañera de clase.

Portfolio
Añade la ficha y el poema al dosier de tu portfolio.

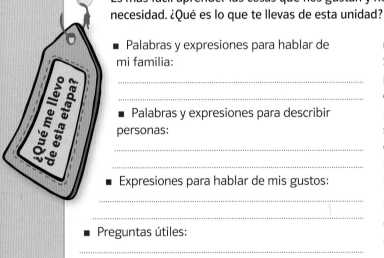

¿Qué me llevo de esta etapa?

Es más fácil aprender las cosas que nos gustan y nos divierten, otras las tenemos que aprender por necesidad. ¿Qué es lo que te llevas de esta unidad?

■ Palabras y expresiones para hablar de mi familia:
....
....

■ Palabras y expresiones para describir personas:
....
....

■ Expresiones para hablar de mis gustos:
....

■ Preguntas útiles:
....
....

■ Aspectos difíciles de gramática:
....
....

■ Aspectos culturales interesantes:
....
....
....

■ En esta unidad has aprendido mucho vocabulario. Se aprende con más facilidad cuando en nuestra propia lengua tenemos ya la terminología clara, como por ejemplo el vocabulario de la familia, los meses o los números. En ese caso solo tenemos que sustituir las palabras conocidas por las palabras en español (y además nos damos cuenta enseguida si nos falta vocabulario). ¿También lo has hecho de este modo? ¿Conoces otros ejemplos?

■ También puede ser de ayuda memorizar parejas de antónimos. ¿Qué palabras de esta unidad son adecuadas para esta estrategia?

■ A veces hay diferencias entre palabras y sus conceptos de distintos idiomas. En este caso la traducción a tu lengua te puede ayudar a descubrir la diferencia. Piensa, por ejemplo, si en tu lengua o en otra que conoces, existe una palabra para el concepto "padre + madre". ¿Cómo se dice en español?

Panamericana

En Guatemala, El Salvador y Honduras con Hilda: un paso más en tu viaje al español.

el lago Atitlán

las ruinas de Copán

Hilda nos presenta Guatemala y sus países vecinos.

Hola. Me llamo Hilda Mateo y soy de Guatemala. Mis padres viven en Antigua y tienen una escuela de idiomas. Tengo tres hermanos y una hermana. Somos una familia guatemalteca típica.

■ *Y ahora tú: ¿crees que hay un modelo típico de familia en tu país? ¿Cuál o cuáles piensas que son más comunes?*

Mi país es pequeño, pero muy variado e interesante. Tenemos una naturaleza fascinante con la selva tropical más grande de Centroamérica y con ¡33! volcanes. Un ejemplo: el lago Atitlán, en el cráter de un volcán. Pero también tenemos lugares con mucha historia como las ruinas mayas de Tikal. Para visitar Guatemala la época ideal son de noviembre a mayo.

■ *Y ahora tú: ¿qué meses son ideales para visitar tu país?*

Ciudad de Guatemala, la capital del país, es una ciudad moderna. Pero yo soy de Antigua, la antigua capital de Guatemala. Mi ciudad me gusta mucho, me gustan sus casas coloniales, sus fiestas… También me gusta hablar con los estudiantes de español de todo el mundo que estudian en alguna de las escuelas de idiomas.

■ *Y tú: ¿dónde estudias español? ¿Para qué? ¿Qué te gusta de la clase de español?*

la catedral de Antigua

Más del 50% de los habitantes son de origen indígena. Muchos conservan sus rituales religiosos, como el saludo al sol, y sus tradiciones. Una atracción para muchos turistas es el mercado de Chichicastenango, un antiguo mercado maya donde los indígenas venden o intercambian diferentes productos.

Al sur de Guatemala están El Salvador y Honduras. El Salvador es el país más pequeño de Centroamérica, pero muy famoso por sus volcanes. Honduras tiene playas maravillosas en el Caribe, reservas naturales y restos arqueológicos mayas como las ruinas de Copán.
Tres países, pequeños pero fascinantes. ¡Hasta pronto!

Y ahora tú.
Lee el texto de nuevo. ¿Eres capaz de crear un eslogan para Guatemala?

autobuses en Antigua

Comunicación

Vocabulario de la familia

el abuelo	la abuela	el tío	la tía
el padre	la madre	el sobrino	la sobrina
el hijo	la hija	el hermano	la hermana
el nieto	la nieta	el primo	la prima

En España: el marido, la mujer. En Latinoamérica: el esposo, la esposa
Padre + madre: padres
¿Tienes hermanos? - Sí, una hermana.

Aspecto físico y carácter

alto/-a	bajito/-a		simpático/-a	antipático/-a
moreno/-a	rubio/-a		abierto/-a	tímido/-a
delgado/-a	gordito/-a		optimista	pesimista
guapo/-a	feo/-a		difícil	
joven	mayor			

Estado civil

Ariel está casado.
Cecilia no está casada, está divorciada.

Los números hasta 100

0	cero	11	once	30	treinta
1	uno	12	doce	40	cuarenta
2	dos	13	trece	50	cincuenta
3	tres	14	catorce	60	sesenta
4	cuatro	15	quince	70	setenta
5	cinco	16	dieciséis	80	ochenta
6	seis	17	diecisiete	90	noventa
7	siete	18	dieciocho	100	cien
8	ocho	19	diecinueve		
9	nueve	20	veinte	21, 22, 23… veintiuno, veintidós, veintitrés…
10	diez	21	veintiuno	31, 32, 33… treinta y uno, treinta y dos, treinta y tres…

Expresar gustos

(No) Me gust**a**
- la música clásica.
- viajar en avión.

(No) Me gust**an**
- los países exóticos.
- las sorpresas.

- ¿Te gusta viajar?   o Sí, (mucho).
- ¿Te gustan las fiestas?   o Bastante.
- ¿Le gusta el teatro?   o (No,) No mucho.
- ¿Le gustan las sorpresas?   o No, nada.

Se usa **gusta** cuando sigue un sustantivo o un infinitivo y **gustan** si sigue un sustantivo en plural.

Los meses

enero	abril	julio	octubre
febrero	mayo	agosto	noviembre
marzo	junio	septiembre	diciembre

La fecha

El uno de enero. *(España)*
El primero de enero. *(Latinoamérica)*
El dos de mayo.
El 15 de junio.

Edad y cumpleaños

¿Cuándo es tu / su cumpleaños? -Es el dos de mayo.
¿Cuántos años tiene/s? -Tengo 35 años.

Gramática

Posesivos

mi	tío / tía	mis	tíos / tías
tu	tío / tía	tus	tíos / tías
su	tío / tía	sus	tíos / tías
nuestro	tío	nuestros	tíos
nuestra	tía	nuestras	tías
vuestro	tío	vuestros	tíos
vuestra	tía	vuestras	tías
su	tío / tía	sus	tíos / tías

Los posesivos varían en función del poseedor, pero concuerdan con lo poseído, no con el poseedor. **Mi**, **tu** y **su** concuerdan en número (**mi/tu/su** tío, **mis/tus/sus** tíos); **nuestro** y **vuestro** concuerdan en género y número.

El adjetivo

	masculino	femenino
Singular	un hombre delgad**o** un músico excelent**e** un cantante original	una mujer delgad**a** una persona interesant**e** una actriz difícil
Plural	hombres delgad**os** músicos excelent**es** cantantes original**es**	mujeres delgad**as** personas interesant**es** actrices difícil**es**

Los adjetivos que terminan en **-o** forman el femenino en **-a**.
Los adjetivos en **-e**, **-ista** o consonante* son iguales para ambos géneros.
* Atención:
Los adjetivos que en masculino terminan en **-or** o los de procedencia que terminan en consonante forman el femenino añadiendo una **-a**: encantad**or**/encantad**ora**, inglé**s**/inglé**sa**.

El verbo estar

estar
estoy
estás
está
estamos
estáis
están

Estar se usa para situar en el espacio.
¿Dónde **está** Luis? -**Está** en la oficina.

Con **ser** se indica el nombre, la profesión, la procedencia, el carácter y la identidad.

Preguntar

¿**Cuántos** empleados…? ¿**Cuántas** chocolaterías…?	*Cantidad*
¿**Quién** es…? ¿**Quiénes** son…?	*Identidad*
¿**Por qué**…?	*Causa, razón*

Mirador (A1)

Llega el momento de detenerse para revisar lo aprendido.
De este modo podrás determinar en qué nivel de aprendizaje
estás y obtendrás consejos para seguir estudiando con éxito.

Hablamos de cultura: relaciones personales

1 **a. Contactos en España y Latinoamérica.**
Marca en el cuestionario tu respuesta personal. No hay respuestas
correctas ni incorrectas.

1. Hablo de tú
   - [ ] a mi profesor/a.
   - [ ] a mis compañeros de trabajo/clase.
   - [ ] a mi jefe o jefa.

2. Hablo de usted
   - [ ] a una persona de 18 años.
   - [ ] a una empleada de banco.
   - [ ] a un camarero.

3. Doy un beso para saludar
   - [ ] a un amigo o una amiga.
   - [ ] a un miembro de mi familia.
   - [ ] a mis compañeros de trabajo.

4. Para saludar doy la mano
   - [ ] a mi jefe o jefa.
   - [ ] a mis compañeros de trabajo/clase.
   - [ ] a mis hermanos.

5. "Buenas noches"
   - [ ] es un saludo.
   - [ ] es una despedida.
   - [ ] es un saludo y una despedida.

6. Mi familia son
   - [ ] mi marido / mujer y mis hijos.
   - [ ] mis padres, hijos, hermanos y abuelos.
   - [ ] mis padres, hijos, primos, tíos…

b. Escucha una entrevista espontánea con hispanohablantes de diferentes países. CD1 ▶▶ 26
Los diálogos espontáneos no son fáciles de entender, pero son un ejercicio importante. Anota lo que eres capaz
de entender sobre los temas que tratan en la conversación: tuteo, saludos y familia.

Ahora ya sabemos…

Antes de hacer el ejercicio, evalúate tú mismo marcando una de las caras dibujadas al lado de cada tema. A
continuación haz la prueba y comprueba los resultados (pregunta a tus compañeros o al profesor si no estás
seguro). Compara luego el resultado con tu autoevaluación.

3 a. Saludos y despedidas. ☺ ☺ ☹
¿Qué expresiones se usan al saludarse,
al despedirse o en ambas situaciones?

	Saludo	Despedida
1. Adiós.	☐	☐
2. Hola, ¿cómo estás?	☐	☐
3. Encantado/-a.	☐	☐
4. Buenas noches.	☐	☐
5. Hasta pronto.	☐	☐
6. ¡Buen viaje!	☐	☐
7. Hasta luego.	☐	☐
8. Mucho gusto.	☐	☐
9. ¿Es usted la señora Ruiz?	☐	☐
10. Hola, ¿qué tal?	☐	☐

b. Preguntas y respuestas. CD1 ▶ 27 ☺ ☺ ☹
Lee estas respuestas. Escucha primero las preguntas 1
a 4 y anota el número en la respuesta correspondiente.

☐ Me llamo Carmen Alonso Díaz.
☐ No, soy de Madrid.
☐ 24. ¿Y tú?
☐ Soy secretaria.

Haz lo mismo con las preguntas 5 a 8. CD1 ▶ 28

☐ Para viajar a Bolivia.
☐ Es el 09 87 65.
☐ Con uve y con acento.
☐ Tres. Dos hijos y una hija.

4 Nombre, profesión y origen. ☺ ☺ ☹
En parejas. Haz las preguntas adecuadas
para conseguir las respuestas. Luego,
pregunta tu compañero.

Nombre ....
Apellido ....
Edad ....
Lugar de residencia ....
Profesión ....
Aspecto físico ....
Móvil ....
Correo electrónico ....

5 La familia. ☺ ☺ ☹
Mira el árbol genealógico de la página 36 y escribe tres datos correctos y tres incorrectos sobre la familia Valor.
Léeselos a tu compañero, que te dirá cuáles son correctos y cuáles incorrectos.

6 Describir personas. ☺ ☺ ☹
Elige a uno de tus compañeros y escribe un perfil con cuatro datos: edad, aspecto físico, carácter... Intercambia el
texto con otro compañero. ¿Es capaz de identificar a la persona?

Aprender a aprender

7 **Palabras internacionales.**

Muchas palabras se parecen en distintos idiomas. Esto te ayudará a averiguar su significado ¿Cuáles de las siguientes palabras puedes traducir sin ayuda de un diccionario? ¿Hay algún falso amigo?

- medicina
- televisión
- informática

- ambiente
- técnica
- curso

- autor
- farmacia
- yogur

- gratis
- activo
- amor

8 **a. Clasificar palabras.**

¿Quieres aprenderte las palabras siguientes? Primero tendrás que clasificarlas por grupos. Los criterios de los decides tú (tema, personas, primera letra, tipo de palabra, sonido…).

colegas | pianista | chocolate | hotel | vacaciones | atractivo | congreso | sobrino | universidad | trabajar | exótico | concierto | jefe | naranja | simpático | teatro | cámping | carácter | música | paella | fútbol | café | fábrica | producto | finca | director | rock | museo | tenis | viajar | playa

b. En parejas. Buscar criterios.

Intercambiad las palabras agrupadas. ¿Puedes adivinar los criterios que ha usado tu compañero?

9 **Mapas asociativos.**

Como ejercicio de memorización, muchos estudiantes agrupan palabras alrededor de una palabra clave o un tema. El dibujo resultante se llama mapa conceptual. Aquí tenemos un ejemplo. Complétalo con las palabras de la actividad 8 u otras que conozcas.

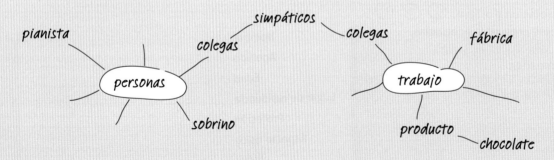

10 **a. ¿Hablan muy rápido los españoles? Escucha.** CD1 ⏩ 29

Los hablantes nativos unen las palabras al hablar de manera que parece que hablan muy rápido. Separa las palabras y compara a continuación con el CD.

1. **HOLAMELLAMOANAALONSOYESTUDIOINFORMÁTICAENSALAMANCA**

2. **UNODEMISPAÍSESFAVORITOSESESPAÑAPORQUEMEGUSTANELVINOYLASTAPAS**

3. **MEGUSTANLASPERSONASESPONTÁNEASYCOMUNICATIVAS**

b. Hablar como ellos.

Ahora intenta decir las frases con fluidez y fíjate en la entonación.

Terapia de errores

Los errores forman parte del proceso de aprendizaje. Indican que estás aprendiendo algo nuevo. Si les dedicas tiempo, verás dónde está el problema y podrás corregirlos.

11 a. **Un juego en grupos de tres. ¿Dónde están los errores?**

Se necesita una moneda y una ficha por jugador. Cara significa avanzar una casilla; cruz, dos casillas. Se obtiene un punto por error encontrado (1 o 2 por frase) y otro más por su corrección.

¡Hola!	1. Buenas días. Me llama Ana Díaz.	2. Y tú, ¿cómo se llama?	3. Señor Pérez es un arquitecto.
4. ¿Cuándo tienes cumpleaños? ¡Hoy! Ya soy 25.	5. Paco es una persona simpático y optimisto.	6. Yo vivo a Berlín. Estudio español para viajar en España.	7. Madrid me gusto mucho porque es una ciudad interessante.
8. Mario y yo trabajan en una fábrica de coches.	9. Nosotros jefe es todos los días en la empresa.	10. Vosotros vivéis en Italia y habláis italiano, ¿no?	¡Adiós!

b. Los errores.
Intenta clasificar los errores anteriores con ayuda de las categorías de abajo y da ejemplos. ¿Hay errores que cometes fácilmente? Intenta clasificar tus propios errores

- género erróneo
- palabra errónea
- preposición errónea
- palabra que falta o sobra
- relación errónea con mi lengua

- confusión (¿qué con qué?)
- la forma verbal no corresponde al sujeto
- la forma verbal es errónea
- ortografía o puntuación

Organizar un juego

Con este juego vas a practicar tu español.

12 **Círculos de personalidades.**

- Cada uno escribe en un papel tres preguntas (por ejemplo: sobre la profesión, sobre el lugar de residencia, sobre el lugar de trabajo, sobre el cumpleaños, sobre la dirección de correo electrónico, sobre la familia, etc.). El profesor comprueba si son correctas.
- Formad dos círculos, uno interior y otro exterior, para que una persona esté enfrente de otra. El profesor participa si el número de los integrantes es impar.

- Cada uno formula sus preguntas y el otro contesta. A continuación os intercambiáis las hojas con las preguntas.
- A la palabra ¡Listos! el círculo exterior se desplaza hacia la derecha. De este modo se formarán nuevas parejas y podrán hacerse más preguntas con las hojas recibidas. El juego termina a la quinta ronda.

comprar alimentos • medidas, pesos y precios • pedir algo en un bar •
preguntar por la comida • la hora • expresar preferencias •
los números a partir de 100

5

1 **a. ¿Se regalan cestas de navidad en tu país?
¿En qué contextos?**
¿Se hacen otros regalos en ámbitos
profesionales?

b. Productos y envases.
¿Qué sabes de las siguientes palabras? Márcalo.

	Es un producto	Es un envase	Es de origen vegetal	Es de origen animal	Es dulce	Es salado
botella	☐	☐	☐	☐	☐	☐
vino	☐	☐	☐	☐	☐	☐
aceite	☐	☐	☐	☐	☐	☐
queso	☐	☐	☐	☐	☐	☐
cava	☐	☐	☐	☐	☐	☐
caja	☐	☐	☐	☐	☐	☐
jamón	☐	☐	☐	☐	☐	☐
lata	☐	☐	☐	☐	☐	☐
espárrago	☐	☐	☐	☐	☐	☐
turrón	☐	☐	☐	☐	☐	☐

**c. ¿Qué productos de la cesta te gustan?
¿Cuáles no?**

● Me gusta el jamón, pero no me gusta
el chorizo.

CESTA 6   Ref. 00100196   314€

1 jamón de 5 kg
2 chorizos
1 queso Gran Capitán
2 botellas de cava
2 botellas de vino tinto
1 botella de vino blanco
2 tabletas de turrón
1 caja de bombones TRAPA
1 lata de aceite de oliva 1881
1 lata de espárragos

Regalar cestas a clientes o empleados es una costumbre típica
de Navidad. Las cestas tienen
productos que normalmente se
comen en esas fiestas.

¿Qué comes?

2 **a. ¿Cómo se llaman estos productos? Pregunta a tu profesor.**
Identifica los alimentos marcándolos con el número correspondiente. Haz una lista en tu cuaderno de cuáles puede comer un vegetariano. A continuación cada uno de vosotros lee un producto de su lista. ¡No vale repetir!

1. agua
2. aceite
3. carne
4. huevos
5. leche
6. lechuga
7. limón
8. mantequilla
9. manzana
10. pan
11. pasta
12. patatas
13. pescado
14. plátano
15. pollo
16. queso
17. yogur

b. En parejas. ¿Con qué frecuencia comes o bebes estos productos?

● Como fruta todos los días. Nunca bebo leche.

3 **De estos productos, ¿cuántos compras tú en una semana?**
Haz una lista y léesela a tu compañero. ¿Qué es lo que más se consume?

leche | mantequilla | patatas | tomates | queso | carne | pan | café | agua

cantidades y envases	
1 kg = un kilo de…	un paquete de…
½ kg = medio kilo de…	una botella de…
1½ kg = un kilo y medio de…	una lata de…
100 g = cien gramos de…	una caja de…
1 l = un litro de…	
½ l = medio litro de…	un poco de…

3 kilos de patatas
…

---

frecuencia

todos los días
muchas veces
pocas veces
casi nunca
nunca

Atención:
Nunca como carne.
No como carne **nunca**.

 1–4

Entre la cantidad o el envase y el contenido va siempre la preposición **de**:
un kilo **de** manzanas
una botella **de** agua

En un mercado

4 **a. Escucha el diálogo. ¿Qué productos compra el cliente?** CD1 ▶▶ 30

b. Escucha otra vez y marca todos los alimentos.

- Hola, buenos días. Quería un kilo de tomates.
- ○ ¿Tomates para ensalada o para salsa?
- Para salsa, para salsa.
- ○ Muy bien. Un kilo de tomates.
- Y quería fruta también.
- ○ Pues hoy tengo manzanas y mandarinas muy buenas.
- Uy, mandarinas, no. Prefiero las manzanas. ¿Cuánto cuesta el kilo?
- ○ Dos euros. ¿Cuánto quiere?
- Un kilo y medio.
- ○ Aquí tiene. ¿Algo más?
- ¿Tiene mangos?
- ○ No, lo siento. Hoy no tengo.
- Mmm... Entonces deme un melón, por favor.
- ○ Un melón. Muy bien, ¿algo más?
- No, gracias. Eso es todo. ¿Cuánto es?
- ○ Son 1,90 los tomates; 3 euros las manzanas; 1,50 el melón… En total son 6,40.
- 6,40. Aquí tiene.
- ○ Muchas gracias.

c. En parejas. Leed el diálogo en voz alta.

d. Completa las frases del cliente.
Después compara las peculiaridades y las terminaciones de **querer** y **preferir**.
¿Qué es igual y qué diferente?

vendedor	cliente
¿Cuánto quiere?	.... un kilo de tomates.
¿Algo más?	.... un melón, por favor.
Aquí tiene.	¿Tiene mangos?
Lo siento, hoy no tengo.	Eso es todo.
Son 6,40 euros.	¿Cuánto es (en total)?

querer	preferir
quiero	prefiero
quieres	prefieres
quiere	prefiere
queremos	preferimos
queréis	preferís
quieren	prefieren

Quería es la forma de cortesía de **querer**.

5 **Bocadillos para todos los gustos.**
Haz tres bocadillos a tu gusto y compáralos con los de tus compañeros.

Mi bocadillo tiene mantequilla, atún, un poco de lechuga…

6 **En parejas. ¿Tú qué prefieres?**
Subraya lo que prefieres. Después haz preguntas como en el ejemplo. ¿En cuántas preferencias coincidís?

– el vino blanco o tinto
– la cerveza con o sin alcohol
– el agua con o sin gas
– el aceite o la mantequilla
– el zumo de naranja o de manzana

● ¿Prefieres el vino blanco o tinto?
○ Blanco, ¿y tú?
● Yo también. / Yo, tinto.

7 **Una cesta para un compañero.**
Escribe tu nombre en una hoja. Se recogen todas las hojas y se vuelven a repartir. Tienes que regalarle una cesta al compañero que te ha tocado. Anota los alimentos que meterás en la cesta (máximo 7) y entrega el "regalo". ¿Conoce todos los productos? ¿Le gustan todos?

Cuando se entrega un regalo se puede decir **Esto es para ti / Esto es para usted.**

Números

8 **a. Completa con los números que faltan.**

100 cien	500 quinientos	2.000 dos mil
101 ciento uno	600 seiscientos	10.000 ....
102 ciento dos	700 setecientos	10.100 diez mil cien
200 doscientos	800	30.000 ....
300	900 novecientos	100.000 cien mil
400	1.000 mil	1.000.000 un millón

■ La **y** sólo va entre decenas y unidades: ciento setenta **y** siete.
■ Las centenas tienen terminación masculina y femenina: doscient**os** gramos/ doscient**as** botellas

b. Una cadena con números.
Di un número del 1 al 100. Tu compañero dice el número añadiendo un cero y propone otro de dos cifras.

● Treinta y seis.
○ Trescientos sesenta. Veinticinco.
■ Doscientos cincuenta…

9 **En parejas. En el supermercado.**
Compra dos productos en el supermercado. Tu compañero calcula el precio.

● Quería una botella de vino.
○ ¿Algo más?
● Sí, una lata de sardinas. Eso es todo. ¿Cuánto es?
○ Son cinco euros con treinta.

OFERTAS

un litro de leche	1
una botella de vino	3,50
250 g de jamón	4,20
una lata de sardinas	1,80
½ l de aceite	3,50
½ kg de tomates	2,50
1,5 kg de manzanas	3,20
un paquete de mantequilla	1,80

¿Probamos las tapas?

[handwritten] To Try.

10 **a. Escucha el diálogo y marca las tapas que piden.** CD1 ▶▶ 31

b. Escucha otra vez y lee el texto.
Escucha otra vez y lee el texto. Subraya las expresiones para pedir algo y para pedir información sobre la comida.

- ● Aquí tienen tapas muy ricas. A ver… hoy tienen gambas, patatas bravas…
- ○ ¿Patatas bravas? ¿Y qué es eso? ¿Lleva ajo?
- ● Son patatas con una salsa que lleva mayonesa, ketchup y tabasco.
- ○ Ah no, no puedo comer mayonesa, pero las gambas me gustan mucho.
- ● Pues tomamos gambas, jamón serrano y… ¿Probamos las albóndigas?
- ○ ¿Albóndigas? ¿Son picantes?
- ● No, no, qué va.
- ■ Hola. ¿Qué quieren?
- ● Una ración de gambas, una de albóndigas…
- ○ … y una de jamón serrano.

- ■ Enseguida. Y para beber, ¿qué quieren?
- ● No sé… Podemos probar el vino tinto de la casa, ¿no?
- ○ Ah no, no puedo tomar alcohol. Un agua mineral, por favor.
- ● Pues para mí, un tinto de la casa.
- ■ Enseguida.
  …
- ■ Aquí tienen. *[handwritten]* Meatballs
- ○ Muchas gracias.
  …
- ● ¿Y qué tal? ¿Te gustan las albóndigas?
- ○ Mmmm, muy ricas, ¡deliciosas!
  …
- ● ¿Pagamos?
- ○ Sí, pero hoy pago yo.

c. Completa con expresiones para pedir información y las formas del verbo poder.

pedir (algo)	pedir información sobre la comida
● ¿Qué quieren?	¿..?
○ Una (ración) de…	¿Qué lleva?
○ (Yo) una cerveza.	¿Lleva .... / mayonesa?
○ Un agua mineral, por favor.	¿..?
○ Para mí, un tinto de la casa.	¿Se come caliente / frío?

Cada tapa no suele tener mucha cantidad de comida. Es frecuente que un grupo de personas pida varias y las comparta.

Para pagar, si estamos en grupo dos de las opciones pueden ser: una persona invita y paga la cuenta o se paga a escote (se divide el total a pagar en partes iguales).

[handwritten notes in right margin]
e - ir.
Quiere
Prefer
Tiene
Entiender

o - er.
Podes.
Puedes.
Yo Puedo.

Tu puedes
El/ella - puede -
Nosotros podemos
ellos pueden.

poder
....
puedes
puede
....
podéis
pueden

✎ 9, 10

[handwritten bottom left] probar.

11 **a. ¿A qué producto se refieren las siguientes frases? Relaciona.**

*Do you want them.
Before the verb.
Neutral las*

☐ ¿Las quiere negras o verdes?
☐ ¿Los quiere a la plancha o a la romana?
☐ ¿La quiere caliente o fría?
☐ No lo quiero con leche, lo quiero con limón.
☐ ¿Las quiere fritas o a la plancha?

lola = it
los/las = them.

las olivas

b. Completa.

¿Qué te ha ayudado a relacionar las imágenes con las frases? ¿Eres capaz de completar la tabla con los pronombres de objeto directo?

Pronombres de objeto directo			
Quiero	un té.	¿......................	quiere con limón?
	una tortilla.	¿......................	quiere caliente o fría?
	calamares.	¿......................	quiere a la romana?
	aceitunas.	¿......................	quiere verdes o negras?

los olivas

Se usa **lo, la, los, las** para referirse a un objeto ya mencionado. En la negación estos pronombres están entre el **no** y el verbo: No **lo** quiero con leche.

12 **¿De qué objetos se habla?**

Escribe el número y completa con el pronombre.

☐ *La*........ necesitamos para beber vino.
☐ .... uso para comer sopa.
☐ .... prefiero fritas.

☐ .... uso para cortar la carne.
☐ .... preparo con salsa de tomate.
☐ .... usamos para beber agua.

13 **El mapa de mis gustos.**

Elabora en tu cuaderno un mapa con tus gustos. Anota los alimentos según el grado de preferencia y la frecuencia. Compáralo con el de un compañero.

● Me gusta la pasta y la como muchas veces. Nunca como pescado porque no me gusta.

🖉 11–13

Los bares en España

14 **a. Un día en el bar Jamón jamón.**
Antes de escuchar una entrevista al dueño del bar, ¿qué opción crees que es más acertada en cada caso? Márcalo a continuación.

Por la mañana el bar abre	☐ a las 6.30.	☐ a las 8.
En el desayuno se toman	☐ tostadas.	☐ bocadillos.
Se almuerza	☐ entre la 1 y las 2.	☐ entre las 2 y 2.30.
Al mediodía se puede comer	☐ un menú barato.	☐ sólo un bocadillo.
El bar está abierto	☐ todo el día.	☐ por la tarde.
Se cena	☐ a las 8.30.	☐ entre las 8 y las 11.
Muchos clientes son	☐ estudiantes.	☐ turistas.
No es usual	☐ sentarse con otros.	☐ ver la tele.

se + 3ª persona

En un bar **se toma** café. También **se comen** tapas. En este bar **se puede comer un menú** barato. En este bar **se pueden comer bocadillos** de muchos tipos.

✎ 14

b. Escucha ahora la entrevista y compara con tus respuestas. CD1 ▶▶ 32
¿Te has fijado en lo que significa **se** + verbo y cuándo se usa el verbo en singular o en plural?

15 **a. ¿Qué hora es?**
Dibuja la hora. ¿Cómo se dice en español?

la hora	
● ¿Qué hora es?	o Es la una y media. o Son las tres y veinte. o Son las seis menos diez.
● ¿A qué hora cenas?	o A las ocho y media. o Entre las ocho y las nueve.

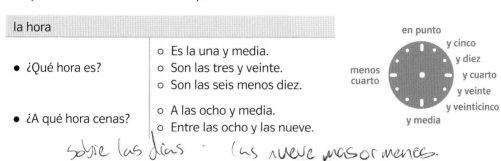

sobre las dias · las nueve mas o menos.

b. Escucha y relaciona con los diálogos. CD1 ▶▶ 33–38

c. Pregunta a tres compañeros a qué hora desayunan, almuerzan y cenan.

● ¿A qué hora cenas?
o A las siete y media, ¿y tú?

16 **Mi bar preferido.**
Escribe un texto breve sobre tu local preferido (lugar, horario, clientes). ¿Qué se puede hacer allí?

desayunar | tomar un aperitivo | comer un menú | comer bocadillos | fumar | ver la tele | tomar un café | leer el periódico

Mi bar / café / restaurante preferido se llama... y está en... Abre a las... Se puede...

✎ 15–18

Tarea final Especialidades de la casa

Portfolio
Guarda el dosier en tu portfolio.

a. Abrimos un bar de tapas.
En grupos de cuatro vais a abrir un bar de tapas. Primero os tenéis que inventar tapas con vuestros ingredientes preferidos y darles un nombre apetitoso, por ejemplo, "Champiñones a la Cristina". Luego tenéis que elaborar la carta y poner los precios.

b. ¿Qué pedimos?
A continuación un miembro de un grupo va con la carta a otro grupo y hace el papel de camarero para contestar a las preguntas sobre la carta. El resto son los clientes: preguntan por la comida, piden tapas y bebidas, hablan durante la comida y pagan.

TAPAS Y RACIONES

BEBIDAS

HORARIO

¿Qué me llevo de esta etapa?

Seguro que no hay espacio suficiente para apuntar todas las cosa útiles con las que te has encontrado en esta unidad. Por ello será mejor que anotes en tu cuaderno todo aquello que te quieres llevar de esta unidad. Guíate por la columna de la izquierda.

- Cinco alimentos que me gustan.

- Expresiones útiles para comprar en un mercado o en un supermercado.

- ¿Qué productos se pueden comprar en lata?

- Expresiones útiles para pedir en un bar.

- Dos tapas que quiero probar.

- Información cultural: ¿qué se puede hacer en un bar español?

- ¿Qué verbos irregulares recuerdas? ¿Tienen la misma irregularidad?

- ¿Te acuerdas del diálogo en el mercado y de la entrevista con el dueño del bar? ¿Qué era más fácil de entender? Muchas situaciones cotidianas trascurren de manera semejante en varias culturas o idiomas. Podemos saber lo que se dice normalmente o prever en cierta medida lo que se va a decir. Eso nos ayuda a entender con mayor facilidad. Por el contrario, las situaciones imprevistas son más difíciles de entender.

- Es bueno memorizar palabras relacionándolas con dibujos. ¿Te acuerdas de COPa ? Escoge otras tres palabras de la unidad e ilústralas.

- Ahora conoces todos los números. Para no olvidarlos, puedes pensar en el número en español cada vez que veas uno en tu vida cotidiana (p. ej.: un tique de compra, el kilometraje de tu coche…).

Panamericana

En Nicaragua, Costa Rica y Panamá con Evelyn.

Evelyn te presenta otros tres países de Centroamérica y, para seguir con el tema de la unidad, nos hablará de sus especialidades culinarias.

¡Hola! Me llamo Evelyn y soy de Costa Rica. Me gusta mucho cocinar. Para los europeos la comida en Centroamérica es nueva y muy diferente. Muchos turistas no entienden el menú en los restaurantes.

■ *Y ahora tú: ¿qué preguntas son útiles para informarse sobre un plato?*

Ciudad de Panamá

el volcán Concepción (Nicaragua)

Un alimento típico de Centroamérica son los frijoles. Se pueden comer por la mañana en el desayuno, al mediodía en el almuerzo y por la noche en la cena.

El *gallo pinto*, por ejemplo, es un desayuno típico. Son frijoles con arroz y se comen con huevos o con carne.

■ *Y ahora tú: ¿cómo es un desayuno típico de tu país?*

Mi país es rico gracias a su naturaleza, sus playas, su selva y sus volcanes. Es un país pequeño pero con una gran variedad de paisajes.
Los parques naturales y reservas biológicas forman el 25 % del país. Costa Rica es un país líder del turismo ecológico y tiene muchos proyectos para conservar la naturaleza.

■ *Y tú: ¿puedes leer estas cifras? En Costa Rica viven unas 850 especies de aves, 214 especies de reptiles y encontramos 1416 tipos de orquídeas.*

Una bebida deliciosa son los jugos (= zumos) tropicales. Se preparan con frutas exóticas y son bombas de vitaminas.

■ *Ahora tú: ¿qué frutas (tropicales u otras) conoces? En un mercado, ¿cómo se pregunta por el precio de algo?*

Tenemos un producto famoso que exportamos a todo el mundo. Es famoso porque es excelente. Se cultiva a más de 1200 m, una garantía de calidad. Sí, es el café. ¿Lo quiere probar?

■ *Y ahora tú: ¿te gusta el café? ¿Qué bebida prefieres tomar en el desayuno?*

En Panamá la ruta Panamericana se interrumpe. Ahora necesitamos un barco para continuar el viaje. ¿Qué es un barco? Lo aprendemos en la próxima lección con otros medios de transporte.
¡Buen viaje!

gallo pinto

Comunicación

Cantidades y envases

1 kg	= un kilo (de patatas)	1 l	= un litro (de aceite)	un paquete (de)
½ kg	= medio kilo	½ l	= medio litro	una botella (de)
1½ kg	= un kilo y medio	1½	= un litro y medio	una lata (de)
100 g	= cien gramos			una caja (de)

Entre la cantidad o el envase y el producto siempre va **de**: un poco **de** pan.

Comprar alimentos

Quería un kilo de tomates.
Deme un melón.
Prefiero las manzanas.
¿Tiene mangos?
Eso es todo. ¿Cuánto es?

Quería = es la forma de cortesía de **querer**.

Referirse a una cosa mencionada

Quiero	un té.	¿Lo quiere con limón?
	una tortilla.	¿La quiere caliente o fría?
	calamares.	¿Los quiere a la romana?
	aceitunas.	¿Las quiere verdes o negras?

Preguntar por el precio

¿Cuánto cuesta el melón?
¿Cuánto cuestan las manzanas?
¿Cuánto es (todo)?

Pedir algo

camarero	cliente
● ¿Qué desean?	○ Yo una cerveza.
● ¿Qué quieren?	○ Yo también.
● ¿Qué toman?	○ Para mí, un agua mineral.
	○ Un café, por favor.

Pedir información sobre la comida

¿Qué es eso?
¿Qué lleva la tortilla?
¿Lleva ajo / mayonesa?
¿Es picante?
¿Se come caliente / frío/-a?

Preguntar por la hora y decirla

● ¿Qué hora es?
  ○ Es la una y media.
  ○ Son las cinco menos diez.

● ¿A qué hora cenas?
  ○ A las nueve y media.
  ○ Entre las nueve y las diez.

Momento del día y hora

por la mañana	a las siete **de** la mañana
a/al mediodía	**de** la tarde
por la tarde	**de** la noche
por la noche	

Gramática

Los pronombres de objeto directo

	masculino	femenino
Singular	lo	la
Plural	los	las

En la negación los pronombres están entre el **no** y el verbo: El té **no lo quiero** con limón.

Se **impersonal**

En un bar español **se toma** café.
También **se toman** tapas con los amigos.
En muchos bares **se puede** desayunar.
En este bar **se puede comer un menú** barato.
En este bar **se pueden comer bocadillos** de muchos tipos.

Los números a partir de 100

100	cien	500	**quin**ientos	2.000	dos mil
101	ciento uno	600	seiscientos	3.013	tres mil trece
200	doscientos	700	**se**tecientos	10.100	diez mil cien
300	trescientos	800	ochocientos	30.000	treinta mil
310	trescientos diez	900	**no**vecientos	100.000	cien mil
400	cuatrocientos	1.000	mil	1.000.000	un millón

101, 102, 103…: cien**to** uno, cien**to** dos, cien**to** tres…
201, 202, 203…: doscientos uno, doscientos dos, doscientos tres…
1001, 1002, 1003…: mil uno, mil dos, mil tres…

Atención:
doscien**tos** gram**os**
doscien**tas** botell**as**
mil euros
un millón **de** euros

Verbos con formas irregulares

e→ie querer	e→ie preferir	o→ue poder	o→ue probar
qu**ie**ro	pref**ie**ro	p**ue**do	pr**ue**bo
qu**ie**res	pref**ie**res	p**ue**des	pr**ue**bas
qu**ie**re	pref**ie**re	p**ue**de	pr**ue**ba
queremos	preferimos	podemos	probamos
queréis	preferís	podéis	probáis
qu**ie**ren	pref**ie**ren	p**ue**den	pr**ue**ban

Casi todos los verbos tienen la irregularidad en el mismo sitio. Las terminaciones corresponden a las de los verbos regulares en **-ar**, **-er** o **-ir**.

La hora

13.00	Es la una.
14.00	Son las dos (en punto).
14.15	Son las dos y cuarto.
14.25	Son las dos y veinticinco.
14.30	Son las dos y media.
14.35	Son las tres menos veinticinco.
14.45	Son las tres menos cuarto.

Por la ciudad

6

describir una ciudad • pedir información en una oficina de turismo •
preguntar por el camino • indicar el lugar • dar información •
usar los transportes públicos

1 **a. ¿Sevilla o Bogotá?**
¿A qué ciudad corresponde cada foto?

b. ¿A qué ciudad corresponden las siguientes frases?

	Sevilla	Bogotá
Es la capital de Colombia.	☐	☐
Es la capital de Andalucía.	☐	☐
Está en el sur del país.	☐	☐
Está en el centro del país.	☐	☐
Tiene unos 6,8 millones de habitantes.	☐	☐
Tiene unos 700 000 habitantes.	☐	☐
Está en la montaña, en los Andes.	☐	☐
Está al lado del río Guadalquivir.	☐	☐
Es famosa por la Semana Santa y la Feria de Abril.	☐	☐
Tiene muchos monumentos de la época colonial.	☐	☐
Tiene muchos monumentos de la época árabe.	☐	☐
Tiene una catedral famosa.	☐	☐

24 horas en Sevilla. Todo es posible.

POR LA MAÑANA: Pasear por el centro histórico y desayunar en uno de sus cafés típicos. Visitar la catedral, la más grande de España. Aquí está la tumba de Cristóbal Colón. Después, subir a la famosa Giralda, la torre de una antigua mezquita (¡hay una vista fantástica sobre la ciudad!) o visitar el Alcázar, un palacio de origen árabe con jardines preciosos para descansar.

AL MEDIODÍA: Comer en el barrio de Santa Cruz, el antiguo barrio judío. En sus calles hay muchos bares y restaurantes. Cerca de la Giralda está la Bodega Santa Cruz con comida tradicional.

POR LA TARDE: Ir de compras a la zona peatonal. En la famosa calle Sierpes hay tiendas que venden productos de cerámica o instrumentos para tocar flamenco. Hay también dos confiterías famosas por sus dulces exquisitos:

Ochoa y La campana. O visitar el Museo de Bellas Artes, donde hay cuadros de pintores famosos como Goya o Rubens.

POR LA NOCHE: Cenar. En la calle San Jorge está el restaurante "Casa Manolo". Después ir al teatro Lope de Vega, donde hay conciertos de guitarra flamenca, o pasear por el barrio de Triana, al otro lado del río Guadalquivir. Es un barrio tradicional con mucho ambiente.

Un día en Sevilla

2 **a. ¿Dónde se pueden hacer estas cosas en Sevilla? Busca las respuestas en el texto.**

- comer comida típica
- escuchar música
- comprar productos tradicionales
- ver cuadros famosos
- descansar
- ver toda la ciudad

b. Vocabulario de la ciudad.
Lee el texto otra vez con más detenimiento y elabora una tabla para completarla con las palabras del ejemplo. Compárala con las de tus compañeros y marca las palabras que quieres aprender.

gastronomía	partes de la ciudad	monumentos	actividades
el café	el centro histórico	la catedral	pasear

c. En grupos de tres. ¿Qué hacemos en Sevilla?
En grupos de tres. Poneos de acuerdo en tres cosas que queréis hacer en Sevilla y presentad el resultado a la clase.

- Primero visitamos la catedral, después…

El orden

primero
después
luego
al final

 1-3

3 **a. ¿Hay o está/n? Completa la tabla.**
Busca en el texto las frases en las que se usa **hay** y **estar** y completa la tabla. ¿Eres capaz de establecer una regla?

Cuando nos referimos a la existencia de una cosa o a la celebración de un evento que no sabemos si nuestro interlocutor conoce, usamos ……….., por ejemplo delante de un artículo indefinido, números, **mucho** o **poco**. Cuando nos referimos a la ubicación de una cosa que creemos identificable o conocida por nuestro interlocutor usamos………..

En Santa Cruz *hay* muchos bares. *Hay* dos confiterías en la calle Sierpes. En el teatro *hay* un concierto.	La bodega *está* cerca de la Giralda. La tumba de Colón *está* en la catedral. ¿Dónde *están* los cuadros de Goya?

b. ¿Qué ciudad es?

Es una ciudad grande, pero no **es** la capital del país. **Es** famosa por su equipo de fútbol. **Está** en el noreste de España, en el Mediterráneo. **Hay** un templo muy conocido y también **hay** un barrio antiguo con muchos bares y muchos monumentos interesantes. También **hay** gente de muchos países diferentes.

Yo conosco - I know!

c. Y ahora tú.
Piensa en una ciudad y escribe unas frases como en el ejemplo de arriba. Leedlas por turnos. El resto intentará adivinar la ciudad.

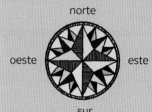

norte

oeste · este

sur

4 **a. En la oficina de turismo. Relaciona.** CD1 ⏭ 39 – 44
¿Qué informaciones necesitan las personas en la oficina de turismo?
Completa las preguntas y luego corrige con el CD.

informarse	
¿Me puede recomendar	para Triana?
¿Tiene un plano	para el concierto de flamenco?
¿Cuánto cuesta una entrada	un restaurante típico?
¿Hay visitas guiadas	abre los lunes?
¿De dónde sale el autobús	en la catedral?
¿Dónde se pueden	de la ciudad?
¿Sabe si el Museo de Bellas Artes	las tiendas por la tarde?
¿A qué hora abren	comprar sellos?

los días
lunes
martes
miércoles
jueves
viernes
sábado
domingo
los lunes...

b. En parejas. El juego del turista.
Jugad en parejas con una moneda. Cara: avanzar una casilla, cruz: dos casillas. Haz una pregunta por casilla. Usa las preguntas que harías en la oficina de turismo. Obtendréis un punto por cada pregunta correcta. No se pueden repetir preguntas.

✏ 4, 5

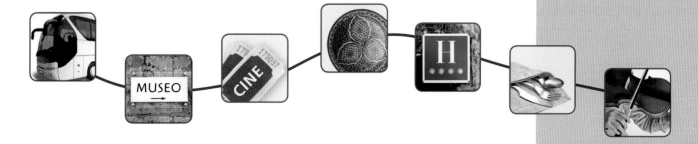

5 **a. En un centro comercial. ¿Puedes identificar estos lugares en el plano?**

- una farmacia
- una cabina de teléfonos
- la oficina de información
- un supermercado
- una panadería
- un restaurante
- los servicios
- una tienda de discos
- la oficina de Correos
- un cine
- una tienda de modas

b. Escucha y marca en el plano los lugares que se mencionan. CD1 ⏩ 45 – 49

c. Escucha otra vez y marca las expresiones que se mencionan.

Adverbios de lugar

al lado (de) *next to -*	delante (de) *in front of-*
a la derecha (de) *right-*	detrás (de) *behind*
a la izquierda (de) *left-*	enfrente (de) *facing*
cerca (de) *close*	entre… y *in between.*
lejos (de) *far*	

*de + el = **del***
cerca **del** banco

*a + el = **al***
Vamos **al** cine.

a la derecha.

6 **a. ¿Verdadero o falso?** *Mentiera - lie.*
Compara las frases con el mapa. Marca las correctas y corrige las falsas.

Izquierda
1. ☑ La farmacia está a la derecha de la oficina de Correos.
2. ☑ Hay una cabina de teléfonos enfrente del cine.
3. ☐ Correos está entre la tienda de discos y la panadería. *la farmacia y tienda*
   esta al lado del super *de discos*
4. ☐ El cine está detrás del supermercado.
5. ☑ Los servicios están al lado del cine.
6. ☐ ~~Delante~~ del centro comercial hay una parada de taxis.
   Cerca

Detrás de **Correos** el verbo está en singular porque se refiera a **la oficina de correos.**

b. En parejas. ¿Qué hay y dónde está?
Sitúa tres de los siguientes locales en los espacios vacíos del mapa del centro comercial.
Tu compañero tiene que averiguar qué hay y dónde.

- una cafetería
- un banco
- una perfumería
- una frutería
- una confitería

- ● ¿Hay una cafetería?
- ○ Sí. / No.
- ● ¿Está al lado del restaurante?
- …

✎ 6-8

Vamos a Bogotá

7 **a. Alberto prepara un viaje a Bogotá, una ciudad llena de sorpresas.** CD1 ▶▶ 50
Habla por teléfono con una amiga que vive allí.
Escucha y marca la respuesta correcta.

1. ¿Cuándo va?
   ☐ mañana   ☐ la semana próxima

2. ¿Cómo va?
   ☐ en tren   ☐ en coche   ☐ en avión

3. ¿Adónde quiere ir?
   ☐ a un concierto   ☐ a la catedral   ☐ a la ópera

ir	dirección	medio de transporte
voy		en tren
vas		en coche
va	a Bogotá	en bicicleta
vamos	al centro	en barco
vais	a la ópera	en avión
van		**a pie**

No confundas lo siguiente:
Vivo **en** España. (*¿Dónde?*)
Voy **a** Colombia. (*¿Adónde?*)

b. ¿Y tú? ¿Con qué frecuencia utilizas estos medios de transporte?
Haz una lista de más a menos frecuencia y comenta a continuación dos
aspectos de la lista. ¿Cuál es el medio de transporte más usado en la clase?

el tren | el coche | el autobús | el metro | la bicicleta | el avión

- Voy en coche todos los días.

frecuencia
todos los días
una vez por semana
dos veces al mes / al año
(casi) nunca

 9

c. La sorpresa de Marisa para sus amigos.
¿Te acuerdas de la sorpresa que tiene preparada Marisa para sus amigos? Resuelve el
crucigrama para averiguar los planes que tiene Marisa.

1. iglesia grande e importante
2. lugar con cuadros de
   pintores famosos
3. lugar donde se puede comer
4. medio de transporte
   en la ciudad
5. lugar donde se ven
   espectáculos y conciertos
6. lugar donde trabajan
   médicos y enfermeras

```
1 [ ][ ][ ][ ][ ][ ][ L ]
2 [ ][ ][ S ][ ][ ]
3 [ ][ ][ ][ ][ R ][ ][ ][ ]
4 [ ][ ][ ][ ]
5 [ ][ ][ T ][ ]
6 [ ][ ][ ][ P ][ ][ ][ ]
```

La sorpresa de Marisa:
Buscar un ....

transmilenio es un
stema de transportes que
unciona como el metro,
pero con autobuses.

[nota manuscrita: barrio en candela]

tener que

tener que + infinitivo
Tengo que tomar el metro.

[nota manuscrita: Luego. por último Finalmente. al final]

Buscamos el tesoro de Bogotá

8 a. Primera pista. ¿Cómo vamos? Escucha. CD1 ▶▶ 51 *[nota: to know]*

¿Quieres participar en la búsqueda del tesoro? Helma conoce el camino porque trabaja en el lugar donde se guarda. Lee primero las frases, escucha y ordénalas.

- Toma la línea G en dirección a Ricaurte.
- Primero Helma va en bicicleta hasta la parada Portal del Sur del transmilenio.
- Baja en Avenida Jiménez, son dos paradas. *[nota: stop]*
- Baja en Ricaurte, allí cambia a la línea F.
- Va a pie unos cinco minutos.

[notas manuscritas: Bajear Subir / Down up]

b. Para llegar a mi casa.

Tienes visita de Colombia. Describe a tu visita el camino del aeropuerto hasta tu casa usando medios de transporte.

[notas manuscritas: to arrive at my house. Yo llego.]

viajar en autobús / metro / tren	
Primero	Toma/s el autobús / la línea X en dirección a…
Después	Baja/s en la próxima parada / estación.
Al final	Tiene/s que cambiar a la línea…

Primero tomas el metro. Bajas….

[notas manuscritas: Tomar - to take / Bajar. subir atravesar Cruzar comenzar]

9 a. Segunda pista. ¿Dónde está el mapa del tesoro? CD1 ▶▶ 52

Para el siguiente tramo a pie necesitas el mapa del tesoro. Escucha y lee la descripción del camino. Subraya las expresiones que escuches. Luego dibuja el camino en el mapa a partir de la flecha. ¿Dónde está el mapa del tesoro?

[notas manuscritas: Yo cruzar. girar]

Primero usted toma la primera / segunda / tercera calle a la derecha y después sigue todo recto hasta el hospital / el semáforo . Allí gira a la derecha / a la izquierda . Es la calle 11. Sigue todo recto hasta la calle / la plaza . Usted tiene que cruzar la plaza. Allí, enfrente / al lado de la plaza está el edificio. ¿Qué es?

[notas manuscritas: Tomar seguir - to follow]

La Candelaria

1 Plaza de Bolívar
2 Capitolio Nacional
3 Catedral
4 Iglesia Santa Clara
5 Teatro Colón
6 Palacio de San Carlos
7 Museo Botero

b. En parejas. Una pausa antes de llegar.

Antes de emprender los últimos pasos hacia el tesoro, haz un ejercicio de calentamiento. Describe con gestos un camino que normalmente haces a pie. Tu compañero lo traduce en palabras en su cuaderno. ¿Concuerda la descripción con tu camino?

[notas manuscritas: Yo sigo al direccione ... a la izquierda]

c. En parejas. Juntos al tesoro.

Has encontrado el mapa del tesoro. Para llegar a él tienes que descifrar los jeroglíficos. Completad en parejas la descripción del camino.

describir un camino	
Toma/s	la tercera calle a la derecha.
Sigue/s	todo recto hasta el semáforo.
Cruza/s	la calle / la plaza.
Gira/s	a la izquierda / a la calle XY.

[nota manuscrita:
seguir   seguir
sigo
sigues
sigue
seguimos
seguís
siguen]

Desde la Catedral usted .... por la Carrera siete en dirección a la Avenida Jiménez. Toma la .... y luego la .... Después tiene que seguir todo recto y .... Enfrente hay un edificio. Allí está el tesoro.

d. ¿Dónde está el tesoro?

Con ayuda de la descripción descifrada, dibuja el resto del camino en el mapa de la ciudad. ¿Dónde está el tesoro?

10 **a. El tesoro de Bogotá.**
Si has descifrado correctamente el pergamino, has encontrado el tesoro: el Museo del Oro. Allí recibes este folleto. Ordena las partes del texto.

b. Preguntas al guía del museo.
Formula tres preguntas que te gustaría hacer a un guía del museo.

c. ¿Hay un "tesoro" en tu ciudad? ¿Cómo es?

[nota manuscrita:
10-16
Pedir - toast
Yo pedo
Tu pedes
El/Ella El pede.
Nous. pedemous.
Vou pedas.
Ustedes. peden.]

El museo del oro

☐ La segunda planta presenta un viaje por las culturas antiguas con la exposición *"La gente y el oro en la Colombia prehispánica"*, que muestra la importancia simbólica y religiosa del oro para estas culturas.

☐ Bienvenido al Museo del Oro, el tesoro de la ciudad de Bogotá y uno de los tesoros del mundo. Este lugar único muestra la historia de nuestro país. En las tres plantas del museo tenemos más de 35.000 piezas de oro y 30.000 objetos de otros materiales. Hay figuras y objetos preciosos, fabricados con técnicas muy sofisticadas. ¡Tienen hasta dos mil años! Es impresionante pero difícil explicarlo con palabras: tiene que verlo.

☐ En la primera planta están los objetos que no son de oro, pero son también obras maravillosas, por ejemplo las preciosas figuras de cerámica. Para ver las piezas de oro, tiene que subir a la segunda y a la tercera planta.

☐ Después de la visita, ¿qué tal una pausa en la cafetería para disfrutar de otro tesoro de nuestro país: el café de Colombia?

☐ Luego, en la tercera planta, hay una parte de la famosa colección de piezas de oro y también uno de los tesoros del museo: la barca de oro de "El Dorado", origen del famoso mito.

Tarea final Un paseo por nuestra ciudad

a. En grupos. Un folleto para turistas hispanohablantes en tu ciudad.

El ayuntamiento de tu ciudad te pide ayuda para elaborar el folleto. Describe la ciudad o un barrio interesante y también un posible recorrido turístico.

Ciudad o barrio:

....

Monumentos:

....

Museos:

....

Restaurantes:

....

Cafés:

....

Tiendas:

....

UN PASEO POR ....

Aquí tenéis el barrio de...
Es un barrio...
Aquí se puede...
Además, están los restaurantes...
y el café... para tomar...
Y, finalmente, para comprar,
podéis ir a...

Propuesta de recorrido:

....
....
....

b. Presenta tu folleto a la clase.

Tus compañeros te pueden hacer preguntas.

Portfolio

Guarda el folleto en tu dosier.

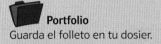

Has aprendido a describir lo que hay en un lugar y a decir dónde está. Esta unidad ha tenido que ver con tesoros. ¿Qué tesoros te quieres llevar?

- Palabras y expresiones para describir una ciudad.

- Cinco edificios que hay en todas las ciudades.

- Tres tiendas cerca de tu casa.

- Expresiones para explicar cómo ir a un lugar.

- Medios de transporte (ordenados de más lento a más rápido).

- Preguntas útiles para un turista.

- Información sobre Sevilla y Bogotá.

- Cuando contamos algo es importante darle una estructura al texto, por ejemplo con:

Primero,..

- Entender el español hablado siempre es difícil. Normalmente es suficiente comprender de qué se trata, pero a veces es necesario entender también los detalles, por ejemplo, en el caso de las descripciones de rutas. La dificultad en sí no está en la comprensión, sino en retener todos los detalles. Por eso es útil interrumpir al interlocutor y repetir las informaciones importantes. De este modo nos aseguramos de que hemos entendido todo bien.

- Para aprender a usar las preposiciones puede ser útil hacer dibujos o acompañar las palabras con una ayuda visual (por ejemplo, **a** con una flecha porque indica la dirección). Otra posibilidad es relacionarlas con movimientos. Intenta decir en alto y con ritmo moviendo los brazos en la dirección pronunciada: a la derecha, a la izquierda, delante, detrás. ¿Conoces otras técnicas?

Panamericana

En Colombia con Helma.
La primera parte de esta etapa la hacemos en barco, porque entre Panamá y Colombia no hay carretera. Helma nos presenta algunos aspectos interesantes de su país.

Medellín

Me llamo Helma Gómez y soy de Bogotá. Hablar de Colombia es hablar de música, de baile, de selva, de mar… Se dice que los colombianos tienen tres pasiones: el fútbol, el baile iy las telenovelas!
■ *Y ahora tú: ¿sabes de dónde viene el nombre de Colombia?**

Es difícil presentar mi país en pocas palabras: tenemos grandes metrópolis, pero también una naturaleza muy variada con los Andes, la selva amazónica y las costas del Pacífico o del Caribe. Allí hay ciudades hermosas como Cartagena y Barranquilla, el lugar de origen de uno de los ritmos latinos más populares: la cumbia. ¿Sabe quién es también de Barranquilla? La cantante Shakira.
■ *Y ahora tú: ¿te gusta la música de Shakira? ¿Qué cantantes del mundo hispano conoces?*

Shakira

El 80% de la población vive en Bogotá, la capital, y en Medellín. Como en muchas ciudades de Latinoamérica, las calles no tienen nombre sino números. Se llaman "calles" cuando van de norte a sur y "carreras" cuando van de este a oeste. Sólo las avenidas tienen nombre.
Las ciudades colombianas son muy dinámicas. La gente va en coche o en autobús. En Bogotá usted ya conoce el transmilenio, pero hay también otro tipo de autobuses que conectan los pequeños pueblos.
■ *Y tú: ¿cómo vas al trabajo? ¿Y a la clase de español?*

Estamos muy orgullosos de Gabriel García Márquez, nuestro Premio Nobel de Literatura, y de Fernando Botero, quizá el pintor y escultor más famoso de Latinoamérica. Sus figuras son gordas y bellas.
■ *Y ahora tú: ¿te gustan las obras de Botero? ¿Conoces a otros pintores del mundo del español?*

Colombia tiene muchas cosas para descubrir. ¿Por qué no visita mi país algún día? Adiós, buen viaje.

*de Cristóbal Colón

¿Preparados para Colombia?
Resuelve el crucigrama para conocer otro medio de transporte de Bogotá.

1. Pintor colombiano.
2. Música típica del Caribe.
3. Famosa cantante de rock.
4. Metrópolis colombiana.
5. Una pasión de los colombianos.
6. Sistema de transportes en Bogotá.

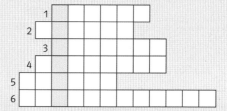

escultura de Botero

Por la ciudad

Comunicación

Describir una ciudad

En el Barrio de Santa Cruz hay muchos bares.
Hay cuadros de pintores famosos en el museo.
Sevilla es una ciudad con mucho ambiente.

Preguntar y decir dónde se encuentra una cosa

¿Dónde hay un restaurante por aquí?
La Bodega Santa Cruz está cerca de la Giralda.
¿Dónde está la tumba de Cristóbal Colón?

Pedir información

¿Dónde se pueden comprar sellos?
¿Tiene/n un plano de la ciudad?
¿Me puede recomendar un hotel barato?
¿Sabe si el Alcázar abre los lunes?

¿A qué hora cierra el Museo de Bellas Artes?
¿Cuánto cuesta una entrada para el concierto?
¿Hay visitas guiadas en la catedral?
¿De dónde sale el autobús para Triana?

Describir el camino

Coge/s / Toma/s la primera calle a la derecha.
Sigue/s todo recto (hasta el semáforo).
Cruza/s la plaza.
Gira/s a la derecha / a la izquierda.

Indicar el camino con medios de transporte

Coge/s / Toma/s el autobús (número 8).
Tiene/s que tomar la línea verde en dirección a…
Cambia/s en… / a la línea verde.
Baja/s en la próxima parada / estación.

Los días de la semana

lunes	viernes
martes	sábado
miércoles	domingo
jueves	

Medios de transporte

Vamos Me gusta ir	en avión. en tren. en coche. en autobús. en metro. en bicicleta. a pie.

El orden

primero
después
luego
al final

Expresar necesidad

Tengo que comprar sellos.
Tienes que coger/tomar el autobús.
Tiene que cruzar la plaza.

Gramática

El uso de hay **y** está/n

¿Dónde **hay** un restaurante típico?
Hay dos confiterías en la calle Sierpes.
En el Barrio de Santa Cruz **hay** muchos bares.

Cuando nos referimos a la existencia de una cosa o a la celebración de un evento que no sabemos si nuestro interlocutor conoce, usamos **hay**, por ejemplo delante de un artículo indefinido, números, **mucho** o **poco**.

¿Dónde **está** la oficina de turismo?
La bodega **está** cerca de la Giralda.
¿Dónde **están** los cuadros de Goya?

Cuando nos referimos a la ubicación de una cosa que creemos identificable o conocida por nuestro interlocutor usamos **estar**.

Adverbios de lugar

a la derecha (de)	detrás (de)	al lado (de)	entre
a la izquierda (de)	cerca (de)	enfrente (de)	aquí
delante (de)	lejos (de)	en	allí

La contracción de preposición y artículo

- Vamos **a la** Giralda.
- ¿Para ir **al** Barrio de Santa Cruz?
- Está al lado **de la** catedral.
- Está cerca **del** Alcázar.

a + el = **al**
de + el = **del**

Usos de a **y** en

Vamos **a** España.
Voy **al** teatro a las ocho.

Helma vive **en** Bogotá.
Va **en** autobús.

La dirección (*¿adónde?*) se indica con **a**, lugares (*¿dónde?*) y medios de transporte con **en**.

El verbo ir

	ir
yo	voy
tú	vas
él / ella / usted	va
nosotros/-as	vamos
vosotros/-as	vais
ellos / ellas / ustedes	van

La irregularidad e → i

seguir
si**g**o
si**g**ues
si**g**ue
seguimos
seguís
si**g**uen

Otros verbos con esta irregularidad: **pedir**, **servir**.
En la 1ª persona de singular (si**g**o) desaparece la **u**.
En las demás formas es necesaria para mantener la pronunciación de la **g** delante de **e** e **i** (como en **gu**itarra).

lugar = Place.

- Pleasure.

- Travel.

El placer de viajar   A1

muchoviaje
mucho más que viajar

¿Por qué Mallorca?

Un avión a Mallorca. Cien pasajeros y cien motivos: a uno le gusta el ambiente cosmopolita de Palma, al segundo la naturaleza. Otros buscan playas con animación. Mallorca es perfecta para todos.

Palma de Mallorca

La capital de las Baleares ofrece todo para el turista urbano: cultura, monumentos, compras. En el centro histórico se puede visitar la catedral o comer una ensaimada (el dulce típico mallorquín) en un café tradicional.

Encontrar to find

- hiker

La sierra de Tramontana

En el norte de la isla los amantes del senderismo encuentran rutas de montaña, pero también cultura, por ejemplo conciertos de piano en Valldemosa o galerías de arte en Pollensa.

reservar una habitación de hotel • pedir información •
expresar acuerdo y desacuerdo • hablar de experiencias •
escribir una postal • hacer una reclamación • disculparse

Especial Mallorca
ISLAS

1 ¿Qué se puede hacer en Mallorca?
Lee el folleto y menciona algunas posibilidades. Estas palabras te pueden ayudar.

visitar | hacer | tomar | ir a | comer | …

monumentos | ensaimadas |
galerías de arte | senderismo |
excursiones | la catedral de Palma |
el sol | deporte | la montaña |
el tren de las naranjas

- En Mallorca se pueden hacer excursiones a la montaña.

El tren de las naranjas

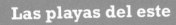

Un recorrido nostálgico en tren, el antiguo medio de transporte de las naranjas. Vamos desde Palma hasta Sóller a través de montañas y valles de naranjos. ¡Un día inolvidable!

Las playas del este

Para descansar en la playa, tomar el sol, nadar o practicar deporte, la costa este tiene lugares hermosos. Pero la zona ofrece también pueblos románticos, restaurantes típicos, discotecas y clubes.

HOTEL ISLAS ★★★
Palma

Situación en Palma, a 10 min. del centro histórico.
Alojamiento habitaciones con baño completo, calefacción, aire acondicionado, teléfono, TV y minibar.
Servicios desayuno continental, restaurante con terraza, gimnasio, sauna, piscina, discoteca, garaje.

1

FINCA AGROTURÍSTICA
Tramontana

Situación en la Sierra de Tramontana, a 1 km de la costa.
Alojamiento 6 habitaciones dobles con muebles tradicionales y baño.
Servicios restaurante con cocina tradicional, 1.000 m² de jardín, piscina. Campo de golf cerca.

2

APARTAMENTOS VERDEMAR ★★★★
Santa Ponsa

Situación en Santa Ponsa, primera línea de playa con vistas al mar.
Alojamiento 2 dormitorios con 5 camas, salón-comedor con sofá-cama, TV. Baño y cocina amueblados. Terraza con mesa y sillas.
Servicios Se pueden alquilar bicicletas. Aparcamiento.

3

¿Te gusta esta habitación?

2 **a. Lee los anuncios.**
¿Qué alojamiento ofrece estos servicios? ¿Cuál prefieres tú? ¿Por qué?

b. Busca en los anuncios las cosas que hay…
– en la habitación   – fuera del hotel
– en el hotel

c. ¿Piscina o discoteca?
Haz una lista de los cinco aspectos más importantes para ti. Luego, comparad vuestras prioridades.

3 **a. Ordena este diálogo y luego comprueba con el CD.** CD1 ▶▶ 53
¿A qué alojamiento de los anuncios se refiere?

cliente
- [ ] Perfecto. ¿Da a la calle? ¿Es ruidosa?
- [7] Buenos días, ¿tienen habitaciones libres?
- [ ] Muchas gracias.
- [ ] ¿Tranquilas? Muy bien. ¿Cuánto cuesta?
- [ ] ¿El precio es con desayuno incluido?
- [ ] Muy bien. ¿Tienen aire acondicionado?
- [ ] Sí, claro… Aquí tiene.
- [ ] Individual, para cuatro noches.

recepcionista
- [ ] 95 euros la noche.
- [ ] No, es muy tranquila. Todas nuestras habitaciones son exteriores, pero muy tranquilas.
- [X] ¿Doble o individual?
- [ ] Sí, es desayuno continental.
- [ ] A ver… Sí, tenemos una en la segunda planta.
- [ ] Por supuesto. ¿Puede completar este formulario?
- [ ] Muy bien. Habitación 45. Aquí tiene la llave.

✎ 1–3

una habitación

doble / individual
exterior / interior
tranquila / ruidosa
con ducha / baño completo
con balcón / vistas al mar
con televisión / internet
con garaje / piscina
para 3 noches / 1 semana

b. En dos grupos. Buscamos un hotel.
Un grupo son turistas que quieren reservar un hotel. Piensan y anotan el tipo de habitación, el precio, los servicios que quieren, la duración de las vacaciones, etc.
El otro grupo son hoteleros y escriben anuncios. Después, los "turistas" hablan con los "hoteleros". ¿Encuentran el hotel que buscan?

¿Qué me recomienda?

4 **a. Pedro busca un hotel en Mallorca para sus padres.** CD1 ▶▶ 54
Escucha el diálogo en una agencia de viajes. ¿Qué lugar le recomiendan?
Después, escucha otra vez y marca las preferencias de los padres.

Puerto de Sóller

	a él	a ella
le gusta la montaña	☑	☐
le encanta la playa _noise_	☐	☑
le molesta el ruido – *Annoys*	☑	☑
le gusta el senderismo	☑	☐
le interesa la naturaleza	☐	☑
le interesa un hotel exclusivo	☑	☑

b. Mira la tabla. ¿Qué formas ya conoces?
Luego completa el resumen de la empleada de la agencia de viajes.

pronombres tónicos		pronombres átonos	
(A mí)		**me**	
(A ti)		**te**	gusta Mallorca.
(A él / ella / usted)	(no)	**le**	encantan los museos.
(A nosotros/-as)		**nos**	interesa hacer deporte.
(A vosotros/-as)		**os**	molesta el ruido.
(A ellos / ellas / ustedes)		**les**	

Cuando queremos resaltar la persona usamos junto a **me**, **te**, **le**… también **a** + pronombre tónico.
● ¿Qué **les** gusta a sus padres?
○ **A él le** encanta el senderismo y **a ella** la playa.

 4, 5

```
┌─ Información cliente ─┐
El cliente busca un hotel para sus padres. A ellos ............... interesa
un hotel cerca del mar porque a los dos ............... gusta la playa. Buscan
una pensión económica, y no ............... molesta el ruido. A él ...............
gusta el deporte, especialmente el golf. A ella ............... interesa la
naturaleza.
```

c. ¿Hay información incorrecta en el resumen? ¿Puedes corregirla?

Gustos y preferencias

5 **a. En parejas. ¿Qué es importante para ti en las vacaciones?**
Menciona cinco aspectos. Tu compañero escribe un resumen. Luego al revés.

● No me gusta la montaña, pero me encanta la playa…   *A Martina no le gusta…*

b. Mira la tabla. ¿Qué significan también y tampoco?

afirmación	acuerdo	desacuerdo
● Me encanta la playa. 🙂	○ A mí también. 🙂	■ A mí no. 🙁
● No me gustan los hoteles. 🙁	○ A mí tampoco. 🙁	■ A mí sí. 🙂

6 **a. En parejas. Comparad vuestros intereses en las vacaciones.**

- visitar lugares históricos
- los hoteles con animación
- viajar con la familia

- descansar
- el senderismo
- tomar el sol

- hacer cámping
- el ruido
- practicar deporte

✎ 6–8

- ● A mí me molesta el ruido.
- ○ A mí también.

- ● A mí no me gusta viajar con la familia.
- ■ A mí sí…

b. Ahora pensad en un lugar de vacaciones que os interesa a los dos.

- ● A Christian y a mí nos gusta el senderismo, por eso vamos a la sierra de Tramontana.

7 **a. Completa estas frases útiles para viajar (hay muchas posibilidades).**

1. ¿Dónde puedo alquilar ....?
2. ¿A qué hora sale el próximo ....?
3. ¿Está incluido ....?
4. ¿Me puede decir dónde hay ....?
5. ¿Nos pueden poner una cama extra para ....?
6. Quería un billete de ida y vuelta para ....

b. En parejas. Tu compañero lee sus frases de 7a en voz alta. Escucha.
¿Qué importancia tienen sus preguntas para ti? Escribe el número de cada
frase en la flecha. Luego lee tus frases a tu compañero. ¿Hay muchas diferencias?

No todas las preguntas tienen la misma importancia. Aprende las cosas importantes para ti. Ejercicios como estos te ayudarán.

poco importante   muy importante ➤

verbos con -g-

hacer: **hago**, haces, …
poner: **pongo**, pones, …
venir: **vengo**, vienes, …
decir: **digo**, dices, …
traer: **traigo**, traes, …

8 **a. ¿Cómo buscas tú estos verbos en el diccionario?**
Escribe los infinitivos.

bebo	prefiero	son	vengo ....
digo	quieres	tengo	vamos ....
pongo	salgo	traigo	vuelve ....

✎ 9, 10

b. En parejas. Gimnasia verbal.
Jugad en parejas con una moneda. Por turnos uno dice un infinitivo y tira la moneda. Si sale cara, el otro dice la forma para **yo**; si sale cruz, la forma para **usted**.

c. El rap del viajero. CD1 ▶▶ 55
Completa el rap, luego escucha y comprueba. Y si quieres: ¡a cantar!

Hago, pongo, salgo, digo, traigo, vengo
¿Qué haces?   *Hago*............ la maleta.
¿Qué pones?   .... las cosas.
¿Cuándo sales?   .... mañana, mañana.

¿Qué dices?   .... "Adiós, adiós".
¿Qué traes?   .... muchos regalos.
¿Cuándo vienes? .... pronto, pronto.
Hago, pongo, salgo, digo, traigo, vengo

[handwritten: Preterito Perfecto]

Experiencias de viajes

9 a. Un viaje a otra isla.
Hablamos del Mar Caribe, la salsa, el ron y el tabaco.
¿Qué isla es? ¿Qué más asocias tú con esta isla?

b. Lee la postal y marca las actividades de Lucía en sus vacaciones.

- ☑ visitar La Habana
- ☑ ir a un concierto
- ☐ pasear por la playa
- ☐ tomar el sol
- ☑ nadar
- ☐ beber ron
- ☑ pasear por el Malecón
- ☑ visitar una fábrica de tabaco

Queridos Javi y Montse:

¡Cuba es una maravilla! En estas vacaciones he vivido experiencias inolvidables.
Hasta ahora he visitado el centro histórico de La Habana, he paseado por el Malecón y he bailado salsa (sí, sí, ¡yo!). Pero también he visto el famoso Ballet Nacional de Cuba y he ido a un concierto al aire libre.
Esta mañana he hecho una excursión a una fábrica de tabaco. Hemos ido en autobús, que aquí se llama "guagua". Todavía no he tenido tiempo para tomar el sol en la playa o nadar en el Caribe – y sólo tengo dos días más.
¡Es que el tiempo pasa volando! No quiero volver a España ☹.
Y vosotros, ¿ya habéis comprado los billetes para Mallorca?

Un abrazo, Lucía

c. Un tiempo nuevo. Marca en la postal todos los verbos en perfecto.
¿Cuál es el infinitivo? ¿Cómo se forma el pretérito perfecto?

el pretérito perfecto			formas irregulares	
he			decir	dicho
has	visitado	-ar	hacer	hecho
ha	comido	-er	poner	puesto
hemos	vivido	-ir	ver	visto
habéis			escribir	escrito
han			volver	vuelto

El pretérito perfecto se usa:
- para hablar de acciones pasadas dentro de un periodo de tiempo que incluye el actual o que es muy cercano. Los marcadores temporales suelen ser *hoy, esta semana, este mes, este año, últimamente*…
- para hablar de una acción pasada cuando el momento no es relevante. Los marcadores temporales suelen ser *alguna vez, todavía (no), ya, (no)… nunca.*

10 a. Completa estas preguntas con las formas del perfecto.

comer | dormir | estar | hablar | hacer | pasar | visitar

1. ¿Has .... alguna vez en un hotel de 5 estrellas? ¿Dónde?
2. ¿Has .... platos típicos de México? ¿Cuáles?
3. ¿Has .... español en un viaje? ¿Con quién?
4. ¿Has .... en España o en Latinoamérica? ¿Dónde?
5. ¿Has .... una mezquita? ¿Dónde?
6. ¿Has .... un viaje organizado? ¿Adónde?
7. ¿Has .... alguna vez las vacaciones en tu país? ¿Dónde?

b. Una encuesta en grupos de tres.
Haz las preguntas a dos compañeros y luego presenta dos informaciones interesantes o curiosas.

🖉 11, 12

c. ¿Verdadero o falso?
Cada uno piensa en cosas que ha hecho en sus vacaciones y escribe una lista de cinco actividades: cuatro verdaderas y una falsa. Lee la lista. ¿Quién adivina la falsa?

11 **En parejas. La preparación de un viaje.**
Marca en la lista tres cosas que ya has hecho para preparar el viaje.
Tu compañero tiene cinco intentos para adivinarlas. Luego, al revés.

- comprar los billetes
- comprar una guía
- preparar los documentos
- alquilar un coche

- comprar un bañador
- hacer la maleta
- llamar al hotel
- ir al banco

- ¿Has comprado los billetes?
- No, todavía no. /
  Sí, ya los he comprado.

12 **a. Grizel habla de sus vacaciones. Escucha y toma notas.** CD1 ▶▶ 56
¿Adónde ha ido? ¿En qué medio de transporte? ¿Qué tal el viaje?

b. Escucha otra vez y marca las informaciones correctas.

- ☐ Los autobuses son muy buenos.
- ☐ Yucatán le ha gustado mucho.
- ☐ Ha viajado mucho en coche.
- ☐ Las ciudades mayas le han impresionado mucho.
- ☐ Ha comido platos típicos muy ricos.
- ☐ Ha tenido muchos problemas en el viaje.

c. Fíjate en el siguiente cuadro.
¿Entiendes cuándo se usa **muy** y cuando **mucho**?

mucho/-a/-os/-as	muy / mucho
much**o** tráfico	Es una casa **muy** bonita.
much**a** gente	Aquí se vive **muy** bien.
much**os** hoteles	Me interesa **mucho**.
much**as** ideas	Vamos **mucho** a la playa.

.... se usa delante de adjetivos y adverbios
.... **se usa** después de verbos

d. En un viaje no todo es maravilloso. Completa con muy o mucho**.**

“A nosotros nos gusta _mucho_............ viajar, pero a veces es .... caro, sobre todo si vamos a un hotel. Tenemos .... problemas porque somos una familia .... grande y por eso vamos .... a la casa de los abuelos en el campo. Además, para mí es .... difícil encontrar un hotel adecuado porque el ruido me molesta .... Este año, por ejemplo, he viajado .... y he estado en .... hoteles .... ruidosos. Silencio, yo necesito .... silencio. ”

✎ 13

No hay nada perfecto

13 **a. Escucha. ¿Dónde pasan estas situaciones?** CD1 ▶▶ 57–59
¿Cuál es el problema en cada caso?

b. Escucha otra vez y lee los diálogos.
Luego busca las expresiones
para completar la tabla de abajo.

1.
- Oiga, por favor.
- Dígame.
- Perdone, pero no he pedido sopa,
  sino ensalada.
- ¿Ensalada? Disculpe, ahora mismo
  la traigo.
- No pasa nada.

¡CAMARERO! ME PARECE QUE EL PULPO ESTÁ POCO HECHO...

PERDONE, SEÑOR. ¿QUIZÁS PREFIERE UN FILETE DE TERNERA?

2.
- Buenas noches.
- Buenas noches. ¿En qué le puedo
  ayudar?
- Mire, es que tengo un pequeño
  problema. He reservado la habitación
  con bañera y sólo tengo ducha.
- Lo siento. Ha sido un error.
  Enseguida le damos una con bañera.
- Está bien. Gracias.

3.
- Buenas tardes.
- Buenas tardes. Mire, ya hemos llamado
  por teléfono. Tenemos un problema con el
  coche que hemos alquilado esta mañana.
  Es que el aire acondicionado no funciona.
- Ah sí, perdone las molestias. Ya tenemos
  otro coche para usted. Aquí están las
  llaves.
- Gracias. Muy amable.

dirigirse a alguien	reclamar	disculparse	aceptar disculpas

c. El tono en la frase es importante. CD1 ▶▶ 60
No es tan importante lo que se dice sino cómo se dice. Escucha algunas frases de los
diálogos anteriores y subráyalas. Luego intenta decirlas con un tono diferente: enfadado,
con prisa, de buen humor, inseguro.

d. En parejas. Reclamar, disculparse y aceptar disculpas.
Elegid un ejemplo de cada situación y representad los diálogos.

Has pedido	**pero recibes**
agua con gas	agua sin gas
pizza con salami	pizza con jamón
vino blanco	vino tinto

una habitación exterior	una interior
una habitación con bañera	una con ducha
una habitación con balcón	una sin balcón

✎ 14–17

Tarea final Una postal de las vacaciones

Tu grupo ha hecho un curso intensivo de español en Sevilla (o en otro lugar).
En grupos de tres, escribid una postal a vuestro profesor sobre vuestras experiencias.

Portfolio
Guarda la postal en tu dosier.

Sevilla

Querido/-a...

Saludos desde...
El curso es...
Ya hemos aprendido...
El hotel / apartamento es..., tiene...
En el tiempo libre hacemos excursiones. Ya hemos...
Pero todavía no hemos.... Nos interesa ver también...
De las comidas típicas ya hemos probado...

Besos,

Esta lección ha sido un pequeño viaje. Has aprendido palabras y expresiones muy útiles para viajar. ¿Qué cosas traes de tu viaje?

¿Qué me llevo de esta etapa?

- Preguntas útiles para hacer reservas.

- Aspectos importantes para ti en un hotel o apartamento.

- Dos de tus actividades preferidas en las vacaciones.

- Expresiones para reclamar, disculparse y aceptar disculpas.

- Información sobre Mallorca y Cuba.

- Expresiones para escribir una postal.

- ¿Qué temas de gramática son tus "recuerdos" preferidos de esta lección?

- Una actividad que has hecho…
hoy: He ....
esta semana: ....
este mes: ....
este año: ....

- Con la postal de Cuba hemos visto que podemos deducir una nueva regla de gramática (cómo se forma el pretérito perfecto). Para aprender reglas puede ayudarte formularlas en tu lengua y escribirlas en tu cuaderno.

- Para recordar gramática nueva es útil aprender de memoria una frase modelo con la nueva estructura, por ejemplo para los pronombres:
A mi padre no le gusta la playa.
Ahora puedes construir muchas frases correctas como estos modelos, por ejemplo:
A nosotros no nos interesan los viajes exóticos.
¿Qué frase modelo quieres llevarte para recordar el pretérito perfecto?

- Además hemos visto que el ritmo es un truco para aprender palabras, como el rap del viajero. ¿Hay otras palabras que puedes aprender con ritmo?

el volcán Cayambe (5700 m)

Otro lugar que siempre recomiendo y que a mí me gusta mucho es el mirador de Catequilla. Por Catequilla pasa el meridiano cero, el ecuador, que divide el mundo en dos hemisferios. Allí hay un monumento de nuestras antiguas culturas que tiene más de nueve siglos. Es un observatorio natural a 2.800 metros de altura. El cielo toca la tierra, ¡maravilloso!

■ *Y ahora tú: ¿has estado alguna vez en un lugar extraordinario? ¿Dónde?*

Quito, la capital, es visita obligatoria porque forma parte del Patrimonio Cultural de la Humanidad. En Quito les recomiendo el museo Capilla del Hombre, donde están los cuadros y las esculturas de Oswaldo Guayasamín, un artista de fama internacional.

■ *Y ahora tú: en el museo ofrecen una visita guiada a las 11 de la mañana. Pero el guía llega tarde y se disculpa. ¿Qué dice? ¿Y cómo reaccionas tú?*

Panamericana

En Ecuador con Héctor.
¡Hola! Me llamo Héctor Inca y soy ecuatoriano. Me encanta presentarles mi país.

Ecuador es el segundo productor de cacao de Latino-américa. Tenemos varios tipos de cacao de muy buena calidad. Es la base del chocolate, que me gusta mucho, sobre todo el chocolate puro con 70 % de cacao.

árbol del cacao

■ *Y ahora tú: ¿te gusta el chocolate? ¿En qué momentos lo comes?*

En muchas regiones del país se puede hacer turismo rural en las "haciendas". Son casas tradicionales que ofrecen alojamiento y además muchas posibilidades para hacer excursiones. También hay haciendas en "la ruta del cacao" con visitas guiadas para ver su producción. Creo que es una idea muy buena estar en la naturaleza y además aprender cómo se produce el cacao.

■ *Y ahora tú: estás en una hacienda, pero no sabes si tiene desayuno. ¿Cómo lo preguntas?*

Si quiere pasar unos días inolvidables: las Islas Galápagos son un paraíso. Son catorce islas que están en el Océano Pacífico a casi 1.000 km del continente. Allí se pueden observar animales fabulosos como iguanas y tortugas. El 97% del territorio es parque nacional. Las islas son un tesoro que tenemos que proteger.

■ *Y ahora tú: quieres reservar una noche de hotel en las Galápagos. Llamas por teléfono al hotel: ¿qué dices?*

Una postal de Ecuador.
Imagina que pasas las vacaciones en Ecuador. Con las informaciones de Héctor, escribe una postal a un amigo.

Comunicación

Reservar una habitación de hotel

> Busco una habitación…
> doble / individual / exterior / interior
> con ducha / baño completo / balcón / vistas al mar
> para tres noches / una semana

Pedir información

> ¿El precio es con desayuno incluido?
> ¿El hotel tiene garaje / piscina / aire acondicionado?
> ¿Dónde puedo alquilar un coche / una bicicleta?
> ¿A qué hora sale el próximo autobús para Bilbao?

Expresar acuerdo y desacuerdo

	Acuerdo	*Desacuerdo*
• Me encanta la playa.	○ A mí también.	■ A mí no.
• No me gustan los hoteles.	○ A mí tampoco.	■ A mí sí.
• Viajo mucho.	○ Yo también.	■ Yo no.
• No fumo.	○ Yo tampoco.	■ Yo sí.

Frecuencia

> muchas veces
> algunas veces
> una vez
> nunca

Marcadores temporales

> hoy
> esta mañana
> esta semana
> este mes / año

Reclamar

> Oiga, por favor…
> Mire, es que tengo un pequeño problema.
> Tenemos un problema.

Disculparse

> Disculpe.
> Lo siento. Ha sido un error.
> Perdone las molestias.

Aceptar disculpas

> No pasa nada.
> Está bien. Gracias.
> Gracias. Muy amable.

Gramática

Pronombres de objeto indirecto

tónicos	átonos	
(A mí)	me	
(A ti)	te	gusta viajar.
(A él / ella / usted)	le	encantan los museos.
(A nosotros/-as)	nos	interesa Mallorca.
(A vosotros/-as)	os	molesta el ruido.
(A ellos / ellas / ustedes)	les	

Cuando queremos resaltar la persona usamos junto a **me, te, le**… también **a** + pronombre tónico. Sin embargo, los pronombres tónicos no pueden sustituir los átonos. Cuando el objeto está delante del verbo tiene que repetirse con un pronombre átono: **A mi madre le** gusta la playa.

Muy **y** mucho

mucho/-a/-os/-as	muy / mucho
much**o** tráfico	Es una casa **muy** bonita.
much**a** gente	Aquí se vive **muy** bien.
much**os** problemas	Me interesa **mucho**.
much**as** ideas	Vamos **mucho** a la playa.

Mucho/-a concuerda en número y género con el sustantivo.
Muy acompaña adjetivos y adverbios.
Mucho va detrás del verbo o va solo y es invariable:
¿Te gusta la montaña? -Sí, **mucho**.

Verbos irregulares con -g- en la primera persona

hacer	poner	salir	traer	decir	venir
hago	**pongo**	**salgo**	**traigo**	**digo**	**vengo**
haces	pones	sales	traes	dices	vienes
hace	pone	sale	trae	dice	viene
hacemos	ponemos	salimos	traemos	decimos	venimos
hacéis	ponéis	salís	traéis	decís	venís
hacen	ponen	salen	traen	dicen	vienen

El pretérito perfecto

haber	participio
he	
has	
ha	visit**ado**
hemos	com**ido**
habéis	viv**ido**
han	

Las formas de **haber** van siempre delante del participio:
Yo no lo **he dicho**.
Se usa el pretérito perfecto
- para hablar de acciones dentro de un periodo de tiempo que todavía no está cerrado, a menudo en relación con **hoy, esta semana, este año.**
- para hablar de acciones sucedidas en un momento que no es relevante, por ejemplo con **alguna vez, todavía no, ya, muchas veces, (no)… nunca.**

Participios irregulares

hacer	decir	poner	ver	ir	ser	abrir	escribir	volver
hecho	dicho	puesto	visto	ido	sido	abierto	escrito	vuelto

Mirador 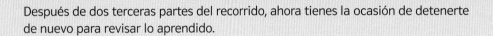 A1

Después de dos terceras partes del recorrido, ahora tienes la ocasión de detenerte de nuevo para revisar lo aprendido.

Hablamos de cultura: no todo es diferente

1 a. Bares, tapas y horarios.

Marca las respuestas. Puedes marcar más de una. No hay respuestas correctas ni falsas.

1. Un bar es para mí un lugar
   - [ ] para tomar copas.
   - [ ] para cenar.
   - [ ] para encontrarse con amigos.

2. Normalmente voy a un bar
   - [ ] por la mañana.
   - [ ] por la tarde.
   - [ ] por la noche.

3. Si voy con amigos a un bar de tapas
   - [ ] cada persona pide una o dos tapas.
   - [ ] pedimos tapas para todos.
   - [ ] una persona decide por todos.

4. Si voy con amigos a un bar,
   - [ ] cada uno paga su bebida / comida.
   - [ ] uno paga toda la cuenta.
   - [ ] la cuenta se divide entre todos.

5. En mi país cenamos normalmente
   - [ ] a las seis.
   - [ ] entre las seis y las ocho.
   - [ ] después de las ocho.

6. Si no hay una mesa libre
   - [ ] voy a otro bar / restaurante.
   - [ ] veo si en una mesa hay sólo una persona.
   - [ ] espero en la barra.

b. Compara los resultados con los de tus compañeros. Luego escucha una entrevista espontánea con un grupo de hispanohablantes. CD1 ▶▶ 61

¿Hay diferencias con tus respuestas? ¿Y también entre las personas que hablan?

2 Más que palabras.

¿Quieres ampliar tus conocimientos sobre la cultura de los países hispanohablantes? Relaciona.

1. Una cesta   [ ] los pasajeros no se sientan al lado del taxista.
2. La cuenta   [ ] en un restaurante la paga una persona o se divide entre todos.
3. En un taxi   [ ] es una pequeña tienda que vende sellos, postales y cigarrillos.
4. El desayuno   [ ] de Navidad es un regalo típico con especialidades de comida.
5. La propina   [ ] no siempre está incluido en el precio de un hotel.
6. Un estanco   [ ] es el dinero que se da al camarero por el servicio; se deja en la mesa.

**similitudes y diferencias culturales • autoevaluación •
estrategias de aprendizaje • hablar y jugar**

Ahora ya sabemos...

Antes de hacer el ejercicio, evalúate tú mismo marcando una de las caras dibujadas junto a cada tema.
A continuación haz la prueba y compara el resultado con lo que has marcado. Comprueba los resultados
preguntando a tus compañeros o al profesor cuando no estés seguro.

3 **a. Comprar en el mercado.** 😀 🙂 🙁
¿Qué dice el vendedor? ¿Y el cliente?
¿Qué expresiones pueden usar los dos?

	vendedor	cliente
1. Aquí tiene.	☐	☐
2. ¿Algo más?	☐	☐
3. Deme medio kilo.	☐	☐
4. ¿Cuánto es?	☐	☐
5. Eso es todo.	☐	☐
6. ¿Los quiere para salsa?	☐	☐
7. En total son 12 euros.	☐	☐
8. Sí, 100 g de jamón.	☐	☐
9. Lo siento, hoy no tengo.	☐	☐
10. ¡Hasta la próxima!	☐	☐

b. Pedir información. CD1 ▶▶ 62 😀 🙂 🙁
Lee estas respuestas. Después escucha las preguntas
1–4 y pon el número en la respuesta adecuada.

☐ En el estanco. Hay uno aquí cerca.
☐ Claro. El "Sol" es bueno y no es muy caro.
☐ No, es interior y muy tranquila.
☐ A las ocho de la tarde.

Ahora haz lo mismo con las preguntas 5–8. CD1 ▶▶ 63

☐ Sí, todos los días a las 11.
☐ En julio no, sólo en agosto.
☐ Entre 15 y 30 euros.
☐ En la próxima parada.

4 **a. Describir una ciudad.** 😀 🙂 🙁
Piensa en una ciudad y toma notas.

¿Qué te gusta?
¿Cómo es?
¿Dónde está?
¿Qué no te gusta?
¿Qué hay?

b. Un texto informativo o publicitario.
Escribe un texto informativo o publicitario sobre la ciudad sin mencionar el nombre.

c. En parejas. ¿Qué ciudad es?
Intercambiad los textos. ¿Puedes identificar la ciudad de tu compañero?

Aprender a aprender

5 **Falsos amigos.**

Muchas palabras se parecen en distintos idiomas y son fáciles de entender, pero también existen los llamados falsos amigos. Son palabras que suenan igual o muy parecidas, pero que tienen un significado diferente. Mira estas diez palabras. ¿Se parecen a palabras de tu lengua o de otras que conozcas?

1. rizo
2. ganga
3. balón
4. nudo
5. suceso

6. carta
7. curso
8. latir
9. nota
10. tapa

6 **a. En parejas. Más técnicas para aprender vocabulario.**

Cada uno escribe 15 palabras en una hoja y se la da a su compañero. Éste memoriza en un minuto el mayor número posible de palabras. Luego da la vuelta a la hoja y escribe las palabras que recuerde. ¿Quién tiene más de 7?

b. Tu estrategia.

¿Has usado una técnica en particular? Para memorizar vocabulario se puede…

– usar las palabras en una historia
– relacionar las palabras con movimientos
– imaginar un cuadro

– clasificar las palabras por grupos
– crear parejas de antónimos
– construir una frase ejemplo

– hacer rimas
– decir las palabras en alto
– escribir las palabras

c. Repite el experimento con otras palabras.

Ahora intenta usar una nueva técnica con otras palabras. ¿Cuál es el resultado?

7 **a. ¿Cómo escuchamos en estos casos? Relaciona.**

Escuchar una lengua extranjera puede ser más difícil que leerla porque no vemos los espacios entre palabras y no podemos determinar nosotros mismos la velocidad. Dependiendo del tipo de texto –también en nuestra lengua materna– usamos distintas técnicas de comprensión. A menudo se trata de captar el sentido o de filtrar cierta información. Muy pocas veces se trata de entender detalles. ¿Te acuerdas de las siguientes audiciones? ¿Qué tipo de comprensión se requería?

1. captar el sentido
2. filtrar cierta información
3. entender todo exactamente

a. Preguntar la hora CD1 ▶▶ 33 – 38
b. Descripción de la ruta en Bogotá CD1 ▶▶ 52
c. Viaje de Grizel a Yucatán CD1 ▶▶ 56

b. ¿Y cómo escuchamos en estas situaciones? Escribe el número adecuado.

☐ Escuchas el pronóstico del tiempo en todo el país.
☐ Escuchas en la radio una entrevista con la actriz de moda.
☐ Un cocinero famoso prepara en la televisión una receta que tú quieres aprender.
☐ En el aeropuerto anuncian la salida de tu vuelo.
☐ Una persona te explica cómo llegar al centro desde la estación de tren.
☐ Escuchas un programa en la radio sobre turismo en Cuba.

Terapia de errores

8 **a. Errores típicos.**
Ulrike está en Bolivia y escribe a una amiga española. ¿Cuántos errores encuentras?

b. En parejas. Comparad vuestros resultados.
Mira los tipos de errores en la página 49, ejercicio 11b y clasifica los errores. ¿Cuáles podrías cometer tú?

c. Escribe ahora la carta sin errores.
Ya tienes un modelo de carta para tu dosier.

Hola Montse:

¿Qué tal? Por fin soy en Bolivia. Vivo con una familia muy sympática. La madre se llama Carmen y trabaja en una officina a Cochabamba. El padre se llama Ignacio y es taxisto. Habla muy rápido y muchas vezes no entiendo nada.
Yo trabaja en una escuela al centro de Cochabamba (clases d'anglese). Me pagan mil cincuentos pesos. (¡Sí, 1.500!) Apriendo Español por la mañana pero está muy difícil.
Todavía he no ido a La Paz, La capital. Voy en octobre. Quiero la visitar y ver los museos y monumentos.
¿Y tu cómo estás? Vas en Allemania con coche?

Saludos
Ulrike

Organizar un juego

9 **Nos vemos jugando.**

Comer / beber

Yo bebo vino.
Vosotros …

Comprar

¿Dónde se compran sellos?

Viajar
Una habitación ruidosa ↔ …

    PAUSA

PAUSA

PAUSA

PAUSA

PAUSA

- Se reparten por estudiante 12 cartas de tres colores distintos (un color por tema **viajar**, **comer / beber**, **comprar**). Escribe en cada carta un ejercicio como en el ejemplo. Los ejercicios pueden abarcarlo todo: gramática, vocabulario o información.
- Se recogen todas las cartas y se disponen por colores en tres montones.
- Se forman grupos de cuatro. Cada grupo recibe el mismo número de cartas de cada color y las pone boca abajo sobre la mesa.
- Se juega en el tablero con una figura y un dado por jugador.
- Cada jugador empieza desde una esquina y avanza en el sentido de las agujas del reloj. El jugador coge el color de la carta que corresponde con el tema de la casilla donde ha caído y resuelve la tarea. Si la resuelve bien (eso lo decide el grupo), se queda la carta; si no, la vuelve a poner en el montón debajo de todas.
- El juega termina cuando no quedan cartas. El jugador con más cartas gana.

   PAUSA

Caminando A1

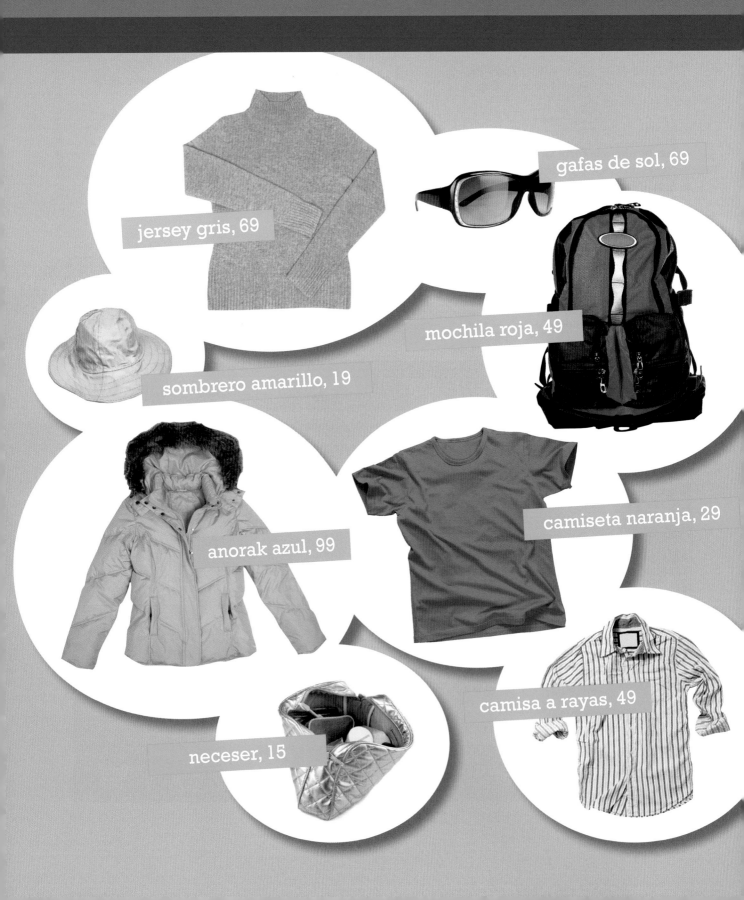

jersey gris, 69

gafas de sol, 69

mochila roja, 49

sombrero amarillo, 19

anorak azul, 99

camiseta naranja, 29

neceser, 15

camisa a rayas, 49

la ropa • los colores • el tiempo • hablar de la rutina diaria • hacer comparaciones • dar consejos • decir lo que está sucediendo

botas marrones, 149

pantalones azules, 119

falda azul, 29

1 **a. Mira las imágenes extraídas del catálogo de una tienda de ropa y complementos.**
¿Qué tipo de viaje crees que puede hacer una persona con estas cosas?

Un viaje de negocios
Una ruta de senderismo de tres días por la montaña
Un safari

b. En parejas. ¿Qué hay en tu mochila?
Haz una lista con tres de los objetos, pero en otro color. Tu compañero los tiene que adivinar. Tú sólo puedes contestar con 'sí' o 'no'. Luego, al revés.

prenda de ropa	color
1.	
2.	
3.	

- ¿Hay un jersey azul en tu mochila?
- ○ No.
- ¿Un jersey rojo?
- ○ …   1, 2

blanco/-a
negro/-a
rojo/-a
amarillo/-a
gris
azul
verde
marrón
naranja
a rayas

El Camino de Santiago

2 **a. El autor de una guía turística habla del Camino de Santiago.** CD1 ▶▶ 64

Primero relaciona las frases. Después escucha la entrevista con Suso Figueroa.

1. El Camino de Santiago es	es la primavera.
2. La gente hace el Camino	por motivos turísticos o religiosos.
3. La ruta más famosa	una ruta de peregrinación.
4. La mejor época para hacer el Camino	son alojamientos sencillos y baratos.
5. Los albergues de peregrinos	es el Camino Francés.

b. Lee las frases y luego escucha otra vez. ¿Son verdaderas o falsas?

las estaciones del año

la primavera
el verano
el otoño
el invierno

1. **La** ruta **más** famosa es el Camino del Norte.
2. El Camino del Norte es **más** largo **que** el Camino Francés.
3. Los motivos turísticos son **tan** importantes **como** los motivos religiosos.
4. **La mejor** época para ir a Santiago es verano, en julio o agosto.
5. Los albergues son **más** baratos **que** los hoteles, pero tienen **menos** comodidades.

c. La comparación. Lee otra vez las frases y completa la tabla.

La comparación	
Desigualdad	Los hoteles son .... caros .... los albergues. Los albergues cuestan .... **que** los hoteles.
Igualdad	El Camino del Norte es **tan** bonito **como** el Camino Francés.
Superlativo	La ruta .... famosa es el Camino Francés. El mes **menos** atractivo es enero.

comparativos irregulares

grande → mayor
bueno → mejor
malo → peor

 3 - 5

3 **¿Más o menos? ¿Qué piensas tú?**

Completa las frases con los comparativos. Luego, comparad los resultados.

1. Los hoteles del Camino son .... cómodos .... los albergues.
2. Para caminar, una mochila es .... práctica .... una maleta.
3. Para caminar es .... llevar zapatos .... sandalias.
4. En abril y mayo hay .... turistas .... en julio o agosto.
5. Enero y febrero son los meses con .... peregrinos.
6. Llevar una chaqueta no es .... práctico .... un anorak.

El Camino, día a día

4 **a. La vida cotidiana de un peregrino.**
Lee el artículo y busca un título para cada párrafo.

EN CAMINO

Son las seis de la mañana. Sale el sol. Me levanto, me lavo y me pongo ropa cómoda. Desayuno con mis compañeros. Desayunamos bien porque necesitamos energía. El día es largo y queremos caminar muchos kilómetros. Todos nos ponemos también sombreros para no tener problemas con el sol.

Después de desayunar, estudiamos la ruta, nos concentramos en las etapas. Hemos dividido el camino en 30 etapas, caminamos unos 25 kilómetros cada día. A veces caminamos en silencio, a veces hablamos. Nunca nos aburrimos porque siempre hay cosas nuevas: conocemos a otros peregrinos de muchos países, vemos paisajes diferentes... No tenemos prisa. Cuando nos cansamos, hacemos una pausa y nos relajamos un poco. ¡Nuestros pobres pies!

Después de la comida, por la tarde, nos separamos. Yo sigo solo, a mi ritmo. Así tengo tiempo de tomar fotos, y hago pausas para escribir mi diario del viaje.

Por la noche dormimos en albergues para peregrinos. Nos duchamos y nos acostamos. Yo siempre me acuesto el último porque me gusta mirar las estrellas en el cielo. Si no llueve, claro...

b. Busca en el texto los verbos reflexivos.
Escribe los infinitivos en tu cuaderno.
¿Qué significan en tu idioma?
¿Tienen un funcionamiento diferente a otros verbos?

lavar**se**		
yo	**me**	lavo
tú	**te**	lavas
él / ella / usted	**se**	lava
nosotros/-as	**nos**	lavamos
vosotros/-as	**os**	laváis
ellos / ellas / ustedes	**se**	lavan

Generalmente los pronombres reflexivos **me, te, se**... van delante del verbo conjugado. Sin embargo, con el infinitivo pueden ir detrás de la termi-nación: Quiero lavar**me**.

c. ¿Qué hace el peregrino? Busca las actividades en el texto.
¿Y tú, qué haces en la vida diaria?

antes de caminar: *se levanta a las seis,*

durante el camino: *conoce a otros peregrinos,*

después de caminar: *se ducha,*

✎ 6-8

• ¿Conoces **a** Eva?
○ Sí, la conozco.
Cuando el objeto directo es una persona se usa la preposición **a**.

 9

5 **a. ¿Por qué la gente hace el Camino?**
Relaciona los elementos de cada columna para encontrar los motivos.

conocer
visitar
disfrutar
encontrar

a
de
—

la naturaleza
iglesias
otros peregrinos
gente del lugar
la tranquilidad
lugares históricos
personas interesantes

• Mucha gente hace el Camino para conocer a otros peregrinos.

b. ¿Te duchas con agua fría? Pregunta a tus compañeros.
Averigua quién hace las siguientes cosas. ¿Quién encuentra primero por lo menos una persona para cada frase?

– ducharse con agua fría
– aburrirse en las fiestas familiares
– cansarse en la clase de español
– concentrarse bien con música

– relajarse delante de la tele
– ponerse gafas para leer
– levantarse antes de las siete
– acostarse después de las once

c. Presenta ahora a la clase algunos resultados de la encuesta.

Este/-a hace referencia a cosas que están al alcance de la persona que habla, **ese/-a** a cosas que están al alcance de la persona que escucha o lejos tanto del hablante como del oyente. **Esto/eso** se refiere a algo que no podemos o que no es necesario nombrar: *¿Qué es esto?*

6 **a. Escucha a estas chicas que van a hacer el Camino de Santiago.** CD1 ▶▶ 65
Marca en las páginas 88-89 las cosas que tienen que comprar.

	masculino	femenino
singular	**este / ese** jersey	**esta / esa** mochila
plural	**estos / esos** jerseys	**estas / esas** mochilas

b. Puedes comprar tres objetos de las página 88-89.
Dile a tu compañero qué quieres comprar y por qué.

• Quiero esta mochila porque es práctica.

c. Ahora preparas tu mochila para hacer una ruta de dos semanas.
No puedes llevar más de doce prendas. ¿Qué ropa llevas? Luego, comparad vuestras mochilas.

7 **Tres peregrinos muy diferentes.**
Busca 10 diferencias entre los peregrinos.
Después, en cadena, cada uno dice una diferencia. No se puede repetir.

• Jaime es más delgado que Manolo.
○ Manolo no lleva gafas…
▪ …

Manolo

Jaime

Elvira

 10 – 12

El Camino Inca

8 **a. Otro camino famoso es el Camino Inca en Perú.** Lee estos consejos y marca la información más importante en cada uno.

CONSEJOS PARA EL CAMINO INCA

El Camino Inca en Perú va desde Cusco, la antigua capital del imperio inca, a Machu Picchu, la ciudad perdida de los incas. La ruta solamente se puede hacer en grupos pequeños y con un guía de una agencia de viajes autorizada. Estos son algunos consejos para recorrer estos 45 kilómetros:

b. ¿Estás preparado para hacer el Camino Inca? Contesta las preguntas.

– ¿En cuánto tiempo conviene hacer el camino?
– ¿Se puede ir solo?
– ¿Qué se puede hacer para evitar el mal de las alturas?
– ¿Qué tiempo hace en abril?
– ¿Cuándo llueve mucho?
– ¿Por qué se necesita un anorak?

- Para las personas que no son deportistas conviene hacer la ruta en cuatro días.
- El Camino llega a los 4200 metros de altura, por eso se recomienda pasar unos días en Cusco (3250 m) para acostumbrarse y así no tener problemas de soroche, el mal de las alturas.
- Los meses menos recomendados son enero, febrero y marzo, porque llueve mucho. En abril hace sol, pero a veces está nublado. Es mejor viajar en junio, julio o agosto: hace buen tiempo y las temperaturas llegan a los 21°.
- No conviene llevar niños a esta excursión.
- Se recomienda llevar zapatos cómodos y un anorak contra el viento y el frío.
- No es necesario llevar alimentos, la agencia de viajes organiza la comida.

9 **a. ¿Qué tiempo hace hoy?**
Mira las expresiones del tiempo en la columna de la derecha.

b. ¿Qué dices en estos casos? Relaciona.

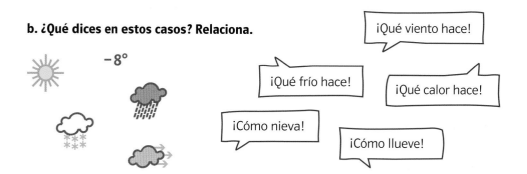

¡Qué viento hace!

¡Qué frío hace!   ¡Qué calor hace!

¡Cómo nieva!   ¡Cómo llueve!

El tiempo:
☀ Hace sol.
🌡 Hace calor.
🌡 Hace frío.
5° Hace 5 grados.
−5° Hace 5 grados bajo cero.
☁ Hace viento.
☁ Hace buen / mal tiempo.
☁ Está nublado.
〜 Hay niebla.
🌧 Llueve.
🌨 Nieva.   13

10 **¿Qué camino prefieres hacer, el de Santiago o el Inca?**
Apunta los pros y contras de cada uno.

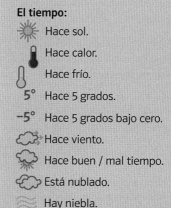

11 a. Recomendaciones para hacer una ruta a pie.
Completa las frases con tus ideas.

recomendaciones	
Se recomienda	llevar zapatos cómodos.
Es mejor	....
Conviene	....
No es necesario	....

b. Recomendaciones para viajar.
¿Qué le recomiendas a una persona que quiere hacer el Camino de Santiago, el Camino Inca, un safari o un crucero?

● Para hacer el Camino Inca conviene caminar despacio los primeros días.

- ponerse zapatos cómodos
- beber mucho durante el camino
- llevar ropa elegante
- caminar despacio los primeros días
- ponerse crema contra los mosquitos

- llevar papel higiénico
- llevar sombrero
- beber agua embotellada
- llevar ropa ligera
- llevar libros o revistas

12 a. ¿Cuáles de las frases están relacionadas con estas fotos del Camino Inca?
Escribe el número donde corresponda.

☐ Estamos en Cusco, esperando al guía.
☐ Estoy haciendo una pausa.
☐ Ernesto está haciendo fotos.
☐ Estamos desayunando.
☐ Estamos visitando una antigua
  ciudad inca.
☐ Roberto está hablando por teléfono.
☐ Estamos caminando.

b. Escucha a esta persona. CD1 ▶▶ 66
¿Quién es? ¿Con quién habla? ¿Qué están haciendo los dos?

c. En las frases hay una nueva forma: el gerundio.
Mira la tabla y marca en las frases de 12 a los gerundios que aparecen.
¿Cuál es el infinitivo? ¿Cómo se dice en tu idioma?

✎ 14

Para describir algo que está sucediendo en el momento de hablar se usa **estar + Gerundio:**
Estamos saliendo del hotel.
Atención:
con **estar + Gerundio** los pronombres pueden ir antes de **estar** o después del gerundio, pero nunca entre ellos.
Me estoy duchando.
Estoy duchándo**me**.

estar + gerundio		gerundios regulares			gerundios irregulares	
estoy						
estás		hablar	-ar	→ -ando	decir	→ diciendo
está	hablando	beber	-er	→ -iendo	venir	→ viniendo
estamos	bebiendo	escribir	-ir	→ -iendo	dormir	→ durmiendo
estáis	escribiendo				leer	→ leyendo
están					ir	→ yendo

13 En parejas. ¿Qué está haciendo tu compañero?
Una persona representa con mímica una acción con uno de los siguientes objetos.
La otra adivina qué está haciendo. Luego, al revés.

una taza de café | un móvil | una cámara de fotos | un plato con comida |
un libro | un televisor | una guitarra | un ordenador | zapatos

14 Una pausa en el Camino Inca.
¿Qué están haciendo estas personas?
¡Cuidado! La persona que ha hecho
el dibujo ha olvidado algunos objetos.

15 ¡A jugar!
En grupos de tres. Se necesitan tres fichas y una moneda.
Si sale cara: avanzar una casilla. Cruz: avanzar dos casillas.

SALIDA

Dos recomendaciones para ir de cámping.	Si llueve, avanza dos casillas.	¿Qué está haciendo?	¿Qué tiempo hace hoy?
¿Cuánta gente lleva zapatos marrones en la clase?	Describe la ropa que lleva la persona a tu izquierda.	Si hoy hace sol: dos casillas atrás.	Una frase con 'levantarse' y una con 'acostarse.'
Los meses de lluvias en el Camino Inca son…	¿Qué está haciendo?	¿Cuál es el monumento más antiguo de tu ciudad?	¿Qué dices si la temperatura es de 1°?
Describe la ropa que lleva la persona a tu derecha.	¿Qué dices si la temperatura ahora es de 35°?	Dos consejos para aprender vocabulario.	¿Qué dices si llueve todo el día?

15–17

¡FELICIDADES!

Portfolio
Guarda tu folleto en tu dosier.

Tarea final Preparando una excursión

a. Un folleto para invitar a una excursión.

En grupos. Pensad en un lugar para hacer una excursión desde la ciudad en la que estáis y preparad un folleto. Podéis dar un nombre a la ruta, dibujar un logo y tener en cuenta los siguientes aspectos:

– ¿Dónde empieza la ruta?
– ¿Cuánto tiempo se necesita para hacerla?
– ¿Cuántas etapas tiene?
– ¿Qué se puede visitar en el camino?
– ¿Dónde conviene hacer una pausa?
– ¿Cuándo es mejor hacer esta excursión?
– ¿Por qué?
– ¿Qué ropa conviene ponerse?
– Consejos para los que quieren hacer la ruta (comida, equipaje…)

b. Presentad la ruta a los compañeros. Entre todos se decide qué excursión queréis hacer juntos.

LA RUTA DEL BOSQUE
el camino más verde del norte

RECORRIDO:
Va de… a… Son unos X kms.

ETAPAS:
La excursión se puede hacer en un día (x horas).

MONUMENTOS:
En el camino se recomienda visitar… porque…

CONSEJOS:
Conviene llevar…
No es necesario…

En esta lección hemos caminado por antiguas rutas y disfrutado de la naturaleza. ¿Qué te llevas de estas aventuras?

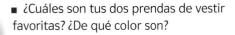

■ ¿Cuáles son tus dos prendas de vestir favoritas? ¿De qué color son?

■ Cinco actividades que haces todos los días.

■ Tres objetos que siempre llevas cuando vas de viaje.

■ Informaciones interesantes sobre el Camino de Santiago y el Camino Inca.

■ Piensa en tres personas: un amigo, un familiar y un compañero. ¿Qué están haciendo en este momento?

■ Hablar del tiempo puede ser una manera de empezar una conversación. ¿Qué se puede decir en este momento?

■ En esta lección has aprendido a dar consejos. ¿Puedes dar un consejo a una persona que quiere aprender español?

■ Hemos leído y escuchado textos largos. En la entrevista sobre el Camino de Santiago nos hemos concentrado en aspectos importantes. En el catálogo de consejos para el Camino Inca hemos marcado solamente la información relevante. Para eso no ha sido necesario entender cada palabra, ¿verdad? No siempre tenemos que buscar todo en el diccionario.

■ Además, podemos entender sin saber todas las palabras. ¿Te acuerdas de estas frases?
Por la noche dormimos en xxxxxxx para peregrinos.
Hemos xxxxxxxx el camino en 30 etapas.
¿Es importante saber la palabra que falta para entender la información?

■ Si nos concentramos en las palabras que entendemos, ya podemos sacar mucha información de un texto. Por eso es importante concentrarse primero en ellas.

Panamericana

En Perú con Pilar.

Hola. Me presento: soy Pilar Rolfs y soy peruana. Quiero mostrarles algunas imágenes de mi hermoso país.

Lima, Palacio Torre-Tagle

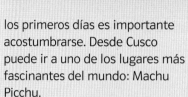
el Amazonas

Empiezo con Lima, la capital. Con casi 10 millones de habitantes es el centro político, económico y financiero del país. En su centro histórico (declarado Patrimonio de la Humanidad por la UNESCO) se han restaurado muchos edificios con sus preciosos balcones de madera.

■ *Y ahora tú: ¿cuál es la ciudad más grande de tu país? ¿Y la más importante? ¿Por qué?*

Pero hay otras ciudades atractivas, por ejemplo en el sur está Arequipa, con un clima fantástico: 300 días de sol al año. Desde Arequipa se puede viajar al famoso lago Titicaca. Otra ciudad interesante es Piura, en el norte del país, la más antigua de Perú. El famoso escritor peruano Mario Vargas Llosa dice que sus habitantes son los más alegres y abiertos del país.

■ *Y ahora tú: ¿cuántos días de sol al año hay en tu ciudad aproximadamente?*
¿Qué ropa llevas para unas vacaciones en Arequipa durante el mes de enero?

¿Sabe cuál es el lugar más visitado de Perú? Iquitos, una ciudad grande al lado del río Amazonas. Es un poco difícil llegar porque el viaje sólo es posible por aire o por agua, pero vale la pena. Allí puede tomar un barco para hacer una excursión por la selva y ver caimanes, monos o delfines rosas.

■ *Y ahora tú: ¿qué lugar es el más visitado por los turistas en tu país? ¿Qué les ofrece?*

Si le interesan las antiguas culturas prehispánicas, tiene que visitar Cusco, la capital del Imperio Inca, que conserva los muros de sus antiguos templos. La ciudad está a 3400 metros de altura, por eso los primeros días es importante acostumbrarse. Desde Cusco puede ir a uno de los lugares más fascinantes del mundo: Machu Picchu.

■ *Y ahora tú: ¿recuerdas cómo se llama el mal de las alturas? ¿Qué consejos le puedes dar a una persona que quiere hacer el Camino Inca?*

¡Oh! No tengo más espacio y quería contar muchas cosas más… Sobre la riquísima cocina peruana; sobre las montañas como el Alpamayo; sobre las costas del Pacífico… ¿Cuándo va a visitar mi país?

Tu viaje a Perú.

Haz una lista de los preparativos que tienes que hacer para un viaje a Perú y de las cosas que quieres llevar. ¿Qué lugares quieres visitar?

Cusco

Comunicación

La ropa y los colores

un jersey rojo	una camisa verde	pantalones azules	un anorak naranja
una falda amarilla	zapatos marrones	una camiseta blanca	un sombrero negro

Describir la rutina diaria

Me levanto a las seis.
Me pongo los zapatos.
Yo me acuesto el último.

Señalar algo

• ¿Te gusta esta falda?
○ No mucho, pero esa roja sí.
• ¿Qué es esto?

Hacer recomendaciones

Conviene acostumbrarse a la altura.
Se recomienda hacer la ruta en cuatro días.
No es necesario llevar comida.

Describir un proceso

Ahora estoy haciendo una pausa.
Estamos esperando al guía.
¿Estás tomando una foto de las ruinas?

Comparar algo

Los albergues son más baratos que los hoteles.
Pero tienen menos comodidades (que los hoteles).
Y cuestan menos (que los hoteles).

Hablar del tiempo

Hace buen tiempo / mal tiempo.	Está nublado.	Llueve.	¡Qué frío / calor / viento hace!
Hace sol / frío / calor / viento / 5 grados.	Hay niebla.	Nieva.	¡Cómo llueve! / ¡Cómo nieva!

Gramática

La comparación: comparativo y superlativo

+	Los hoteles son **más** caros **que** los albergues.	**más** + adjetivo + **que**
−	La última etapa es **menos** dura **que** la primera.	**menos** + adjetivo + **que**
−	Los hoteles cuestan **más que** los albergues.	verbo + **más / menos que**
=	El Camino del Norte es **tan** bonito **como** el Francés.	**tan** + adjetivo + **como**
++	**La** ruta **más** famosa es el Camino Francés.	artículo + **más / menos** + adj.
−−	**El** mes **menos** atractivo es enero.	

Con números y cantidades se usa **más/menos de**: En los albergues no se puede dormir **más de** una noche.

Formas irregulares

grande → mayor
bueno → mejor
malo → peor
El **mayor** problema en el Camino
Inca es el soroche.

Verbos reflexivos

levantar**se**	
me	levanto
te	levantas
se	levanta
nos	levantamos
os	levantáis
se	levantan

Generalmente los pronombres reflexivos van delante del verbo conjugado. Sin embargo, con el infinitivo pueden ir detrás de la terminación:
Me ducho con agua fría.
No quiero duchar**me** con agua fría

Conocer

conocer
cono**zc**o
conoces
conoce
conocemos
conocéis
conocen

El objeto directo con personas

¿Conoces **a** mis padres?
¿Has visto **al** profesor?
¿Entiendes **a la** profesora?
Pero: Con **tener** no se usa **a**.
Tengo ~~a~~ diez primos.

Los pronombres demostrativos

	masculino	femenino
singular	**este** jersey	**esta** mochila
plural	**estos** jerseys	**estas** mochilas
singular	**ese** jersey	**esa** mochila
plural	**esos** jerseys	**esas** mochilas

Este/-a hace referencia a cosas que están al alcance de la persona que habla, **ese/-a** a cosas que están al alcance de la persona que escucha o lejos tanto del hablante como del oyente.
Esto/eso se refiere a algo que no podemos o que no es necesario nombrar: *¿Qué es esto?*

Los adjetivos de colores

-o → -a	masculino = femenino
blanco/-a	azul
negro/-a	verde
rojo/-a	gris
amarillo/-a	marrón

Algunos adjetivos de colores no cambian porque originalmente calificaban sustantivos: pantalones naranja.

El gerundio

terminación	infinitivo		formas irregulares			
-ar → **ando**	tomar	Roberto está tom**ando** fotos.	decir	di**ciendo**	leer	le**yendo**
-er → **iendo**	comer	¿Qué estás com**iendo**?	venir	vi**niendo**	ir	**yendo**
-ir → **iendo**	salir	Estamos sal**iendo** del hotel.	pedir	pi**diendo**	dormir	d**u**rmiendo

Con **estar + gerundio** se describe algo que está sucediendo en el momento de hablar.
Los pronombres se pueden poner delante de **estar** o detrás del gerundio:
Me estoy duchando.
Estoy duchándo**me**.

10

hablar sobre el tiempo libre • hacer, aceptar y rechazar una propuesta •
quedar, hablar sobre planes • definir algo • los adjetivos de nacionalidades •
pedir en un restaurante • valorar una comida

>> PANORAMA >> un minuto con...

Javier Mariscal

Javier Mariscal (Valencia, 1950) es conocido mundialmente por ser el creador de Cobi, la mascota de los Juegos Olímpicos de Barcelona (1992), y por sus originales esculturas, como la Gamba del puerto de Barcelona.

>> **Un aspecto principal de su carácter:**
>> Soy hiperactivo y muy impulsivo.

>> **Su plato favorito:**
>> La paella valenciana.

>> **Una prenda de ropa favorita:**
>> Un sombrero borsalino.

>> **Usted puede pasar horas...**
>> Cuidando las plantas en el jardín.

>> **En su tiempo libre le gusta...**
>> Dibujar, pasear por la playa...

>> **Un deporte que odia:**
>> El golf.

>> **Algo que no sabe hacer:**
>> Jugar al golf.

>> **Una película / un libro que le ha impresionado:**
>> "Big Fish", de Tim Burton. "Persépolis" (el libro y la película) de Marjane Satrapi.

>> **Pasa sus vacaciones en...**
>> Formentera.

>> **Un domingo perfecto:**
>> Quedarme en la cama con mi mujer y mis hijos, desayunar todos juntos sin prisa, leer el periódico, preparar una comida para los amigos, una larga sobremesa, una pequeña siesta, una buena película y a dormir.

1 **a. Lee la entrevista con Javier Mariscal.**
¿Qué actividades de tiempo libre menciona?
¿Qué otras actividades de tiempo libre conoces?

b. En parejas. Una entrevista a tu compañero.
Elige cinco preguntas y haz la entrevista a un compañero. Luego, al revés.

ir a correr

tocar el piano

jugar al fútbol

ir a la sauna

pescar

esquiar

salir con amigos

trabajar en el jardín

cantar en un coro

bucear

ir en bicicleta   **bailar**

hacer fotos

navegar en internet

jugar al ajedrez

Tiempo libre

2 **a. Actividades de tiempo libre. Mira las fotos y apunta...**

– tres cosas que te gustan
– una cosa que odias

– tres cosas que no has hecho nunca
– una cosa que no sabes hacer y que quieres aprender

b. Comparad los resultados. ¿Cuál es la actividad favorita de la clase?

c. ¿Sabes o puedes...?
Lee las frases de la tabla. ¿En cuáles se habla de los conocimientos de una persona? ¿En tu lengua también se diferencia entre **saber** y **poder**? Piensa en estos ejemplos y anota la traducción.

1. Sé italiano.
2. No podemos dormir con luz.
3. No sabemos jugar al póker.
4. ¿Puedes escuchar música y leer a la vez?

5. ¿Sabes conducir una moto?
6. Puedo ir a pie al trabajo.
7. ¿Puedo pagar con tarjeta de crédito?
8. ¿Sabes tocar el piano?

d. Tres verdades y una mentira.
Escribe cuatro frases sobre cosas que sabes o puedes hacer (una de ellas tiene que ser mentira). Después lee las frases en voz alta. La clase adivina la mentira.

✎ 1, 2

Sé bailar tango. Puedo escuchar música y leer a la vez.

¿Cómo quedamos?

3 **a. ¿Qué van a hacer?** CD1 ⏭ 67 – 68

Estas personas quieren salir juntas. Escucha y toma notas.
Luego presenta la información.

	qué	cuándo	dónde
1. Aurora y Federico			
2. Manuel y su amigo			

- Aurora y Federico van a salir. Van a encontrarse a las…

b. ¿Por qué no vamos a bailar?

Lee ahora el diálogo entre Aurora y Federico y marca las expresiones
para proponer una actividad, aceptar una propuesta o rechazarla.

- ¿Dígame?
○ Hola, Aurora, soy Federico. ¿Qué tal?
- Hola, Fede, ¡qué sorpresa! Bien, bien. Aquí, … con los nietos.
○ Oye, ¿tienes ganas de salir esta noche?
- Uff, lo siento, es que estoy muy cansada. ¡Estos niños son unos
  pequeños monstruos!
○ ¿Y mañana?
- Pues… mañana sí.
○ ¿Por qué no vamos a la Paloma?
- ¿A la Paloma? ¿A bailar? ¡Qué bien! ¿Y toca la orquesta mañana?
○ Sí, mañana es la noche de los boleros.
- Ay, pues sí. ¡Qué ilusión! ¿Cómo quedamos?
○ ¿Paso por tu casa a las nueve?
- ¿A las nueve? Pues, vale, perfecto. Nos vemos mañana.

c. Quedar con amigos.

Completa la tabla con las expresiones que has marcado en el diálogo.

proponer	aceptar / rechazar
• ¿Tienes ganas de…?	○ (Sí,) vale.
•	○ ....
• ¿Vienes conmigo a…?	○ Qué pena, pero no puedo, es que…
• ¿Y si vamos a…?	○ .... es que estoy cansado/-a.

d. En parejas. Hoy la clase de español se ha cancelado.

Propón una de estas actividades a tu compañero, que tiene que reaccionar.

ver una película en casa | tomar una cerveza | cenar en un restaurante mexicano |
hacer los deberes de español | jugar a las cartas | ir al cine | dar un paseo |
tomar un cóctel | …

- ¿Tienes ganas de tomar una cerveza?
○ De acuerdo. / Qué pena, pero no puedo, es que…

---

ir + a + infinitivo

voy	
vas	
va	**a** salir
vamos	
vais	
van	

Con **ir + a + infinitivo** se
expresa un propósito o un
evento que va a tener lugar
en el futuro.

LA PALOMA

Orquesta LOS ROMÁNTICOS
Sábado 22.00

¿Cómo quedamos?

- ¿A qué hora quedamos?
○ ¿Qué tal a las siete?
- ¿Dónde quedamos?
○ ¿Qué tal delante de…?

 3 - 5

conmigo

con mí → conmigo
con ti → contigo
con él
con ella
con usted
…

 6

4 **¿A qué se refieren estas definiciones? Relaciona.**
Después escribe tú una definición. ¿Quién la adivina?

1. Conmigo las comidas para vegetarianos son un desastre. | la mochila
2. Sin mí tienes problemas en el tren o en el autobús. | la carne
3. A mí me ven. ¿A ti también? | el mar
4. Conmigo hacer excursiones es más cómodo. | el billete
5. En mí todos nadan cuando hace calor. | la película

5 **a. ¿Y si vamos…?**
Planifica las siguientes actividades en esta agenda.

viene el fontanero | visita de un/-a amigo/-a | deporte / yoga | curso de español | médico | …

	LUNES	MARTES	MIÉRCOLES	JUEVES	VIERNES	SÁBADO	DOMINGO
8							
10							
12							
14							
16							
18							
20							

JORNADAS LATINOAMERICANAS

★ **EXPOSICIÓN: EL ARTE MAYA**
De lunes a domingo 10:00–21:00

★ **PELÍCULA**
Un lugar en el mundo (Arg.)
martes 16:00, jueves 19:00

★ **CURSO DE COCINA MEXICANA**
Todas las mañanas de 10:00 a 13:00

★ **CONCIERTO: PACHAMAMA**
Música de los Andes
sábado 20:00

★ **CURSO DE SALSA**
Todas las tardes de 15:00 a 17:00

12. – 18. OCTUBRE • UNIVERSIDAD POPULAR

b. En parejas. Queréis hacer tres actividades juntos.
Mirad el programa de las jornadas latinoamericanas y vuestras agendas, y decidid qué vais a hacer y cuándo.

– ver la exposición
– ver la película
– hacer un curso de cocina
– ir al concierto
– hacer un curso de salsa

• ¿Tienes ganas de ver "Un lugar en el mundo"?
o Vale. ¿Cuándo?
• ¿Qué tal el jueves a las siete?
o Perfecto, ¿dónde quedamos?

c. Contad ahora al grupo qué vais a hacer y cuándo.

• Claudia y yo vamos a ver la película *Un lugar en el mundo* el jueves a las siete de la tarde.

Quedamos en el restaurante

6 **a. ¿Te gusta salir a comer? ¿Con quién? ¿En qué ocasiones? ¿Con qué frecuencia?**

b. Lee el texto y toma notas sobre estos aspectos:
actividades de tiempo libre,
actividades durante la comida,
los temas de conversación

¿COMER PARA VIVIR O VIVIR PARA COMER?

Ir al cine, hacer deporte o ver la tele son las actividades favoritas de los españoles en su tiempo libre, igual que en el resto de Europa. Pero para muchos españoles hay otra muy importante: salir a comer.

No se trata sólo de la comida, sino también del aspecto social. Por eso las comidas son muy largas, con tiempo para charlar, contar anécdotas o conocer quizás a otros invitados. Y hablar del trabajo, los estudios, la familia, las vacaciones, de la comida… Para los españoles, salir al restaurante no es comer para alimentarse, es disfrutar de la comida y de la compañía. Es vivir.

c. ¿Cómo es en tu país? ¿Qué es diferente?

7 **a. Hablando de comida…**
¿Qué alimentos conoces de color verde, rojo, blanco, amarillo o marrón?

b. ¿Conoces estos platos? ¿Existen también en tu país? ¿Cómo se llaman?

1. ensaladilla rusa
2. tortilla francesa
3. macedonia de frutas
4. crema catalana
5. tortilla española
6. café irlandés
7. tarta de Santiago
8. tarta vienesa
9. arroz a la cubana

c. ¿A qué platos de arriba se refieren estas frases?

☐ Es un plato frío **que** lleva verdura y mayonesa.
☐ Es una tortilla **que** se hace con patatas y huevos.
☐ Es de un país **donde** se habla alemán.
☐ Es un postre **que** lleva diferentes frutas.
☐ Tiene el nombre de una ciudad **donde** hay muchos peregrinos.

d. En parejas. Escribid tres definiciones.
Luego cada pareja lee sus definiciones. Los otros adivinan qué cosa/persona/lugar es.

Es una cosa que… | Es una persona que… | Es un lugar donde…

✎ 7, 8

La mayoría de los adjetivos de nacionalidades forman el femenino en **–a**, incluso cuando el masculino termina en consonante.
Un pintor genial /español.
Una pintora genial /española.

8 **a. Vino italiano, tortilla española… Completa la tabla con los adjetivos.**

Singular		Plural	
masculino	femenino	masculino	femenino
vino italian**o**	pizza italian**a**	vinos italian**os**	pizzas ....
vino español	tortilla	vinos español**es**	tortillas español**as**
vino francés	tortilla	vinos frances**es**	tortillas frances**as**

b. Ciudadanos del mundo.
Lee el texto y decide las nacionalidades de los productos. No puedes repetir.

español | alemán | francés | inglés | holandés | danés | finlandés | noruego | sueco | italiano | suizo | austríaco | turco | argentino | chileno | colombiano

"Soy un típico ciudadano cosmopolita del siglo XXI. Por eso tengo un coche ...., me gustan la carne ...., el café ...., el chocolate ...., el queso ...., el pescado .... y el aceite de oliva .... Tengo un móvil ...., un reloj .... y muchos de los muebles de mi casa son .... En invierno voy a esquiar a las montañas .... Escucho música .... y me encantan las películas ....
Pero los tomates de mi pueblo ¡son los mejores del mundo!"

✎ 9

c. Comparad vuestros textos. ¿Tienen cosas en común?

En el restaurante

9 **a. ¿Has comido alguna vez en un restaurante español?** CD1 ▶▶ 69
Lee el menú. ¿Qué platos conoces?
Luego escucha la conversación y marca en el menú lo que piden los clientes.

modo de preparación
frito/-a
asado/-a
al horno
a la plancha
a la romana
muy / poco hecho/-a

Muchos restaurantes ofrecen un menú barato con variedad de platos para escoger un primero, un segundo y un postre.

Menú del día

Primer plato
Ensalada mixta
Gazpacho andaluz
Arroz a la cubana

Segundo plato
Merluza a la plancha
Chuleta de cerdo con patatas fritas
Pollo asado con verdura

Postre
Flan
Crema catalana
Fruta del tiempo

Pan, bebida y café

15 €

b. Escucha otra vez y marca las frases que escuchas.

☐ Para beber, un vino tinto de la casa.
☐ ¿Me trae otro vaso para el agua, por favor?
☐ Para mí, de primero, ensalada mixta.

☐ La cuenta, por favor.
☐ De postre, yo quiero un flan.
☐ De segundo, yo tomo el pollo asado.

10 a. ¿Me trae otra cerveza? ¿Qué significan otro **y** un poco más de**?**

	pedir algo		traducción
¿Me trae ¿Nos trae	**una** cuchara **otro** cuchillo **un poco de** sal **un poco más de** pan	por favor?	....

b. Ahora estás en un restaurante.
Mira el menú del restaurante. ¿Qué vas a tomar? La lista es una ayuda para guiar la conversación con el camarero, que es tu profesor.

- pides un primer plato
- pides un segundo plato
- pides la bebida

- pides un postre
- pides algo más
- quieres pagar

c. En parejas. ¿Qué tal la comida?
Cada uno escribe lo que ha pedido (primero, segundo, postre) en un papel.
Luego, se intercambian los papeles y se pregunta según el modelo.

● ¿Qué tal la merluza?
○ Está muy rica. ¿Y tu pollo?

| La sopa está
El filete está | muy | rico/-a.
salado/-a.
dulce.
frío/-a.
caliente.
picante. |

11 Un chiste.

en el restaurante
de primero
de segundo
de postre
La cuenta, por favor.

Cuando se quiere dejar propina en un restaurante en España, es frecuente esperar el cambio y dejar la propina sobre la mesa al irse.

Otro/-a/-os/-as se usa con cosas contables y **un poco de** con incontables.
Atención:
~~un~~ otro

✎ 10–12

Para valorar el sabor de la comida se usa **estar**.
El gazpacho **es** una sopa.
El gazpacho **está** muy rico.

✎ 13–16

Portfolio
Guarda el programa
y el correo electrónico
en tu dosier.

Tarea final Un fin de semana diferente

Viene a visitaros un grupo de estudiantes de una escuela de español de otro país.

1. Escribid en la pizarra una lista de las actividades posibles (cultura, compras, deporte, comidas, etc.).

2. La clase se divide en grupos. Cada grupo decide qué actividades quiere proponer para el sábado y el domingo por la mañana y por la tarde. Pensad en estos aspectos:

    - ¿Dónde os vais a encontrar?
    - ¿A qué hora?
    - ¿Qué vais a hacer?
    - ¿Cuánto tiempo va a durar?
    - ¿Por qué es interesante?
    - ¿Se necesita algo (ropa de deporte, etc.)?

3. Cada grupo presenta su programa. Entre todos se elige el programa definitivo.

4. En parejas. Escribid un correo electrónico al grupo de los visitantes y presentad vuestro programa.

PROGRAMA

SÁBADO

Mañana: ....
....
....

Tarde: ....
....
....
....

DOMINGO

Mañana: ....
....
....
....

Tarde: ....
....
....
....

Ahora "sabes" algunas cosas nuevas y "puedes" hacer cosas interesantes en español.
¿Qué te vas a llevar de esta etapa?

¿Qué me llevo de esta etapa?

- Tres actividades de tiempo libre que te gustan.

- Expresiones útiles para quedar con amigos.

- Expresiones para aceptar o rechazar una invitación.

- Informaciones culturales interesantes.

- Ahora ya sabes explicar cómo es un plato típico de tu país o de tu región a un hispanohablante. ¿Un ejemplo?

- Expresiones útiles en un restaurante
  - para pedir la comida
  - para pedir algo más
  - para valorar la comida

- ¿Qué cosas nuevas sabes o puedes hacer ahora en español?

- Tres actividades que vas a hacer después de la clase de español.

- En esta lección hemos aprendido a explicar palabras. Si no sabemos el nombre de un objeto, podemos describirlo. Por ejemplo: *Es un objeto de metal que usamos para cortar la carne.*
Otra posibilidad es dar ejemplos, hacer un dibujo o decir lo contrario.

- Algunas construcciones gramaticales son difíciles porque son diferentes en nuestro idioma. Para recordarlas se pueden aprender con una rima. Por ejemplo:
*Es un error
decir "un otro tenedor".
Es mucho mejor
pedir "otro tenedor".*

- Si una persona nos invita, queremos reaccionar de forma espontánea y natural. ¿Por qué no aprendes de memoria una frase modelo para aceptar y otra para rechazar una invitación?

Panamericana

En Chile con Matilde.

¡Hola! Me llamo Matilde Guzmán y soy chilena. ¿Conoces Chile? ¿Quizás los vinos chilenos? Voy a contaros un poco de mi "largo y delgado país" (Pablo Neruda).

En sus 4200 kms de longitud Chile ofrece paisajes que recuerdan lugares tan diferentes como el Sáhara, el Mediterráneo o Noruega. En el norte por ejemplo tenemos el desierto de Atacama, el más seco del mundo. En el otro extremo, la Patagonia chilena, con sus islas, fiordos y glaciares. Allí se pueden encontrar colonias de pingüinos todo el año. Para mí uno de los lugares más fascinantes del mundo es la Isla de Pascua, con sus misteriosas esculturas milenarias, los Moai. Todos estos lugares son grandes atracciones para turistas de todo el mundo.

■ *Y ahora tú: ¿de qué nacionalidades son los turistas que visitan tu país? ¿A qué lugares van?*

En la capital, Santiago, no hay tiempo para aburrirse. Los amantes de la cultura pueden disfrutar de sus galerías de arte y museos. En el

en la Plaza de Armas

Parque Nacional Lauca en el norte

Moai en la Isla de Pascua

centro histórico la Plaza de Armas, con la Catedral Metropolitana, es el punto de encuentro no sólo de los visitantes, sino también de muchos habitantes de la ciudad. Les recomiendo el barrio Bella Vista, donde se encuentra la Fundación Pablo Neruda en la antigua casa del poeta, que está llena de sus libros y objetos personales. Este barrio tiene una intensa vida nocturna y excelentes restaurantes.

■ *Y ahora tú: ¿qué expresiones usas para pedir en un restaurante?*

¿Le interesa el turismo activo? Pues cerca de Santiago puede practicar deportes muy variados, como esquiar en los Andes, que están cerca. Si prefiere la playa, puede probar otras actividades como el windsurf en la costa del Pacífico. ¿Cuántas ciudades pueden ofrecer esto?

■ *Y ahora tú: ¿qué actividades se pueden hacer en tu ciudad? ¿Cuándo se usan los verbos "nadar" y "esquiar" con "poder" o con "saber"? ¿Puedes dar ejemplos?*

Al final, le recomiendo ir a Valparaíso, para muchos la capital

cultural de Chile. ¿Sabe que el periódico más antiguo en español es "El Mercurio de Valparaíso"? La ciudad, con su centro histórico de la época colonial, es Patrimonio de la Humanidad. Y, claro, hay que visitar el puerto. Es uno de los puertos comerciales más importantes del país. De allí salen muchos de los productos que exporta Chile: fruta fresca, pescado, madera y los famosos vinos.

Valparaíso y su puerto

■ *Y ahora tú: has comprado productos chilenos y quieres invitar a unos amigos a cenar. Escribe una pequeña invitación.*

Escribe cinco preguntas que le quieres hacer a Matilde para saber más de su país.

Comunicación

En el restaurante

Para mí de primero…
De segundo…
Para beber…, por favor.
¿Tienen…?
La cuenta, por favor.

Pedir algo que falta

¿Me puede traer una cuchara?
¿Me trae otra botella de agua?
¿Nos trae otros dos cafés, por favor?
¿Me trae un poco de agua, por favor?
¿Me trae un poco más de pan?

Preparación

frito/-a
al horno
a la plancha
poco hecho/-a
muy hecho/-a

Hacer, aceptar y rechazar una propuesta

proponer algo
¿Por qué no…?
¿Tienes ganas de…?
¿Vienes conmigo a…?
¿Y si vamos a…?

aceptar/rechazar
Vale. / Perfecto. / De acuerdo.
Sí, buena idea. / Con mucho gusto.
Qué pena, pero no puedo, es que…
Lo siento, es que estoy cansado/-a.

Quedar

Lugar y hora
¿A qué hora quedamos?
¿Qué tal a las siete?
¿Dónde quedamos?
¿Qué tal delante de…?

Valorar la comida

¿Qué tal el pollo?	Está muy rico.
¿Y la merluza?	Está un poco salada.
¿Te gusta el flan?	Está demasiado dulce.

Describir algo

Es un plato que lleva patatas, verdura y mayonesa.
Es un objeto que sirve para cortar la carne.
Es un lugar donde se comen platos típicos.

Gramática

Los pronombres relativos

Es un plato **que** lleva verdura y mayonesa.
El deporte **que** prefiero es el tenis.
Jamón jamón es un bar **donde** se come bien.

Otro **y** un poco más

contable	incontable	
otr**o** cuchillo		pan
otr**a** cuchara	un poco (más) de	agua
otr**os** dos cafés		salsa
otr**as** dos cervezas		

Otro/a nunca se combina con el artículo indefinido.
¿Me trae ~~una~~ **otra** cerveza?

Los adjetivos de nacionalidades

singular masculino	femenino	plural masculino	plural femenino
vino italiano	pizza italian**a**	vinos italian**os**	pizzas italian**as**
vino español	tortilla español**a**	vinos español**es**	tortillas español**as**
vino francés	tortilla frances**a**	vinos frances**es**	tortillas frances**as**

Belga y **estadounidense** es igual para ambos géneros.
Los adjetivos de nacionalidades forman el femenino en **–a**, incluso cuando el masculino termina en consonante. Compara:
Un pintor genial. Una pintora genial. Un pintor español. Una pintora español**a**.

Saber **y** poder

capacidad, conocimiento	posibilidad	permiso
Sé italiano.	**Puedo** ir a pie al trabajo.	¿**Puedo** pagar con tarjeta?
¿**Sabes** tocar el piano?	¿**Puedes** dormir con luz?	¿**Se puede** entrar?
No **sabemos** jugar al póker.	**Podemos** escuchar música y leer a la vez.	

Preposición + pronombre

a	mí (con + mí = **conmigo**)
con	ti (con + ti = **contigo**)
de	él / ella / usted
para	nosotros/-as
por	vosotros/-as
sin	ellos / ellas / ustedes

Ir a **+ infinitivo**

ir + a + infinitivo	
voy	a salir contigo
vas	a trabajar el domingo, ¿no?
va	a llover esta tarde
vamos	a ver una exposición
…	

El verbo **ir + a + infinitivo** expresa un propósito o un evento que va a tener lugar en el futuro.

Mi nueva casa

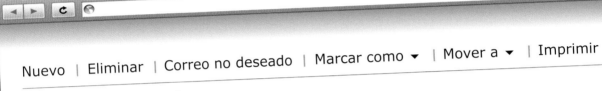

Nuevo | Eliminar | Correo no deseado | Marcar como ▾ | Mover a ▾ | Imprimir

De: **Inés Gómez**
Enviado: miércoles, 14 de abril de 2010 9:07:00
Para: laura321@nosvemos.com

Laura:

¡tengo buenas noticias! ¡Ya he encontrado piso! Es realmente ideal: tiene una cocina moderna, un baño con ventanas, un dormitorio grande y un salón con mucha luz. Todo parece perfecto, incluso el alquiler. Quizás es barato porque la calle es un poco ruidosa y los vecinos parecen un poco antipáticos... Pero me da igual, ¡estoy muy contenta!

En dos semanas me mudo. ¿Por qué no vienes a visitarme un fin de semana? Mi nueva dirección es: C/Rosales, 26, 46389 Turís, Valencia

¡Te espero!

Un beso,

Inés

describir un piso • nombrar los muebles y los electrodomésticos • hacer cumplidos y reaccionar a uno • dar datos sobre la biografía • hablar del pasado

1 **a. Inés está muy contenta. ¿Qué ventajas e inconvenientes tiene su nuevo piso?**

b. ¿Cuántas veces te has mudado tú...

- en la misma ciudad?
- a otra ciudad?
- a otro país?
- con una empresa de mudanzas?
- por motivos de trabajo?
- con la ayuda de amigos?

c. ¿Ventajas o inconvenientes?
Clasifica estos aspectos de un piso según tu opinión.

en el centro | tranquilo | barato |
grande | con vistas a un parque | viejo |
pequeño | renovado |
en un barrio antiguo | moderno |
en la planta baja | con mucha luz |
en las afueras | oscuro |
nuevo | cerca del metro / autobús |
con jardín | que da a la calle |
con ventanas grandes

ventajas	inconvenientes

- Para mí es una ventaja vivir en el centro.

Mudarse de casa

2 **a. Este es el piso que Juan e Inés comparten en Madrid.**
Completa la lista con los números correspondientes.

10 cocina
11 nevera
☐ microondas
☐ lavaplatos
☐ mesa
☐ silla
☐ sofá
17 estantería
☐ televisor
☐ bañera
4 espejo
☐ lavadora
☐ ducha
☐ cama
5 armario
☐ lámpara
7 escritorio

b. Inés tiene un nuevo trabajo y se muda a Valencia. CD1 ▶▶ 70
Escucha el diálogo y marca en el plano las cosas que Inés quiere llevarse.

**c. ¿Qué diferencias tiene tu casa
o tu piso con el del plano?**

• Mi cocina es más grande.
○ Yo no tengo lavaplatos.
• ...

d. ¿Dónde haces tú estas cosas?

ver la tele | escribir correos electrónicos |
escuchar la radio | tomar un aperitivo |
leer el periódico | estudiar español |
desayunar

3 **a. Busco compañera de piso.**
Juan busca una nueva compañera de piso. ¿Qué anuncio corresponde a su piso?

BUSCO COMPAÑERA DE PISO. Barrio
La Latina a 3 min del metro. Salón, comedor,
cocina grande, baño con ducha, balcón.
A partir de junio. Precio total: 500 €.
Contacto: dormitoriolibre@difusion.com;
móvil: 646 996 344

646 996 344
646 996 344
646 996 344
646 996 344
646 996 344

Se alquila habitación en piso
compartido. No fumadores.
Exterior, terraza, cocina, salón-
comedor, baño completo, TV. 450€
Contacto:
pisocompartido@nosvemos.com

b. Vas a hacer un viaje de seis meses y quieres alquilar tu piso.
Escribe un anuncio para el periódico.

✎ 1-4

11

El día de la mudanza

4 **a. ¿Dónde están los gatos?**
Todos los amigos de Misifús han venido para despedirse. ¿Quién los encuentra antes?

- Hay un gato encima del camión.
- Hay uno debajo del sofá.

b. En parejas. Cada uno puede amueblar un piso a su gusto.
Dibuja o escribe los siguientes muebles en el plano A. Después explica a tu compañero dónde están. Él los pone en el plano B. Luego, al revés.

cocina | nevera | mesa | 3 sillas |
sofá | cama | televisor | espejo |
armario | lámpara | lavadora

- La mesa está en el centro del salón.

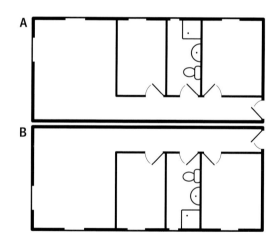

 5, 6

Llegan visitas

5 **a. ¡Qué casa más bonita tienes!** CD1 ▶▶ 71
Relaciona los comentarios 1–5 con las reacciones. Luego escucha el CD y compara.

comentario	reacción
1. ¡Qué zapatos más elegantes!	a. ¿Tú crees? No tiene tantos metros.
2. ¡Qué mesa más original!	b. ¿Te gusta? Es del rastro a muy buen precio.
3. ¡Uy, qué práctico!	c. ¿Te parece? Pues son viejos, la verdad.
4. ¡Oh, qué buen gusto!	d. Es la idea de una revista.
5. ¡Qué salón más grande tienes!	e. Sí, no está mal.

No es habitual aceptar un cumplido tal cual o con sólo decir **gracias**. Es frecuente mostrar modestia educadamente quitando importancia a lo dicho.

b. ¿Qué adjetivos se pueden usar para describir estos objetos?

cómodo

elegantes

sofá

zapatos

bonito

c. En parejas. Con cortesía. ¿Qué se puede decir en estas situaciones?

1. Un amigo te enseña su sofá nuevo.
2. Un compañero lleva una mochila nueva.
3. Una amiga lleva una falda nueva.
4. Tu compañero hoy lleva gafas de sol.

La vivienda en España

6 **a. ¿Comprar o alquilar? ¿Es igual en tu país?**
Lee el texto y marca todas las palabras que expresan una cantidad.

¿COMPRAR O ALQUILAR?

En España, como en Italia o Francia, todos quieren ser propietarios de un piso o una casa. La mayoría de los españoles piensa que pagar el alquiler es perder dinero. Por eso solamente algunos viven en un piso alquilado.
La mitad de los pisos alquilados no llega a los 100 m² y el 30 % está amueblado. Hoy en día los jóvenes españoles se van muy tarde de la casa de sus padres (entre los 25 y 27 años). Antes de tener un trabajo fijo, muchos no quieren vivir solos. Por eso muy pocos jóvenes entre 18 y 25 años alquilan un piso, pero el 60 % de ellos quiere comprar una vivienda en el futuro.
¿Cuántos españoles tienen una vivienda en propiedad? Aproximadamente el 80 %. La conclusión es fácil: casi nadie quiere vivir en un piso alquilado.

b. ¿Qué significan estas cantidades? Relaciona.

expresiones de cantidad	
☐ (casi) todos	1. El 50 % de los pisos alquilados tiene entre 60 y 90 m².
☐ la mayoría	2. El 80 % de los españoles compra un piso.
☐ la mitad	3. Sólo el 5 % de los jóvenes alquila un piso.
☐ algunos/-as	4. El 18 % de los españoles alquila un piso.
☐ (casi) nadie	5. El 70 % de los pisos se alquila sin muebles.

c. Haz una encuesta en el grupo hasta encontrar cinco respuestas positivas.
Luego presenta un resumen de los resultados.

¿Quién
- tiene casa propia?
- tiene garaje?
- tiene balcón o jardín?
- tiene televisión vía satélite?
- comparte piso?

- tiene una casa de más de 100 m²?
- vive en el centro?
- ha alquilado un piso amueblado?
- ha vivido en otra ciudad?
- conoce bien a sus vecinos?

● La mayoría ha vivido en otra ciudad. Nadie comparte piso.

Mi casa en otro país

7 **a. Guillermo Xiu Xiul se mudó a España.**

En el texto siguiente aparecen las palabras *artista*, *chocolate*, *escultura*, *maya*. ¿De qué puede hablar el texto?

b. Lee ahora la biografía y ordena las etapas de la vida de Xiu Xiul.

☐ trabajar en el museo de chocolate
☐ nacer en México
☐ ir a España
☐ estudiar Antropología
☐ irse a Europa

c. En el texto aparece un tiempo nuevo: el indefinido.

Marca las formas del indefinido en el texto. ¿Cuál es el infinitivo correspondiente?

■ GUILLERMO XIU XIUL ■

Un artista muy especial

Guillermo Xiu Xiul nació en México. Es el jefe de uno de los clanes mayas que todavía existen en la actualidad. En su país estudió Antropología y también aprendió un arte muy especial: hacer esculturas de chocolate. El chocolate es muy importante para él porque tiene una gran tradición en su país: sus antepasados empezaron a consumir el cacao muy probablemente en 1.500 a.C.

Un día Guillermó Xiu Xiul decidió llevar su arte y sus conocimientos a Europa. Por el idioma común, se fue a España, donde trabajó varios años en el museo de Chocolates Valor. Allí realizó espectaculares esculturas de chocolate y explicó a los visitantes el significado del cacao para las antiguas culturas americanas. Actualmente participa en encuentros interculturales donde presenta sus esculturas y habla de proyectos de solidaridad con el pueblo maya.

d. Completa la tabla con las formas del texto.

-ar: trabaj**ar**	-er / -ir: aprend**er**	ser / ir
trabaj**é**	aprend**í**	fui
trabaj**aste**	aprend**iste**	fuiste
....	....	....
trabaj**amos**	aprend**imos**	fuimos
trabaj**asteis**	aprend**isteis**	fuisteis
trabaj**aron**	aprend**ieron**	fueron

Se usa el indefinido con acciones dentro de un periodo en el pasado que el hablante considera terminado y que no tiene relación con el presente. A menudo va acompañado por marcadores temporales como **ayer, la semana pasada, en 2006, el 12 de mayo...**

8 **En cadena. Gimnasia verbal con indefinidos.**

Uno dice uno de estos verbos en la forma de primera persona (yo) en presente. El siguiente lo dice en indefinido y luego otro verbo en presente.

hablar | encontrar | explicar | comer | ir | beber | escribir | trabajar | usar | tomar | preguntar | vivir | llegar | ser

● Hoy hablo.
○ Ayer hablé. Hoy como.
■ Ayer...

 8, 9

La **z** nunca va seguida de una **e** o una **i**. Por esa razón cambia a veces a **c** como por ejemplo en reali**z**ar:
yo reali**c**é
él reali**z**ó
…

9 **a. Xiu Xiul cuenta su historia. Completa con las formas del indefinido.**

" _Nací_ .... (nacer) en México donde .... (estudiar) antropología. También .... (aprender) el arte de hacer esculturas de chocolate. El chocolate tiene una gran tradición en mi país. En los años noventa .... (decidir) dejar mi país para ir a Europa. .... (ir) a España por el idioma y las posibilidades de trabajo. En Villajoyosa .... (encontrar) trabajo y .... (trabajar) varios años en el museo de Chocolates Valor. Allí .... (realizar) muchas esculturas de chocolate y .... (hablar) a los visitantes del cacao en las antiguas culturas americanas. "

b. Otros datos biográficos. ¿Te acuerdas? ¿Quién habla?
Las personas que dicen estas frases han aparecido en este libro. ¿Las puedes identificar?

1. Nací en Medellín. Soy pintor y escultor. Me fascinan los cuerpos gordos. ¡Qué bellos!

2. Soy colombiano. En 1982 recibí el Premio Nobel de Literatura.

3. Mi hermano y yo nacimos en Buenos Aires. Yo estudié teatro y él música.

4. Nací en Málaga. A los ocho años pinté mi primer cuadro. Muchos dicen que fui el gran innovador de la pintura del siglo XX.

5. Mi padre y mi abuelo fueron chocolateros como yo.

6. Creé la mascota de los Juegos Olímpicos de Barcelona.

c. Ahora tú. Tu biografía.
Cada uno escribe una pequeña biografía con estos elementos, usando el indefinido. Dos informaciones pueden ser falsas.

nacer | ir a la escuela de… a… | terminar la escuela | empezar a trabajar | cambiar de trabajo | mudarse de ciudad | casarse

d. En parejas. Intercambiad los textos. ¿Encontráis la información falsa?

10 **En parejas. ¿Cuándo fue la última vez?**
Elige cinco preguntas para entrevistar a tu compañero. Luego cuenta al grupo las tres informaciones más interesantes.

- ir a un museo
- comer chocolate
- tomar un medicamento
- comprar un regalo
- ir a un concierto
- pasar un examen

- conocer a una persona interesante
- comprar un mueble nuevo
- mudarse de piso
- escribir una carta a mano
- tomarse un día libre en el trabajo
- dormir más de 10 horas

• ¿Cuándo fuiste al museo por última vez?
○ La semana pasada. / Hace un mes.

marcadores temporales
hace dos años
hace un mes
la semana pasada
el 3 de mayo
ayer

 10, 11

1 **El cacao,** la base del chocolate, es un producto de origen americano. El artista mexicano Guillermo Xiu Xiul nos presenta su historia. "Ya las culturas prehispánicas utilizaron el cacao como alimento, pero también como moneda y en rituales religiosos. Todavía hoy" –cuenta Xiu Xiul, miembro del pueblo maya– "utilizamos el cacao como moneda".

2 Cristóbal Colón fue el primer europeo que descubrió el cacao y lo llevó a España. Al principio no gustó mucho: los europeos lo encontraron demasiado amargo. Por eso empezaron a mezclarlo con azúcar, vainilla o canela y así nació el chocolate actual.

3 Poco a poco el chocolate se extendió por Europa. En 1606 llegó a Italia, de allí pasó en 1646 a Alemania, pero durante muchos años los alemanes lo tomaron como una medicina y no como una bebida. "El cacao tiene grandes cualidades" –dice Xiu Xiul– "por eso nosotros todavía celebramos rituales para dar las gracias por este regalo de la naturaleza". En 1819 se fundó en Suiza la primera fábrica de chocolate y así empezó su fabricación industrial. Allí también se creó la variante más popular en la actualidad, el chocolate con leche.

4 Pero la historia del chocolate todavía no ha terminado. Hoy en día los maestros chocolateros buscan nuevas creaciones, como cacao con chile, una antigua combinación de los aztecas. Y artistas como Guillermo Xiu Xiul trabajan para recordarnos las antiguas tradiciones de los pueblos americanos.

Una historia con gusto

11 **a. La historia del chocolate.**
Lee el texto y busca los párrafos que corresponden a estos temas.

El chocolate en la actualidad   La expansión por Europa
El cacao en las culturas prehispánicas   De América a Europa

b. Datos del chocolate. Relaciona.

El cacao llegó a Europa en el siglo XVI   se usó como alimento y moneda.
La primera fábrica de chocolate   se abrió en Europa en 1819.
Los alemanes no tomaron el chocolate   pero al principio no gustó a los europeos.
En las culturas prehispánicas el cacao   como bebida, sino como medicina.

12 **Este producto llegó también de América.**
Completa su historia con los verbos que faltan en indefinido. ¿Qué es?

adaptarse | clasificar | empezar | gustar | llegar (2x) | probar

1. Su nombre viene de la lengua náhuatl. Tiene su origen en América. Allí los españoles lo .... por primera vez y les .... mucho.
2. En el siglo XVI .... a Europa y .... muy bien al clima mediterráneo, pero algunos botánicos lo .... como planta tóxica.
3. Poco a poco .... a entrar en la cocina europea.
4. Poco después .... también a Asia por la colonia española de Filipinas. Actualmente es un producto de la cocina mundial: lo comemos en ensaladas, salsas, sopas y sobre todo con pasta.

✎ 12–16

Tarea final El álbum de la clase

Estamos llegando al final del nivel A1 y vamos a preparar un pequeño álbum de recuerdo.

Portfolio
Guarda tu ficha o mejor todo el album en tu dosier.

Nombre:

Aspecto físico:

Carácter:

Gustos:

Biografía:

Actor / músico preferido:

Motivos para estudiar español:

Unidad favorita:

a. En parejas. Vas a elaborar una ficha sobre uno de tus compañeros para el álbum de la clase. Él va a hacer lo mismo sobre ti.

Hablad de estos aspectos para tener la información necesaria:

- tu pequeña biografía (4 informaciones)
- tus actividades de tiempo libre
- tu actor / músico preferido
- tus motivos para estudiar español
- una persona del mundo hispano que recuerdas
- tu unidad favorita (hasta ahora) de **¡Nos vemos!**
- tus dos textos preferidos del libro
- un país de la Panamericana que quieres visitar

b. Con las informaciones que has recibido, elabora la ficha. En lugar de la foto, puedes dibujar un símbolo de tu compañero.

c. Una persona recoge todas las fichas para fotocopiarlas y repartirlas en la próxima clase.

En esta lección hemos hablado de nuestras casas y hemos aprendido a hablar de hechos pasados. ¿Qué quieres llevarte a casa?

¿Qué me llevo de esta etapa?

- Expresiones para describir un piso.

- Expresiones para decir dónde están los muebles en un piso.

- Piensa en un mueble antiguo, en un mueble muy feo y en un mueble que quieres cambiar en tu casa. ¿Cuáles son?

- ¿Puedes completar con tus datos biográficos?
Nací en ....
Fui a la escuela de .... a ....
Empecé a aprender español en ....
El año pasado ....

- ¿Qué aspectos culturales te parecen más interesantes en esta unidad?

- Ahora sabes cómo se llaman muchos objetos de tu casa. ¿Por qué no escribes el nombre de los muebles y objetos en pequeños papeles (pósits) y los pegas en los muebles de tu casa? Así los puedes ver todos los días y aprenderlos.

- En esta unidad has visto también reglas de cortesía. En cada cultura las reglas de cortesía pueden ser diferentes. Conocerlas nos ayuda en la comunicación. En otras lecciones, ¿has visto también reglas de cortesía?

- Ya casi hemos llegado al final del nivel A1. En este viaje has aprendido muchas cosas. ¿Cómo reaccionas si te dicen: "¡Qué bien hablas ya español!"?

Panamericana

En Argentina con Hortensia.
Hola, me llamo Hortensia y soy argentina.

Mi ciudad preferida es Buenos Aires, la capital, pero, claro, es que yo soy de allí, soy porteña (así se llaman los habitantes de Buenos Aires, por el puerto). Es una ciudad enorme, con once millones de habitantes, una ciudad fascinante, con una vida cultural única: teatros, cines, bibliotecas, museos. ¿Quién no conoce las casas del barrio de la Boca o la Avenida Corrientes, "una calle que nunca duerme", con sus teatros, galerías y librerías que abren las 24 horas? Pero yo, cuando pienso en Buenos Aires, vuelvo siempre a la calle Defensa, cerca de la Plaza de Mayo, a la farmacia más antigua de la ciudad, que fue de mi padre y ahora es de mi hermano. Si quiere conocer la ciudad, le recomiendo tomar el colectivo (así se llaman los autobuses en Argentina).
■ *Y ahora tú: ¿cómo puedes caracterizar tu lugar de residencia?*

Buenos Aires está junto al Río de la Plata, que allí es casi tan ancho como el mar. En el Río de la Plata

nació el famoso tango, una música única con textos de historias tristes de amor. Algunos grandes artistas del tango son Carlos Gardel o Ástor Piazzola, que lo modernizó. ¿Sabe en que otro país hay muchos aficionados del tango? ¡En Finlandia! Se dice que llegó allí gracias a los marineros argentinos.
■ *Y ahora tú: ¿conoces otro tipo de música latinoamericana?*

Argentina es un país de grandes escritores como Jorge Luis Borges o Julio Cortázar. Nuestra tradición literaria empezó ya con las historias de los gauchos. A los argentinos nos gusta contar historias y compartirlas con los amigos tomando un mate. ¿Conoce el mate? Es una bebida caliente de té de mate, que se toma en un "vaso" especial. Cuando una persona llega de visita a una casa, después del saludo siempre viene la pregunta: "¿Unos mates?" Hay un ritual para beberlo: todos beben del mismo vaso y lo pasan de una mano a otra.
■ *Y ahora tú: ya sabes que cuando se va de visita a una casa es cortés alabar algo. ¿Puedes alabar tres cosas de la clase de español?*

el mate

Para los amantes de la naturaleza, mi país ofrece lugares maravillosos. El paisaje que más me fascina es la Patagonia. Ver el glaciar Perito Moreno o hacer una excursión en barco para ver ballenas es un espectáculo inolvidable.

Hemos llegado al final de la ruta Panamericana y hemos conocido muchos países con sus paisajes, ciudades, costumbres, músicas, comidas…
■ *Y ahora tú: ¿qué país(es) tienes ganas de visitar? ¿Qué foto te ha gustado más?*

una ballena

el glaciar Perito Moreno

Comunicación

La casa y los muebles

partes de la casa	el salón	el dormitorio
la puerta	la mesa	la cama
la ventana	la silla	el armario
la terraza	el sofá	la lámpara
el balcón	el televisor	el escritorio

la cocina	el baño
la cocina	la ducha
la nevera	la bañera
el microondas	el espejo
el lavaplatos	la lavadora

Describir el piso

en el centro	en las afueras
tranquilo	ruidoso
antiguo	moderno
viejo	renovado
en la planta baja	en el segundo piso
interior	exterior / con vistas a…

Hacer un cumplido y reaccionar a uno

cumplido	reacción
• ¡Qué zapatos más elegantes!	○ ¿Te parece? Pues son viejos, la verdad.
• ¡Qué salón más grande tienes!	○ ¿Tú crees? No tiene tantos metros.
• ¡Qué mesa más original!	○ ¿Te gusta? Es del rastro.
• ¡Qué práctico!	○ Sí, no está mal.

Dar datos sobre la biografía

Nací en 1975 en Granada.
Fui a la escuela de 1981 a 1989.
Terminé la escuela en junio de 1989.
Empecé en el instituto en otoño de 1989.
En 1995 pasé medio año en Inglaterra.
Terminé mis estudios en 1998.
En 2001 me mudé a León y empecé a trabajar en mi empresa actual.
Me casé en 2004.

Hablar sobre sucesos en el pasado

Xui Xiul se fue a España.
Trabajó varios años en el museo de chocolate.
Cristóbal Colón llevó el cacao a Europa en el siglo XVI.
Los alemanes lo tomaron como una medicina.

Preguntar por el pasado

¿Cuándo comiste chocolate por última vez?
¿Cuándo se mudó usted a nuestra ciudad?
¿Cuándo pasaste el examen?

Decir el momento en el pasado

> Ayer. / La semana pasada.
> En febrero. / En 2002. / En las vacaciones.
> Hace un mes. / Hace un año. / Hace dos semanas.

Gramática

Cuantificadores y pronombres indefinidos

> (casi) todos/-as
> muchos/-as
> la mayoría
> la mitad
> algunos/-as
> pocos/-as
> (casi) nadie

El pretérito indefinido

	-ar: trabaj**ar**	**-er**/**-ir**: aprend**er**
yo	trabaj**é**	aprend**í**
tú	trabaj**aste**	aprend**iste**
él / ella / usted	trabaj**ó**	aprend**ió**
nosotros/-as	trabaj**amos**	aprend**imos**
vosotros/-as	trabaj**asteis**	aprend**isteis**
ellos/-as / ustedes	trabaj**aron**	aprend**ieron**

	ser/**ir**
yo	fui
tú	fuiste
él / ella / usted	fue
nosotros/-as	fuimos
vosotros/-as	fuisteis
ellos/-as / ustedes	fueron

Marcadores para el indefinido y el perfecto

indefinido	perfecto
ayer	hoy
la semana pasada	esta semana
el domingo (pasado)	este domingo
en 2002	este verano
hace tres años	todavía no
la última vez	alguna vez

El indefinido hace referencia a acciones dentro de un periodo en el pasado que el locutor considera cerrado. El perfecto se usa cuando hablamos de acciones dentro de un periodo que el locutor no considera cerrado *(esta semana)* o cuando el momento no tiene importancia *(alguna vez)*. El tiempo transcurrido objetivamente no es decisivo.

Mirador  A1

Hemos llegado a la última etapa del nivel A1. Es el momento de hacer un pequeño balance. ¡Cuántas cosas hemos aprendido!, ¿verdad?

Hablamos de cultura: quedar y salir

1 **a. Invitaciones y restaurantes.**
Marca las respuestas según tu opinión. Puedes marcar más de una. No hay correctas ni falsas.

1. Normalmente me encuentro con amigos
   - ☐ en un bar o restaurante.
   - ☐ en casa.
   - ☐ en un club de deporte.

2. Invito a mi casa
   - ☐ solo a muy buenos amigos.
   - ☐ sobre todo a la familia.
   - ☐ a todo el mundo.

3. Invito a mis amigos o colegas
   - ☐ una semana antes.
   - ☐ un par de días antes.
   - ☐ espontáneamente.

4. Si tengo invitados en casa
   - ☐ preparo una comida especial.
   - ☐ todos traen algo para comer.
   - ☐ pongo algo para picar (jamón, queso…).

5. A una invitación llego
   - ☐ a la hora en punto.
   - ☐ unos 15 minutos tarde.
   - ☐ un poco antes para ayudar.

6. Si tengo poca hambre,
   - ☐ pido en un restaurante un plato ligero.
   - ☐ pido sólo una ensalada.
   - ☐ pido una porción pequeña.

7. Tomo café
   - ☐ por la mañana, en el desayuno.
   - ☐ por la tarde con pastel o tarta.
   - ☐ después de la comida.

b. Compara los resultados con tus compañeros. Luego escucha a estos hispanohablantes. CD1 ▶▶ 72
¿Hay diferencias con tus respuestas? ¿Y también entre las personas que hablan?

2 **Más que palabras. Relaciona.**
¿Quieres ampliar tus conocimientos sobre la cultura de los países de habla hispana?

1. El champán
2. La comida
3. En el desayuno
4. Al teléfono
5. La sobremesa
6. En una casa

- ☐ es el tiempo para charlar después de las comidas.
- ☐ se come poco, pero a eso de las 10 mucha gente toma algo en un bar.
- ☐ principal es la del mediodía. Tiene un primero, un segundo y postre.
- ☐ el apellido de la gente que vive ahí no está en la entrada.
- ☐ no se contesta con el apellido.
- ☐ o cava se toma muchas veces con el postre y algo dulce.

similitudes y diferencias culturales • autoevaluación • estrategias de aprendizaje • hablar y jugar

Ahora ya sabemos…

Evalúate tú mismo marcando uno de los dibujos de cada tema antes de hacer el ejercicio. A continuación haz la prueba y compara el resultado con tu dibujo de autoevaluación. Comprueba los resultados preguntando a tus compañeros o al profesor cuando no estés seguro.

3 a. Quedar y salir. CD1 ▶▶ 73 😄 🙂 🙁
Ordena esta llamada telefónica. Luego, comprueba con el CD.

- ☐ • Hola, Silvia, ¿cómo estás?
- ☐ • Ah, sí, leí algo sobre esa película. ¿Es chilena?
- ☐ • ¿Dígame?
- ☐ • Vale, vamos juntos a verla. ¿Quedamos a las nueve en el bar de siempre?
- ☐ • ¿Cuándo, hoy por la noche?

- ☐ ○ Bien, bien. Te llamo para ver si vienes conmigo al Rex. Es la semana del cine latinoamericano.
- ☐ ○ No, argentina. Y dicen que es muy buena.
- ☐ ○ Sí, a las diez ponen "Lluvia", que me interesa.
- ☐ ○ Claro, buena idea. Así podemos picar algo…
- ☐ ○ Hola, Pedro. Soy Silvia.

b. Preguntas y respuestas. CD1 ▶▶ 74 – 75 😄 🙂 🙁
Lee las respuestas del cuadro azul. Luego escucha las preguntas 1–4 y pon el número en la respuesta adecuada. Después haz lo mismo con las respuestas del cuadro rojo y las preguntas 5–8.

☐ Hombre, está encima de la cama.	☐ No, pero como poca carne.
☐ Pues… está un poco salada, la verdad.	☐ Mucho viento, pero no hace frío.
☐ Crema catalana, fruta o flan.	☐ Sí, hay uno cerca de la Plaza Mayor.
☐ La semana pasada, el martes.	☐ Un buen anorak y zapatos muy cómodos.

4 a. Hablar de un viaje. 😄 🙂 🙁
Piensa en uno de tus viajes y toma notas sobre estos aspectos.

¿Qué idioma hablaste?
¿Qué medio de transporte usaste?
¿Con quién viajaste?
¿Qué cosas visitaste?
¿Qué comiste?
¿Qué (no) te gustó?

b. En parejas. Haz las preguntas a tu compañero.
Él contesta sin decir el lugar. ¿Adivinas adónde fue?

c. Un plan para un viaje en las próximas vacaciones.
En parejas. Pensad en un viaje que queréis hacer juntos
y exlicad vuestros planes en un correo electrónico
a toda la clase. Luego, los correos se ponen en la pared
y todos os levantáis para leerlos. ¿Quién tiene
ganas de ir con vosotros?

Aprender a aprender

5 a. Aprender y ampliar vocabulario.
Es útil memorizar palabras en combinaciones de uso habitual
y no sueltas. A veces nos sorprende lo diferente que puede ser
el significado de un verbo dependiendo de la combinación en la que aparece.
Relaciona las palabras con los verbos y escribe la traducción.

frío | deporte | 35 años | viento | un taxi |
cámping | un gato | prisa | la maleta |
tiempo | alcohol | gafas | ajo | sol |
una cerveza | zapatos negros

b. ¿Puedes añadir otras palabras?

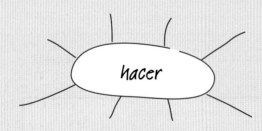
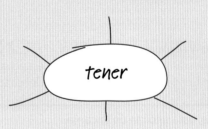

Terapia de errores

6 a. Errores frecuentes. ¿Puedes encontrarlos en este correo?
Markus viaja por la Panamericana y escribe un e-mail a su profesora de español.

b. En parejas. Comparad vuestros resultados y escribid el e-mail sin errores.

Hola Mercedes:
¡El viaje es súper! Ahora somos en Argentina. Lars y yo han conocido otros alemanes que van también por la Panamericana y ahora somos en una pensión. Por la noche los otros juegan cartas, pero yo no, porque yo no puedo "Bridge". Yo juego la guitarra y miro las estrellas, que son fantásticos aquí. Hace buen tiempo y no es frío. Mañana vamos seguir y tenemos que levantarse a las seis. No me gusto, pero es necesito porque la ruta es muy larga.
Bueno, muchos saludos de Markus y Lars

c. El 'top ten' de los errores.
Hay errores que cometemos una y otra vez aunque sepamos cómo es en realidad. Piensa en tres errores que cometes a menudo. Tu profesor los va escribir todos en la pizarra. ¿Cuáles son los errores más frecuentes?

Organizar un juego

7 a. ¿Qué hago si no sé la palabra?
¿Qué puedes hacer si al hablar te falta una palabra? En una conversación seguro que tu interlocutor está dispuesto a ayudarte. Las técnicas no convencionales también pueden resultar útiles. Haz una lista en la pizarra.

b. Hacemos un juego de 'Memory'.
Cada uno escribe cuatro cartas, dos con una palabra y dos con la definición o descripción correspondientes con algún ejemplo en la que se usa o incluso con alguna técnica que hayan descubierto (por ejemplo, un dibujo).

c. ¡A jugar!
Se forman grupos de cuatro. El grupo A intercambia sus cartas con el grupo B, etc. Las 32 cartas se disponen boca abajo sobre la mesa. Un jugador descubre dos cartas y si son pareja se las puede quedar. Si no lo son, tendrá que ponerlas de nuevo boca abajo y juega el siguiente. Gana el que más parejas tenga.

¡Enhorabuena!, has terminado este primer nivel y ya sabes expresar muchas cosas. ¡Nos vemos en el siguiente nivel!

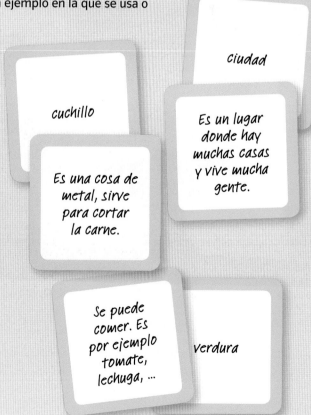

Mi equipaje

Umberto Eco, escritor y filósofo italiano

Gwyneth Paltrow, actriz estadounidense

hablar de experiencias, preferencias y dificultades relacionadas con el aprendizaje del español • describir el carácter de una persona • expresar deseos • nombrar el material del que están hechas las cosas y su función • resaltar algo

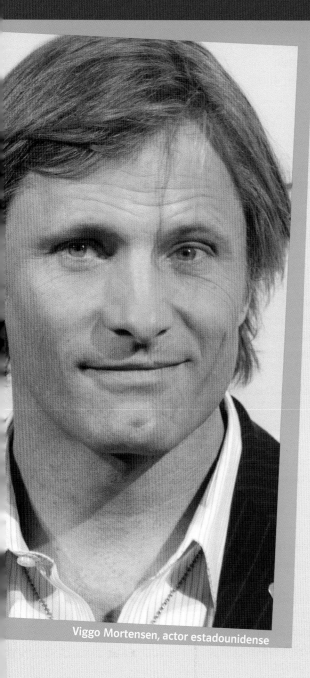

Viggo Mortensen, actor estadounidense

1 **a. Estas personas han aprendido español. ¿Las conoces?**

b. ¿Quién habla en este texto?
¿Qué información te ha ayudado a identificar a la persona?
¿Por qué le gustan los hispanohablantes?
¿Piensas lo mismo?

c. Y tú, ¿por qué estudias español?
¿Dónde has estudiado español hasta ahora?
¿Qué esperas hacer en este curso?

"Creo que lo aprendí porque me gusta mucho como suena el idioma y me gustan las personas que lo hablan… En el colegio, con sólo 15 años, tuve la oportunidad de ir a estudiar a España. Para mis padres fue una sorpresa, pero me dejaron ir. Estudié en Talavera de la Reina, una pequeña ciudad en la provincia de Toledo, cerca de Madrid. Viví con una familia española, gente sensacional. Hasta hoy tengo contacto con ellos. Los visito todos los años. Aquella época fue muy feliz, aprendí a conocer y a amar el carácter de los españoles y los latinos en general. También me gusta mucho América Latina, especialmente nuestro país vecino, México. He estado varias veces allí y es un país precioso.
Me gustan el español y los hispanohablantes porque son gente muy abierta, muy cariñosa y sobre todo muy espontánea. Esa naturalidad, el saber vivir, es para mí algo maravilloso."

Adaptado de Vanidades

Mi maleta del español

2 **a. ¿Sabes cuántas personas hablan español en el mundo?**
¿Y cuánta gente estudia esta lengua? ¿En qué países viven más hispanohablantes?
Lee el texto y completa los datos.

El español en el mundo		
Hispanohablantes		**Estudiantes de español**
en el mundo:		en el mundo: ....
en España:		en EE. UU.: ....
en México:		en Brasil: ....
en EE. UU.:		en Alemania: ....

El valor del español

El español ocupa un lugar muy importante como lengua de comunicación internacional:
es la cuarta lengua más hablada en el mundo después del chino, el inglés y el hindi.
Pronto el número de hispanohablantes va a ser de 500 millones. El país con el mayor
número de hispanohablantes es México, con más de 90 millones. El segundo,
Estados Unidos, donde ya viven 45 millones de hispanohablantes. En tercer lugar
está España, con 40 millones.
En la actualidad unos 14 millones de alumnos en el mundo estudian español
como lengua extranjera. El mayor número está en el continente americano con
cerca de siete millones de estudiantes en total, seis millones en Estados Unidos
y uno en Brasil. En el resto del mundo el número de estudiantes es cada día mayor.
Por ejemplo, en Alemania estudian español unas 450 000 personas. Es comprensible
si pensamos que el español es el vehículo para llegar al rico patrimonio cultural de
España y Latinoamérica.

datos extraídos de la Enciclopedia del español en el mundo *del Instituto Cervantes*

b. Un poco de matemáticas.
¿Cuántos millones de personas en el mundo hablan y estudian español en total?
¿Cuántas personas hablan español en los tres países con más hispanohablantes?

3 **a. Experiencias con el español.**
Todos llegamos al curso con una "maleta de conocimientos" sobre el español.
¿Qué traemos en ella? Pregunta a tres compañeros.

¿En qué año empezaste a estudiar español? ¿Dónde?
¿Recuerdas las primeras palabras que aprendiste?
¿Qué palabras te parecen difíciles de pronunciar en español?
¿Has aprendido alguna vez una frase de memoria?
¿Cuál es el aspecto gramatical más difícil para ti?
¿Puedes mencionar un aspecto cultural interesante?
¿Practicas español también fuera de la clase?
¿Cuándo fue la última vez que hablaste con un hispanohablante?

b. Ahora presenta algunas respuestas interesantes a la clase.

¿Recuerdas el indefinido?	
habl**é**	aprend**í**
habl**aste**	aprend**iste**
habl**ó**	aprend**ió**
habl**amos**	aprend**imos**
habl**asteis**	aprend**isteis**
habl**aron**	aprend**ieron**

4 a. Mis preferencias.
Ordena las actividades de clase según tus preferencias de 1 (más) a 9 (menos).

☐ hablar con mis compañeros/-as
☐ hacer ejercicios de gramática
☐ actividades con movimiento

☐ escuchar el cedé
☐ trabajar en parejas
☐ buscar una regla

☐ escribir textos
☐ leer textos
☐ hacer juegos

b. Presenta ahora tus preferencias según el modelo. Tus compañeros reaccionan.

expresar preferencias y dificultades	
Me gusta…	Lo que más me gusta es leer textos.
Me aburre…	Lo que me aburre es hacer ejercicios.
Me cuesta…	Lo que me cuesta son los pronombres.
Me parece fácil / difícil…	Lo que me parece fácil es escribir.

- Me cuesta mucho leer en voz alta.
- Pues a mí no. Lo que me parece difícil es entender el cedé.

¿Recuerdas?

- Me gusta…
  - A mí también. / A mí no.
- No me gusta…
  - A mí tampoco. / A mí sí.

✏ 1-3

Dime dónde estudias y te digo cómo eres

5 a. ¿Cómo se llaman estos objetos?
Pon los números en las casillas correspondientes. ¿Cuáles tienes en tu escritorio o usas para estudiar?

☐ bolígrafo
6 lápiz
☐ marcador
☐ clip
☐ cuaderno
1 tijeras
☐ libros
☐ goma de borrar
☐ hojas de papel
2 diccionario
☐ carpeta

b. Describir objetos. Completa con un ejemplo para cada material y función.

Es…		Sirve para…			
de papel	....	escribir	*bolígrafo*	guardar papeles	....
de metal	....	cortar	....	buscar palabras	....
de plástico	....	borrar	....	marcar textos	....
de madera	....	dibujar	....	tomar notas	....

c. Elige tres objetos de la foto y descríbelos. Tu compañero adivina cuáles son.

 4

6 **a. Escucha a tres personas. ¿De quién crees que es el escritorio de la foto?** CD2 ▶▶ 1–3

b. Escucha otra vez. ¿Cómo son las personas? Anota tres adjetivos para cada una.

caótico | creativo | comunicativo | desordenado | disciplinado | espontáneo | hablador | impulsivo | ordenado | sistemático | paciente | perfeccionista | trabajador | tranquilo | reservado

El hombre es ....
La mujer mayor es ....
La mujer joven es ....

Los adjetivos que terminan en **-or** forman el femenino con **-ora**:
trabajador - trabajadora
hablador - habladora

c. ¿Qué tipo de estudiante eres?
Marca con una cruz cómo te ves a ti mismo y coméntalo después con un compañero.

paciente					impaciente
ordenado					desordenado
sistemático			X		caótico
comunicativo					reservado

Soy [demasiado / muy / bastante / un poco] impaciente.

No soy nada impaciente.

✎ 5, 6

● Yo creo que soy bastante paciente, pero no muy sistemático.

7 **a. ¿Dónde y cómo estudias español?**
Describe tu lugar de estudio y elige tres adjetivos que caracterizan tu forma de estudiar.

b. Para tener éxito.
No existe la receta mágica para aprender español, pero sí conocemos algunos de sus ingredientes. ¿Qué porcentaje piensas que tienes de estas cualidades? Si quieres, puedes añadir más ingredientes.

Y lo más importante: ¡un litro de diversión!

Nuestra receta para aprender español

Hay que ser un poco:
- sistemático
- espontáneo
- perfeccionista
- comunicativo

Se mezcla todo con un poco de paciencia (para aprender una lengua se necesita tiempo), una buena cantidad de motivación, unos kilos de trabajo, un litro de diversión... ¡Y ya está!

8 **a. Una canción de desamor.**

Noche, **pasión**, **gramática**, **amor**, **guitarra**, **sol**, **verbo**. Sin leer el texto,
¿cuáles de estas palabras crees que van a aparecer en la canción?

b. Escucha y completa la canción con las palabras que faltan. CD2 ▶▶ 4

Fue amor desde el primer día.
Te conocí y me apasioné.
Te di mis días, mis ...., mis horas.
Todo, todo esto te di.

Cada noche vine a verte
Y trabajé sólo para ti,
Quise estudiarte y conocerte,
Y ahora te ríes de mí.

Todo, todo, todo esto te di.
Ahora me dices que hay otros.
Pero yo voy a seguir.
Todo, todo, todo esto te di.
No tengo miedo al pasado
Por eso voy a seguir.

Puse todo mi ....
Para poderte comprender
Y ahora me dices que hay otros
Otros .... que aprender.

Porque es que sin ti, ...,
Yo ya no puedo vivir
Con o sin ....
Lo tengo que conseguir.

Todo, todo, todo esto te di.
Ahora me dices que hay otros.
Pero yo voy a seguir.
Todo, todo, todo esto te di.
No tengo miedo al pasado
Por eso voy a seguir.

c. ¿Quién es el/la amante? ¿Puedes poner un título a la canción?

d. En la canción hay algunas formas irregulares del indefinido. ¿Cuáles son?
La tabla te sirve de ayuda. ¿Cuál es el infinitivo?

	tener
yo	tuv**e**
tú	tuv**iste**
él / ella / usted	tuv**o**
nosotros/-as	tuv**imos**
vosotros/-as	tuv**isteis**
ellos / ellas / ustedes	tuv**ieron**

Infinitivo	Raíz	Terminación
estar	**estuv-**	e
poder	**pud-**	iste
poner	**pus-**	o
hacer	**hic-**	imos
querer	**quis-**	isteis
venir	**vin-**	ieron

decir: dije, dijiste, dijo…
dar: di, diste, dio…
ver: vi, viste, vio…
ser / ir: fui, fuiste, fue…
hacer: hice, hiciste, hizo…

Estos verbos irregulares
en indefinido tienen
raíces diferentes, pero las
terminaciones son iguales
para todos.

e. Gimnasia verbal de indefinidos irregulares.
En cadena. Uno dice una de estas expresiones en infinitivo y un pronombre.
La persona siguiente la dice en indefinido y luego elige otra expresión.

tener miedo | dar un paseo | estar cansado | poner la mesa | hacer la maleta |
decir la verdad | ver la tele | venir a clase | no poder dormir | ir de vacaciones

● Tener miedo, vosotros.
○ Tuvisteis miedo. Decir la verdad, tú.

 7

9 **En parejas. Una entrevista a tu compañero.**
Formula las preguntas y al final elige dos informaciones para presentarlas.

- hacer un examen el curso pasado
- aprender a hacer algo nuevo el año pasado
- estar en un país hispanohablante el año pasado
- ver una película en español el mes pasado

- ¿Hiciste un examen el curso pasado?

Lo aprendí hace poco tiempo

10 **a. Escucha y relaciona los textos con las fotos.** CD2 ▶▶ 5 – 7
Luego escucha otra vez y completa la tabla.

		¿Qué aprendiste?	¿Cuándo lo aprendiste?	¿Con quién?	¿Dónde?
1.	Ana				
2.	Eric				
3.	Eva				

b. Con ayuda de la tabla, resume en una frase la experiencia de cada persona.

c. Marca las informaciones correctas y corrige las falsas.
Luego subraya en estas frases las expresiones de tiempo. ¿Cómo se traducen a tu lengua?

1. ☐ Ana practica su deporte favorito desde hace cinco años.
2. ☐ Ana está casada con su entrenador desde hace un año.
3. ☐ Eric toca la guitarra desde 2009.
4. ☐ Hace seis meses Eva decidió aprender a utilizar el ordenador.

desde + punto en el tiempo	desde hace + cantidad de tiempo
desde + el martes / 2006	desde + hace dos días / hace unos años

 8 – 10

d. Me gustaría aprender a bailar.
En la infancia aprendemos muchas cosas, pero también de adultos podemos aprender cosas nuevas. Además de español, ¿qué otras cosas te gustaría aprender?

tocar un instrumento | jugar al ajedrez | conducir una moto | cocinar |
bailar flamenco o salsa | pintar | esquiar | bucear | …

"Aprendí a nadar a los 30 años y hoy gano medallas"

José Mujika Eizagirre es bombero en San Sebastián y además un gran deportista. En los campeonatos mundiales de bomberos del año 2008 en Liverpool ganó tres medallas de oro en natación.

José, todos sabemos que los bomberos están muy en forma, pero ganar medallas ya es algo especial, ¿no?
Bueno, yo siempre he practicado mucho deporte, pero curiosamente aprendí a nadar muy tarde. La mayoría de la gente lo aprende en la infancia, pero yo lo hice a los 30 años cuando entré en los bomberos en 1993.

¡No me digas! ¿Cómo fue la experiencia?
Fue un poco difícil: tuve que superar el miedo al agua y, claro, la vergüenza. Pero encontré un profesor excelente que me ayudó mucho. Con su ayuda aprendí muy rápido. Me sentí muy orgulloso porque muchas veces se piensa que los adultos no pueden aprender estas cosas, pero nunca es demasiado tarde. Ahora me encanta nadar y desde hace tres años nado tres horas todos los días para entrenarme.

¿El campeonato en Liverpool fue tu primer campeonato?
No, el primero fue en 2006 en Australia y el segundo en 2007 en Canadá.

Tienes una anécdota simpática. ¿Nos la cuentas?
Sí. Como mi apellido suena un poco extraño, cuando gané una de las medallas escribieron como nacionalidad Afganistán.

Adaptado del *Diario Vasco*

---

11 **a. Lee la entrevista y marca la respuesta correcta.**

1. José Mujika participó por primera vez en un campeonato…
   ☐ en 1993.   ☐ en 2006.   ☐ en 2008.
2. Los mundiales de natación en Liverpool fueron su … campeonato.
   ☐ primer   ☐ segundo   ☐ tercer
3. Ganó tres medallas de oro en…
   ☐ Australia.   ☐ Inglaterra.   ☐ Afganistán.

b. Marca en el texto todas las expresiones que se refieren al tiempo y completa estas informaciones con las expresiones adecuadas.

1. José Mujika es bombero .... 1993.
2. Aprendió a nadar muy tarde, ... años.
3. .... 2006 participa todos los años en campeonatos de bomberos.
4. Ganó tres medallas de oro en 2008, es decir, ... años.
5. .... tres años nada todos los días unas tres horas.

c. Escríbele un correo electrónico a un amigo.
Tienes una amigo de 40 años que quiere aprender a nadar. Para motivarlo, escríbele contando la experiencia de José.

12 **Piensa en dos experiencias de aprendizaje. Después se comentan entre todos.**

- algo que aprendiste muy joven
- algo que aprendiste muy tarde
- algo que aprendiste muy rápido
- algo que te costó mucho aprender

✎ 11, 12

Tarea final El equipaje de la clase

El perfil de nuestro grupo.

1. Completa tu perfil como estudiante de español. Después, los perfiles se exponen en el aula.

2. Se forman tres grupos. Cada grupo se concentra en uno de los tres aspectos y hace un resumen de la información más importante.

   Grupo 1:
   ¿Qué saben ya?

   Grupo 2:
   ¿Qué quieren aprender?

   Grupo 3:
   ¿Qué les cuesta más o menos?

3. Los grupos presentan sus resultados.

> **MI PERFIL**
>
> Estudio español desde
> ....
> y empecé en (dónde)
> ....
>
> 1 Creo que ya sé…
> ....
> ....
>
> 2 Quiero aprender…
> ....
> ....
>
> 3 Me cuesta mucho…
> ....
> pero no me cuesta…
> ....

La clave está en el pasado

Este es el primer capítulo de una historia misteriosa que sigue en cada lección. Para aclarar el misterio necesitamos tu ayuda. ¿Quieres participar?

Capítulo 1: Se busca asistente

Me presento: me llamo Alba Serrano y soy detective privada. Trabajo en Barcelona en mi propia agencia, "Te veo. Detectives".
La semana pasada, el jueves por la mañana, recibí una llamada del director del Museo de la Ciencia de Barcelona.
– Agencia de detectives "Te veo". Habla usted con Alba Serrano. Dígame.
– Señora Serrano, necesito sus servicios.
– ¿De qué se trata?
– Un robo. Un documento muy valioso. Pero no quiero contarlo por teléfono. ¿Puede venir?
– Claro.
Salí de mi oficina. Tomé un taxi y llegué sólo media hora más tarde al museo. En su oficina el director me dio más detalles.

– ¿Es un documento importante?
– Muy importante. Es "la fórmula". Sin ella no es posible aprender lenguas.
– ¡Qué horror!
– Sí, es terrible.
El director me miró y me preguntó:
– ¿Acepta el caso, señora Serrano?
– Por supuesto.
Está claro que no puedo trabajar sola en este caso porque es muy complicado. Necesito un asistente. ¿Quieres serlo tú?

Escribe un currículum: nombre, cuándo y dónde naciste, dónde fuiste a la escuela, cuándo empezaste a aprender español… ¿Por qué eres tú mi asistente ideal? Menciona tres cualidades.

De fiesta

La Navidad

La Navidad tiene en todos los países hispanohablantes un carácter festivo y alegre. Se decora la casa con el árbol de Navidad y el belén; se comen dulces típicos y hay mucha alegría. Pero en cada país hay algo especial.

un belén

Virginia Zepeda, profesora de español, es de México, D.F. y nos habla de una tradición navideña mexicana.

"Las posadas se celebran entre el 16 y el 24 de diciembre. Durante esos días en cada casa se prepara comida para la gente que pide "posada", es decir comida y casa. Esta tradición simboliza la peregrinación a Belén de San José y la Virgen María. En realidad, la fecha de las posadas coincide con una celebración prehispánica azteca en honor al sol, que después se cristianizó.

Las personas que piden posada pueden ser familiares, amigos o vecinos. A casa de mis padres van también sus compañeros de trabajo. Los que piden posada cantan canciones tradicionales, y los dueños de la casa los invitan a comer. Para mí son recuerdos hermosos de mi infancia y creo que también muestra la hospitalidad de los mexicanos."

"Hola, me llamo Javier y soy profesor de español. Os voy a contar cómo es la fiesta de los Reyes Magos en España, quizás la más bonita para los niños. Tradicionalmente los Reyes Magos, Melchor, Gaspar y Baltasar, traen los regalos a los niños. El día de Reyes es el día 6 de enero, pero la fiesta empieza ya el día 5 con la cabalgata, que es el desfile de los Reyes por la ciudad. Hay una en cada ciudad, y los niños salen a la calle a recibir a los Reyes. En mi ciudad, Madrid, la cabalgata es muy grande, con camellos de verdad. Los Reyes recorren muchas calles y regalan caramelos a los niños. Es una fiesta preciosa y los niños están alegres y emocionados. Algunos entregan cartas a los Reyes para decirles qué regalos desean. Yo todavía recuerdo mis cartas: "Queridos Reyes Magos: Este año he sido muy bueno…" Después de la cabalgata, los niños se acuestan. Antes dejan comida para los Reyes y agua para los camellos en la puerta. Todos intentan no dormir para poder verlos cuando entran en la casa a dejar los regalos. Pero nunca lo consiguen, y así conservan la ilusión un año más."

cabalgata de los Reyes Magos en España

■ ¿Existe la tradición de los Reyes Magos en tu país? ¿Qué hacen?
■ ¿Cómo celebras tú la Navidad y la Nochevieja? ¿Dónde? ¿Con quién? ¿Se come algo especial? ¿Se hacen regalos? ¿A quién?

Comunicación

Expresar preferencias y dificultades

Me gusta…	Me aburre…
No me gusta mucho…	Me parece fácil / difícil…
Me cuesta…	Lo que más me cuesta es…

Actividades en clase

leer textos	escuchar el cedé
escribir textos	hacer ejercicios / juegos
buscar una regla de gramática	trabajar en parejas / en grupos

Indicar el grado

Soy ⎡ demasiado / muy / bastante / poco ⎤ paciente.

No soy nada creativo.

Indicar el material del que están hechas las cosas

Es ⎡ de papel. / de metal. / de plástico. / de madera.

Indicar la función

El bolígrafo sirve para escribir.
Las tijeras sirven para cortar.
La goma sirve para borrar.
El lápiz sirve para dibujar.

Resaltar algo

Lo que me gusta son los textos.
Lo que más me cuesta son los pronombres.
Lo que menos me interesa es la gramática.
Lo más difícil es hablar.

Adjetivos para describir el carácter

ordenado/-a	↔	desordenado/-a
sistemático/-a	↔	caótico/-a
paciente	↔	impaciente
comunicativo/-a	↔	reservado/-a

perfeccionista
creativo/-a
impulsivo/-a
trabajador/a

Expresar deseos

Me gustaría aprender a pintar.
Me gustaría aprender chino.
¿Te gustaría estudiar en España?

Gramática

Lo (que)

> **Lo** mejor de la clase es la pausa.
> **Lo** más interesante son los juegos.
> No entiendo **lo que** dice el profesor.
> **Lo que** más / menos me gusta es leer.

Adjetivos acabados en -or

> Un chico trabajador.
> Alumnos trabajadores.
> Una chica trabajador**a**.
> Alumnas trabajador**as**.
>
> Los adjetivos en **–or**
> forman el femenino en **–ora**.

Hace, desde, desde hace

hace + cantidad de tiempo		**desde** + punto en el tiempo		**desde** + **hace** + cantidad de tiempo	
hace +	algunos días dos semanas un mes tres años	desde +	ayer el lunes el 3 de abril 2008	desde + hace +	algunos días dos semanas tres meses un año

Con **hace** expresamos el tiempo que ha transcurrido con respecto a una acción
en el pasado:
Empecé a estudiar español **hace** cinco años.

Con **desde** nos referimos a un momento concreto en el pasado que presentamos como
punto de partida de una acción o un estado. Con **desde hace** expresamos la cantidad de
tiempo transcurrida desde el punto de partida:
Estudio español   **desde** abril de 2009.
            desde hace un año.

Formas irregulares del pretérito indefinido

	tener
yo	tuv**e**
tú	tuv**iste**
él / ella / usted	tuv**o**
nosotros/-as	tuv**imos**
vosotros/-as	tuv**isteis**
ellos / ellas / ustedes	tuv**ieron**

infinitivo	raíz	terminaciones
estar	**estuv-**	e
poder	**pud-**	iste
poner	**pus-**	o
hacer	**hic-**	imos
querer	**quis-**	isteis
venir	**vin-**	ieron

decir	dar	ver
dije	di	vi
dijiste	diste	viste
dijo	dio	vio
dijimos	dimos	vimos
dijisteis	disteis	visteis
dijeron	dieron	vieron

La raíz de los verbos irregulares es diferente, las terminaciones son iguales para
todos.
En algunas formas verbales se producen cambios ortográficos para mantener la
pronunciación original: hacer: hice, hiciste, hi**z**o…
Ocurre lo mismo con algunas formas de verbos regulares: buscar: bus**qu**é,
buscaste…; empezar: empe**c**é, empezaste…
Los verbos **decir**, **traer** y los que terminan en **-ducir** pierden la **i** en la tercera persona
del plural (ellos): dij~~i~~eron.

¡Qué descanso!

EN BUENAS MANOS
tu centro de salud, descanso y belleza

¿Conoce usted el tratamiento con piedras calientes? Después de un masaje, unas piedras calientes en la espalda ayudan a relajarse y a olvidar los problemas del día.

La acupuntura en la oreja ayuda a no fumar. Es una terapia tradicional y efectiva: 5 ó 6 sesiones de acupuntura son suficientes.

Para la piel ofrecemos maravillosos tratamientos con chocolate. Un tratamiento de chocolate por todo el cuerpo relaja y ayuda a dormir mejor. ¡Y no engorda!

Después del deporte, lo mejor es un buen masaje en las piernas. Para deportistas profesionales y también para aficionados. Después de la maratón, del fútbol con los amigos o del tenis con la familia.

Si desea cuidar la piel de la cara y a la vez relajarse, le recomendamos una de nuestras máscaras con productos naturales.

¿Está cansado? ¿Tiene estrés? ¿Por qué no prueba la reflexoterapia? Es un masaje de pies que activa todo el cuerpo. También ofrecemos reflexoterapia de manos.

describir los síntomas de una enfermedad • indicar de qué modo se realiza una acción • comprar en la farmacia • describir en el pasado • presentar acciones habituales en el pasado • las partes del cuerpo

14

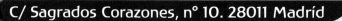

C/ Sagrados Corazones, nº 10. 28011 Madríd

1 **a. El centro EN BUENAS MANOS ofrece muchas posibilidades para relajarse.** Lee el folleto y subraya las partes del cuerpo que se mencionan. ¿Cuántas encuentras? ¿Coincides con tus compañeros?

En español

En mi lengua

b. Tienes un cheque regalo para uno de estos tratamientos. ¿Cuál eliges? ¿Por qué?

Me duele todo

2 **a. Completa con las partes del cuerpo que recuerdas.**

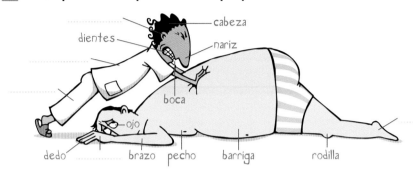

b. Gimnasia de vocabulario.

Toda la clase se levanta. Vuestro profesor dice el nombre de una parte del cuerpo y todos la señaláis en vuestro cuerpo lo más rápido posible.

✎ 1

3 **a. El diario de Prudencio, hipocondríaco sin remedio.**

Lee el diario y marca los síntomas de enfermedades.

Lunes
Querido diario: estoy muy mal, tengo fiebre y me duele la cabeza. El médico dice que es sólo un resfriado, pero yo sé que es algo grave. Ay, ay, ay.

Martes
Querido diario: nadie me comprende. Me duele la garganta, tengo tos y ahora, además, me duele el estómago. El médico dice que es porque tomo demasiadas aspirinas, pero creo que es algo grave.

Miércoles
Querido diario: hoy me duele la espalda.
El médico dice que es porque trabajo todo el día en la oficina y me recomienda hacer deporte.

Jueves
Querido diario: hoy no me puedo mover. Estoy fatal. Me duele todo el cuerpo, incluso me duelen los pies. El médico dice que he hecho demasiado deporte. ¡Quiero curarme!

Viernes
Querido diario: hoy no me duele nada. Eso me preocupa. No sé qué piensa el médico. He llamado a la consulta del doctor Galeno para pedir hora, pero su asistente dice que no está, que se ha ido a un balneario para descansar porque tiene mucho estrés con algunos pacientes. ¡Qué extraño! El lunes voy a buscar otro médico.

¿Recuerdas?

nadie
nada
nunca

Nadie me comprende.
Hoy **no** me duele **nada**.
No voy **nunca** a la playa.

Si **nada**, **nadie** o **nunca** van después de un verbo, tiene que ir un **no** delante de este.

b. Completa la siguiente tabla con ejemplos del texto.

hablar de problemas de salud	
• ¿Qué te / le pasa?	○ Tengo ....
• ¿Qué te / le duele?	○ Me duele ....
	○ Me duele**n** ....
	○ Estoy ....

Que te mejores.
Que se mejore.

c. En parejas. Elegid un día del diario de Prudencio y escribid un posible diálogo entre él y su médico. Después representadlo ante vuestros compañeros.

tener	fiebre
	gripe
	tos
	diarrea
	alergia a...

estar	enfermo/-a
	resfriado/-a
	nervioso/-a
	bien / mal / fatal

Sana, sana, colita de rana

4 **a. ¿Qué haces tú en estos casos? ¿Puedes añadir más consejos?**

Si me duele la cabeza, …   bebo zumo de limón caliente.
Si tengo fiebre, …   me quedo en la cama.
Si tengo gripe, …   tomo una infusión de hierbas.
Si tengo tos, …   bebo zumo de cebolla con azúcar.
Si estoy nervioso/-a, …   tomo una aspirina.
Si…   …

¿Recuerdas?
Me Te Le   duele la cabeza. Nos Os Les

b. Prudencio va a la farmacia para comprar algunos medicamentos. CD2 ▶▶ 8
Escucha el diálogo y marca lo que compra.

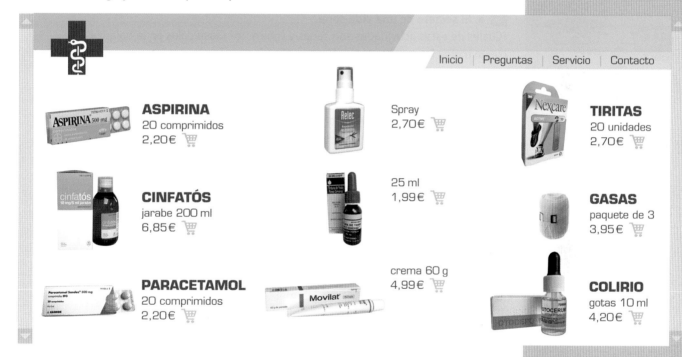

ASPIRINA
20 comprimidos
2,20€

Spray
2,70€

TIRITAS
20 unidades
2,70€

CINFATÓS
jarabe 200 ml
6,85€

25 ml
1,99€

GASAS
paquete de 3
3,95€

PARACETAMOL
20 comprimidos
2,20€

crema 60 g
4,99€

COLIRIO
gotas 10 ml
4,20€

c. Escucha otra vez y marca las expresiones que escuchas.

en la farmacia	
• Necesito algo para el dolor de cabeza. • ¿Tienen algo para…? • Me duele la garganta, ¿qué me recomienda? • ¿No tiene algo más fuerte?	○ Puede tomar… ○ ¿Por qué no toma…? ○ Conviene tomar estas pastillas. ○ Para eso se necesita receta.

d. Vamos a dar consejos.
En grupos de tres: médico, naturista y paciente. El médico y el naturista tienen que dar
un consejo al paciente, que elige el que más le gusta.

• Me duele la cabeza.
○ ¿Por qué no toma una aspirina?
■ ¿Y si bebe una infusión de hierbas?

✏ 2-5

5 **a. Estas actividades pueden producir estrés.**
Añade una más y ordénalas de 1 (menos) a 8 (más estrés).

- ☐ trabajar doce horas al día
- ☐ viajar en avión
- ☐ conducir por la ciudad
- ☐ organizar una fiesta
- ☐ cocinar
- ☐ hablar por teléfono en español
- ☐ ir al dentista
- ☐ …

b. En cadena. Cada uno comenta un ejemplo de la lista y el que ha añadido.
¿Cuál es el factor que produce más estrés para la clase?

- Cocinar me produce mucho estrés, hablar con el jefe, poco.

6 **a. El secreto de una vida sana.**
¿Cuáles de estas actividades son sanas y cuáles no? Clasifícalas en la balanza.
Luego marca las que haces tú. ¿Llevas una vida sana?

hacer deporte regularmente | tomar mucho café | fumar | dormir la siesta |
comer frecuentemente pescado | pasear tranquilamente | dormir pocas horas |
ir a la sauna regularmente | escuchar música agradable | hacer todo con prisa |
tomar una copa de vino diariamente | pensar solamente en el trabajo

Los adverbios terminados en **-mente** se forman a partir de la forma femenina del adjetivo. Algunos adjetivos de uso frecuente se pueden emplear también como adverbios:
Voy rápido / rápidamente.

✎ 6

b. Mira el cuadro. ¿Cuándo se usa un adjetivo y cuándo un adverbio?

	adjetivo	adverbio
un paseo tranquilo	tranquil**o**	tranquil**amente**
pasear tranquilamente	lent**o**	lent**amente**
comida rápida	agradable	agradable**mente**
comer rápidamente	normal	normal**mente**

c. La siesta, una costumbre muy relajante.
¿Adjetivo o adverbio? Lee el texto y tacha la forma falsa.

Volver a la "spanish siesta"

Durante mucho tiempo la siesta, es decir, la costumbre española de dormir después de comer, tuvo muy mala fama: "Es perder el tiempo", "No es productiva"… Pero ahora se ha demostrado científico / científicamente que la siesta es más que una costumbre agradable / agradablemente , es también una costumbre sana / sanamente . Según un estudio de la Universidad de Harvard, 40 minutos de siesta mejoran la productividad de una persona en el trabajo en un 34 %. Los expertos de esta universidad lo llaman "power nap". En algunas empresas de los Estados Unidos hay habitaciones para dormir unos minutos. Pero no es necesario tener una cama cómoda / cómodamente para la siesta: dormir en un sillón basta para descansar y tener otra vez energía suficiente / suficientemente . ¿Hay alguna diferencia entre "siesta" y "power nap"? No. Pero si lo dice Harvard, parece verdad y si lo dice Pepe Martínez, no. *Adaptado de Fernando Trías de Bes en El País* .

Antes y ahora: el balneario de Mondariz

7 **a. ¿Conoces alguna ciudad famosa por su balneario?**
¿Has ido alguna vez? ¿Por qué va la gente?

b. Lee el artículo y marca las informaciones sobre el tipo de público y los tratamientos.

FACHADA PRINCIPAL DEL ESTABLECIMIENTO.
De fotografía de Compañy (Madrid)

El balneario de Mondariz

El balneario de Mondariz se encuentra en la provincia de Pontevedra, en un paisaje de bosques y montañas. Y muchas fuentes. El agua, muy rica en minerales, es la gran riqueza de esta zona y la razón de su fama.

Ya desde su fundación en 1874, la gente iba a Mondariz para disfrutar de las aguas medicinales. En esa época, los balnearios eran lugares exclusivos y los clientes eran personas ricas que podían pagar esos lujos. Las curas en el balneario eran muy variadas: los pacientes paseaban por los bosques y jardines, hacían ejercicio, se bañaban en aguas termales y, sobre todo, bebían las aguas medicinales.

Muchos visitantes del balneario se alojaban en el Gran Hotel, un alojamiento de lujo que ofrecía un servicio exquisito.

En la actualidad Mondariz combina su larga tradición de balneario con terapias actuales y las ofertas de tiempo libre que piden los clientes de hoy.

c. ¿Cuáles de las siguientes personas están en el balneario de Mondariz?

1. "Estamos muy bien aquí. Nos bañamos en aguas termales y bebemos mucho."
2. "Esto es un paraíso: playa, sol y sangría todo el día."
3. "Nos bañamos todos los días en el mar. El agua está a unos 25 grados."
4. "Es una terapia fantástica: aguas, masajes y paseos. ¡Qué relax!"

d. ¿Qué hacía la gente en Mondariz? Completa.

1. *disfrutar* de las aguas medicinales
2. .... por los bosques
3. .... ejercicio
4. .... en aguas termales
5. .... en el Gran Hotel
6. .... aguas medicinales

e. En el artículo hay un tiempo nuevo: el imperfecto. Marca las formas en el texto.

verbos en **-ar**	verbos en **-er/-ir**	ser	ver	ir
busc**aba**	hac**ía**	era	veía	iba
busc**abas**	hac**ías**	eras	veías	ibas
busc**aba**	hac**ía**	era	veía	iba
busc**ábamos**	hac**íamos**	éramos	veíamos	íbamos
busc**abais**	hac**íais**	erais	veíais	ibais
busc**aban**	hac**ían**	eran	veían	iban

 7

El imperfecto se usa para describir cualidades en el pasado o presentar acciones habituales pasadas.
Excepto **ir**, **ser** y **ver** (y sus compuestos) no hay verbos irregulares en imperfecto.

8 **a. Escucha ahora una entrevista con el director del balneario de Mondariz.** CD2 ▶▶ 9
Marca qué aspectos corresponden a antes, a hoy o a las dos épocas.

antes   hoy

sólo gente con dinero
público variado
aguas medicinales
oferta deportiva
problemas de estómago
dolores de espalda
dolores de cabeza

b. Escribe un pequeño resumen de la entrevista y compara tu texto con el de un compañero.

Antes el público era sólo gente con dinero.

9 **¿Cómo eran unas vacaciones en la playa en el siglo XIX?**
En esta playa se ven actividades que no se practicaban en el siglo XIX. En cadena, decid qué cosas no son de la época sin repetir el verbo que ha usado otra persona.

llevar | escuchar | tener | jugar | hacer surf | bucear | usar | comer | beber

10 **a. La vida antes y hoy.**
En parejas, decidid a qué época(s) corresponden las siguientes cosas.
Luego comparad con otra pareja. ¿Tienen lo mismo?

libros | tenedor | motocicleta Vespa | sandalias | mamut | ropa hecha de pieles | balnearios | vino | teléfono | tomate | canalización | televisión

• En el Imperio Romano ya se bebía vino.

La Edad de Piedra

El Imperio Romano

Los años cincuenta

b. Mi vida antes y ahora.

¿Cómo era tu vida cuando tenías 16 años? Toma notas y luego compara con dos compañeros.

¿Qué ropa llevabas ? ¿Y hoy?
¿Qué música escuchabas? ¿Y hoy?
¿Dónde vivías? ¿Y hoy?
¿Qué hacías en tu tiempo libre? ¿Y hoy?
¿Dónde te encontrabas con tus amigos? ¿Y hoy?
¿Dónde pasabas las vacaciones? ¿Y hoy?

expresiones de tiempo
A los 16 años… Cuando tenía 16 años… Cuando vivía con mis padres… Cuando iba al colegio… En los años 80… Antes…

 8, 9

Una tradición de siglos

11 **a. ¿Con qué países asocias la palabra** sauna**?**

Lee el texto sobre una tradición mexicana muy antigua. Busca las palabras en cursiva que corresponden a estas definiciones.

agua a 100° C transformada en gas: *vapor*
de la época anterior a la llegada de los españoles a América: ....
mujer que está esperando un bebé: ....
plantas aromáticas o medicinales: ....
compensar el agua perdida: ....

BAÑO DE TEMAZCAL

El baño de temazcal es un baño de origen *prehispánico* que se practicaba como ritual. Además tenía un uso terapéutico, incluso estético. El tratamiento era un baño de *vapor* aromatizado con *hierbas* frescas, como en las saunas actuales, pero también se tomaban tés y una sopa medicinal para *hidratar* el cuerpo después de la sauna.

Se iba al baño de temazcal para tratar problemas diferentes, por ejemplo dolores de espalda y dolores musculares. Las mujeres *embarazadas* lo usaban para relajarse antes del nacimiento del bebé. Una de las características del baño temazcal: no había separación de hombres y mujeres, todos lo usaban juntos.

En la actualidad todavía se usa como tratamiento medicinal, pero mucha gente también va sólo para relajarse.

b. La clase se divide en dos grupos. Cada grupo prepara cinco frases sobre el texto que pueden ser verdaderas o falsas. El otro grupo tiene que descubrir las falsas.

c. ¿Vas a la sauna? ¿Por qué (no)? ¿A quién se la puedes recomendar?

Tarea final Remedios caseros

La revista *Vida y salud* os ha pedido un artículo sobre tratamientos tradicionales.

1. En grupos de tres, intercambiad ideas. ¿Qué tratamientos caseros para enfermedades conocéis? Tomad notas y haced una lista. Podéis usar el diccionario para buscar las palabras nuevas o preguntar al profesor.

   - Para la tos, mi madre mezclaba zumo de cebolla con miel. Se tomaba caliente y muy despacio.

2. Buscad más información. Cada persona del grupo entrevista a un compañero de otro grupo para recoger información sobre otros remedios caseros.

3. Volved a vuestro grupo original y escribid juntos un pequeño artículo usando la información que habéis recogido de vuestros compañeros.

En la actualidad tenemos muchos medicamentos para las enfermedades, pero existen remedios tradicionales muy eficaces que ya usaban nuestros abuelos. Por ejemplo, para la tos usaban zumo de cebolla...

La clave está en el pasado

¿Te acuerdas de la historia misteriosa? Aquí sigue.

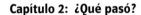

Capítulo 2: ¿Qué pasó?

Mi entrevista con el director del Museo de la Ciencia fue así:

– Creemos que el documento desapareció ayer por la noche, entre las tres y las tres y media de la mañana. El ladrón o los ladrones desconectaron la alarma y entraron por una ventana. Después fueron a la oficina del director, abrieron la vitrina de documentos valiosos y robaron el documento. Pensamos que salieron del museo sólo una hora más tarde.
– ¿Quién lo descubrió?
– Antonio, el vigilante. A las cuatro, por eso sabemos las horas aproximadas. Me llamó a mi casa y media hora más tarde llegué al museo.
– ¿Qué hizo usted?
– Llamar a la policía. Un cuarto de hora después de mi llamada llegaron aquí y lo controlaron todo. Estuvieron tres horas en el museo y después se marcharon.
– Si la policía ya investiga el caso, ¿por qué me llamó también a mí?

– Porque creo que es un caso especial. Y porque es usted la mejor…
¡Oh, no! Justo aquí descubrí que mi grabadora no tenía pilas.

¿Me puedes ayudar y escribir el protocolo del caso? Muchas gracias.

🔍 **TE VEO. DETECTIVES**

Protocolo del caso:
Museo de la Ciencia. Robo de "la fórmula".

3.00 – 3.30 de la mañana: *El ladrón*.................

4.00: ....

4.30: ....

Jueves, 7.30: *El director del Museo*...............

Jueves, 8.00: *La detective Alba Serrano*..........

De fiesta

El carnaval de Oruro (Bolivia)

Hola, me llamo Pilar Klewin y soy boliviana, de La Paz, pero hoy les voy a hablar de Oruro, la ciudad de mi padre, y de una de las tradiciones más hermosas de mi país: el carnaval. Oruro no es muy grande, creo que tiene unos 340.000 habitantes, pero en las fiestas del carnaval pueden ser casi un millón. Es una de las fiestas más espectaculares de América Latina. La UNESCO le dio el título de *Patrimonio de la Humanidad*.

Yo estuve allí varias veces y siempre me impresionó. Cada vez descubro cosas nuevas, pero lo que más me impresiona son las máscaras. Son fascinantes. El carnaval, con sus bailes y sus máscaras, representa una fusión de tradiciones y creencias prehispánicas y cristianas. En su origen la fiesta simboliza los peligros del trabajo en las minas. En Oruro se vive para el carnaval. Siete meses antes del carnaval los participantes empiezan a preparar los disfraces y las coreografías que se hacen en honor a la Virgen de la Candelaria. El festejo principal es un desfile de cuatro kilómetros. Los bailes son importantísimos en esta fiesta. Mi baile favorito es "la Diablada", que representa la lucha del bien y del mal. Participan más de cuatrocientos bailarines vestidos de rojo y con máscaras. También hay otros grupos con otros temas. Todos me gustan, pero "la Diablada" tiene algo, no sé… No lo puedo describir. Hay que verlo y vivirlo.

carnaval de Oruro

El carnaval de Cádiz (España)

Hola, soy Carmen Barrio y soy de Cádiz, una ciudad muy bonita de Andalucía, en la puntita de la península.

En Cádiz hay muchas cosas atractivas, pero quizás la más espectacular es el carnaval. Aquí vivimos medio año preparando la próxima fiesta y medio año recordando la fiesta anterior. ¿Por qué es especial? Por su ambiente y su música.

En el carnaval hay varios tipos de grupos. Los más típicos son "los coros", que cantan canciones serias, y "las chirigotas", que cantan canciones críticas y satíricas. Los grupos escriben los textos y componen la música de las canciones y compiten entre ellos en concursos.

También se hacen los disfraces que se llevan esos días. Cada año uno distinto, claro. Yo tengo un armario lleno de mis viejos disfraces: pirata, princesa, mosquito…

En carnaval todos nos disfrazamos y salimos a la calle. Los bares están llenos, se come "pescaíto frito" a todas horas. Los gaditanos, así se llama la gente de Cádiz, somos simpáticos por naturaleza y nos encanta hablar y conocer gente. Es muy fácil, cualquier comentario sobre el disfraz es suficiente para empezar a hablar.

■ *¿Cómo se celebra el carnaval en tu país? ¿Te has disfrazado alguna vez?*

carnaval de Cádiz

Comunicación

Partes del cuerpo

la cabeza	el ojo	la boca	la espalda	la pierna	el pecho
la cara	la nariz	los dientes	el brazo	la rodilla	el estómago
la piel	la oreja	la garganta	la mano	el pie	la barriga

Preguntar por problemas de salud

¿Qué te / le pasa?
¿Qué te / le duele?
¿Tiene/s fiebre?
¿Tiene/s diarrea?

Describir los síntomas de una enfermedad

Tengo fiebre. / diarrea. / tos. / gripe.

Me duele el estómago. / la cabeza. / la espalda.
Me duelen los pies.

Estoy resfriado/-a. / cansado/-a. / enfermo/-a. / bien / mal / fatal.

En la farmacia

Necesito algo para el dolor de cabeza.
¿Tienen algo para…?
Me duele la garganta, ¿qué me recomienda?
¿No tiene algo más fuerte?
Puede tomar…
¿Por qué no toma…?
Conviene tomar estas pastillas.
Para eso se necesita receta.

Expresiones temporales para situar en el pasado

A los 16 años…
Cuando tenía 16 años…
Cuando iba al colegio…
En los años 80…

Indicar de qué modo se realiza una acción

Vamos a la sauna regularmente.
Para evitar problemas de estómago conviene comer lentamente.
Pasé el fin de semana tranquilamente en casa.

Hablar de remedios para una enfermedad

Si me duele la cabeza, tomo una aspirina.
Si tengo fiebre, me quedo en la cama.
Si estoy resfriado, bebo zumo de limón.

Describir y hablar de acciones habituales en el pasado

Ya en el sigo XIX la gente iba a un balneario para disfrutar de las aguas medicinales.
En esa época los balnearios eran lugares exclusivos.
Muchos clientes de Mondariz eran personas ricas que podían pagar esos lujos.
Se alojaban en el Gran Hotel, que ofrecía un servicio exquisito.

Gramática

Adjetivos y adverbios

Adjetivo
Tengo un horario regular. Es una conversación agradable. Aprender el indefinido es fácil. Vivimos en un barrio tranquilo.

Los adjetivos modifican al sustantivo.

Adverbio
Hago deporte regularmente. Charlamos agradablemente. Con esta regla se aprende fácilmente. Dormimos la siesta tranquilamente.

Los adverbios pueden modificar a un verbo, a un adjetivo, a otros adverbios o a una frase completa.

Adverbios terminados en -mente

Adjetivo	Adverbio
tranquilo/-a	tranquil**amente**
lento/-a	lent**amente**
agradable	agradable**mente**
fácil	fácil**mente**

Para transformar un adjetivo en un adverbio, sólo hay que añadir la terminación **-mente** a la forma femenina del adjetivo.
Los adjetivos que llevan tilde, la mantienen.

El pretérito imperfecto

	-**ar**: busc**ar**	-**er**/-**ir**: hac**er**
yo	busc**aba**	hac**ía**
tú	busc**abas**	hac**ías**
él / ella / usted	busc**aba**	hac**ía**
nosotros/-as	busc**ábamos**	hac**íamos**
vosotros/-as	busc**abais**	hac**íais**
ellos / ellas / ustedes	busc**aban**	hac**ían**

	ser	ver	ir
yo	era	veía	iba
tú	eras	veías	ibas
él / ella / usted	era	veía	iba
nosotros/-as	éramos	veíamos	íbamos
vosotros/-as	erais	veíais	ibais
ellos / ellas / ustedes	eran	veían	iban

El imperfecto de **hay** es **había**.
Dos de los usos del imperfecto son: describir cualidades en el pasado y presentar acciones habituales pasadas.

¿Te acuerdas?

Un poco de nostalgia

¿Recuerdas? Los niños jugábamos todo el día en la calle, al fútbol, a saltar a la cuerda, a correr... Tomábamos leche con Cola-Cao para desayunar y veíamos las aventuras del delfín Flipper y del caballo Furia en la televisión en blanco y negro. En verano pasábamos las vacaciones en la playa después de un viaje muy largo en un Seat 600 sin aire acondicionado. Somos la generación de los sesenta.

En los años setenta también pasábamos las vacaciones en la playa después de un viaje muy largo, pero ya no era un Seat 600, quizás un Seat Panda. Aire acondicionado tampoco teníamos. Pero teníamos televisión en color. Veíamos "Bonanza" y "Vicky el Vikingo". Leíamos muchos cómics españoles, como "Mortadelo y Filemón", o de otros países, como "Asterix".

hablar de recuerdos de la infancia • describir hábitos del pasado • contar una anécdota • estructurar una historia

¡Los ochenta! Veíamos los dibujos animados de "La abeja Maya" y llorábamos con "Heidi". En el cine nos emocionábamos con "E.T.". Los más pequeños aprendían las letras y los números con "Barrio Sésamo". Jugábamos con el cubo de Rubik. ¡Qué difícil era! En los ochenta aparecieron los primeros juegos de ordenador, como el tenis y el "comecocos", que en inglés se llamaba "pacman". ¿Y recuerdas la moda de los ochenta? ¿No? ¡Qué suerte!

1 ¿A qué jugaban, qué libros leían y qué veían los niños en estas épocas? ¿Y tú de niño?

años 60	
juegos	
películas y programas de tele	
otras cosas	

años 70	
juegos	
películas y programas de tele	
otras cosas	

años 80	
juegos	
películas y programas de tele	
otras cosas	

tú	
juegos	
películas y programas de tele	
otras cosas	

Un cuento antes de dormir

2 **a. Rosa nos va a contar una anécdota de su infancia.** CD2 ▶▶ 10
Antes de escucharla, lee las frases. ¿En qué orden crees que van a aparecer?
Luego escucha y compara.

- ☐ Después de algunas frases mi hermana se durmió.
- ☑ Mi hermana menor me pidió un cuento para poder dormirse.
- ☐ Repetí otra vez el cuento.
- ☐ Al día siguiente mi hermana me preguntó: ¿Cómo terminó el cuento?
- ☐ Al terminar el cuento, yo también me dormí.
- ☐ Así que empecé a contar un cuento.
- ☐ Pero yo seguí con el cuento hasta el final.

> dormir ≠ dormirse

b. ¿Qué más cosas se dicen? Escucha otra vez y toma notas.

1. ¿Dónde estaban las niñas?
2. ¿Cómo era la habitación?
3. ¿Cuántos años tenía la hermana?
4. ¿Cómo era el cuento?

c. Marca los verbos en las frases de 2 a y 2 b.
¿En qué tiempo están? ¿Cuáles se refieren a acontecimientos? ¿Cuáles a descripciones?

d. ¿A ti te contaban o te leían cuentos? ¿Quién? ¿Tenías una historia preferida?

3 **a. En el mundo de los cuentos hay muchos animales.**
¿A qué animal se refiere cada frase? Relaciona. ¿Conoces otros animales?

- ☐ Dicen que es el mejor amigo del hombre.
- ☐ Es muy individualista y cuando está feliz hace así: "ronronron".
- ☐ Medio de transporte de los príncipes en los cuentos.
- ☐ Este animal nos da el jamón y muchas otras cosas.
- ☐ Un viejo remedio para dormir es contarlas: una, dos, tres…
- ☐ Necesitamos su leche para el café.
- ☐ La gente lo relaciona siempre con España.
- ☐ Unos cantan y otros no. Algunos hablan, pero casi todos vuelan.
- ☐ Es el rey de los animales.

1. el pájaro
2. el perro
3. la vaca
4. el león
5. el caballo
6. la oveja
7. el gato
8. el cerdo
9. el toro

✎ 1–4

El ratoncito Pérez

*H*abía una vez una ostra que estaba muy triste.
–¿Qué te pasa? –le preguntó su amigo el pulpo
que vivía en el fondo del mar.
–He perdido mi perla –respondió la ostra.
–¿Cómo era la perla? –preguntó el pulpo.
–Blanca, dura, pequeña y brillante –contestó la ostra.

la ostra   *el pulpo*

El pulpo le prometió su ayuda y se marchó. Se encontró con una tortuga que estaba en la playa
y le explicó el problema de la ostra. La tortuga le prometió su ayuda y se marchó. Se encontró
con un ratón que paseaba por la playa. El ratón se llamaba Pérez.

–La ostra ha perdido su perla. Tenemos que
buscar algo blanco, pequeño, duro y brillante
-dijo la tortuga al ratón.
El ratón empezó a buscar un objeto con
estas características. Primero encontró un
botón que era blanco, brillante y pequeño,
pero no era duro. Después, encontró una
piedra blanca, pequeña y dura, pero no era

la tortuga

el ratoncito Pérez

brillante. Al final encontró una moneda de plata que era blanca, dura y brillante,
pero no era pequeña.
El ratón volvió a su casa triste y frustrado. La casa del ratón estaba en la habitación
de un niño detrás del armario. En la mesa de noche encontró un diente del niño;
el ratón lo tocó: era blanco, pequeño, duro y brillante.

la moneda

Entonces tomó el diente y lo cambió por la moneda de plata. Luego corrió a la playa
y le dio el diente a la tortuga, la tortuga al pulpo y el pulpo a la ostra, que se puso
muy contenta porque el diente era muy parecido a la perla perdida. Lo puso en el
sitio de la perla y nadie pudo notar la diferencia.

el diente

*P*or eso, desde entonces, cuando un niño pierde un diente de leche, lo pone debajo de
la almohada y por la noche el ratoncito Pérez viene a buscarlo y lo cambia por dinero.

---

b. El protagonista del cuento favorito de Rosa es un ratón.
Lee el cuento. ¿En qué orden aparecen los animales de los dibujos?

c. ¿Qué frase resume mejor el cuento?

1. La ostra perdió un diente y el ratoncito lo encontró.
2. La tortuga encontró una perla, no sabía de quién era y la cambió por dinero.
3. El ratoncito Pérez ayudó a la ostra a buscar la perla perdida.
4. Una ostra, un pulpo, una tortuga y un ratón decidieron ser músicos en Bremen.

d. ¿Existe el ratoncito Pérez en tu país?
¿Se hace algo cuando los niños pierden los dientes de leche?

poner ≠ ponerse
encontrar ≠ encontrarse

diminutivos	
ratón	raton**cito**
casa	cas**ita**
pequeño	pequeñ**ito**

 5, 6

4 **a. Subraya en el cuento del ratoncito Pérez los verbos en indefinido y en imperfecto con dos colores diferentes.**

b. Relaciona las partes de frases para resumir la historia. Después, completa la regla.

El desarrollo de la historia
está en ....
Circunstancias y hábitos
están en ....

indefinido	imperfecto
El pulpo **se encontró** con una tortuga	que *paseaba* por la playa.
Ella **se encontró** con un ratón	que *estaba* en la habitación de un niño.
Primero el ratón **encontró** un botón.	porque *era* parecido a la perla.
Al final **volvió** a su casa	que *estaba* en la playa.
El ratón **tomó** el diente	*Era* blanco, pequeño y brillante.

5 **a. Dos tiempos del pasado, dos significados.**
¿Recuerdas a estas personas? Lee el texto. ¿Se puede entender la historia o falta algo importante?

¿Otro cuento?

Al día siguiente yo estaba muy cansada. Mientras mi hermana y yo íbamos al colegio, ella preguntó: "Oye, ¿cómo terminó la historia?" Así que tuve que contar la historia otra vez ☐. Hablé y hablé durante todo el camino. Terminé justo delante de la puerta y mi hermana ☐ me dijo: "¡Qué bonita la historia!". Ese día por la noche, ☐, ella me pidió: "¿Me cuentas otra historia?" Yo ☐ le contesté que sí ☐. "Pero, otra", dijo ella, "una nueva". Por eso esa noche busqué una historia nueva, un cuento ☐: "Había una vez un pirata ☐..."

b. Completa ahora el texto con estas informaciones poniendo el número en la casilla correspondiente.

¿Recuerdas?

buscar	empezar
busqué	empecé

1. porque ella no recordaba nada
2. estaba muy cansada, tenía sueño, pero
3. que se llamaba Patapalo
4. cuando estábamos otra vez en la cama

5. que estaba muy contenta
6. porque me gustaba mucho contar historias
7. que empezaba así

c. Algunos voluntarios leen el texto completo en voz alta.
Compara la historia completa con el texto anterior. ¿Qué diferencia hay?

d. Otra versión de la historia.
¿Puedes cambiar la historia de las dos niñas? Inventa otras informaciones para las casillas. Luego se leen y comparan las diferentes versiones.

Las dulces mentiras de la infancia

6 **a. Valentina nos cuenta cómo descubrió quién era de verdad el ratoncito Pérez.**
Completa la historia con las formas del imperfecto o indefinido.

Yo _tenía_ (tener) seis años y todavía .... (tener) los dientes de leche. Un domingo, mientras toda la familia .... (comer), perdí un diente. Mis padres y mis tíos me .... (decir): "El ratoncito Pérez va a venir a buscar el diente y te va a dejar dinero a cambio". Primero lo creí y .... (ponerse) muy contenta. Pero yo .... (ser) una niña muy curiosa y siempre .... (querer) verlo y saberlo todo. Por la noche .... (estar) muy cansada, pero no me .... (poder) dormir. De pronto, ... (escuchar) un ruido, pero no .... (abrir) los ojos. Mis padres .... (entrar) en la habitación y, para mi sorpresa, ... (poner) una moneda debajo de la almohada. Al día siguiente, yo no .... (decir) nada, porque todavía me quedaban muchos dientes de leche. Es que además de ser una niña muy curiosa, también .... (ser) una niña muy lista. Total que en los meses siguientes .... (recibir) mucho dinero.

b. No sólo el ratoncito trae regalos. CD2 ▶▶ 11–12
Tradicionalmente los Reyes Magos traen los regalos de Navidad. Escucha a estas personas que cuentan cómo se enteraron de la verdad. Marca las opciones correctas.

	¿Quién le contó la verdad?	¿Qué edad tenía?	¿Cómo reaccionó?
Yolanda	☐ su madre ☐ su abuela	☐ seis años ☐ ocho años	☐ no lo creyó ☐ se puso contenta
Miguel	☐ su amigo ☐ su padre	☐ diez años ☐ trece años	☐ no dijo nada ☐ se puso triste

c. Con la información de la tabla, resume en una frase la historia de Yolanda y en otra la de Miguel.

● A Yolanda su madre le contó la verdad cuando…

d. ¿Te acuerdas?
Toma notas en la tabla y luego cuenta cómo descubriste cosas que no eran verdad relacionadas con la navidad u otro tipo de fiesta o celebración.

¿Qué edad tenías?	¿Dónde estabas? ¿Con quién?	¿Qué pasó?	¿Cómo reaccionaste?

contar una anécdota

Cuando yo tenía…
Estaba en… con…
Entonces…
Total, que…

Siempre hay historias para contar

7 **a. ¿Recuerdas cómo fue?**
Combina una circunstancia y un acontecimiento para contar algo de tu vida.

tener 24 años	aprender a cocinar
estar en la universidad	decidir mudarse
vivir todavía en casa de mis padres	conocer a mi mujer / marido
compartir piso	terminar la escuela
ser joven y guapo/-a	encontrar el primer trabajo
estar en una fiesta / manifestación	enamorarse por primera vez

● Cuando tenía 24 años, conocí a mi marido.

🖉 7-9

b. Cada día nos pasan cosas. ¿Qué le pasó a Paco? Contad su historia.

4 y (decidir) ir al cine.

5 No (tener) mucho tiempo

3 que (haber) una nueva película con Penélope Cruz

6 porque la película (empezar) a las 20.30 y ya (ser) las 20.15.

7 Por eso (tomar) un taxi.

8 Cuando (entrar) en el coche, (ver) que la conductora (ser) muy guapa.

2 Vi en el periódico

9 Le (dar) la dirección del cine.

1 Era un viernes por la noche y (yo, estar) en casa.

10 Entonces ella me (preguntar): "¿Vas a ver la última de Penélope Cruz?"

11 Le (contestar) que sí y (nosotros, empezar) a hablar de películas.

12 (Haber) mucho tráfico, por eso (llegar) demasiado tarde. "Lo siento mucho", me (decir).

13 "No importa", (yo, contestar) y le (preguntar): "¿Quieres tomar un café conmigo y hablamos un poco más de películas?"

14 Ella (aceptar).

15 Total que a las 22.30 (ir) juntos al cine a ver la película. Así (conocer) a mi pareja.

8 **a. Conectores.**

Ya conoces estas expresiones que sirven para estructurar una historia.
¿Cómo se dicen en tu lengua?

primero	....	un domingo	....	cuando	....
luego	....	al día siguiente	....	mientras	....
después	....	entonces	....	porque	....
al final	....	total que	....	por eso	....

b. Completa este texto con algunos de los conectores y compara con un compañero.

"El sábado pasado no fue mi día: .... me desperté a las seis ....
los vecinos hacían mucho ruido. .... fui al baño y vi que no había agua
caliente. .... no pude ducharme. La calefacción tampoco funcionaba.
.... esperé hasta las ocho y llamé al técnico que me dijo: "Imposible llegar
hasta la tarde." .... hacía mucho frío en casa, me resfrié y ....
me pasé todo el domingo en la cama."

c. Escribe una historia en dos frases utilizando en total tres conectores.

*Un domingo estaba en casa y decidí dar un paseo. Cuando paseaba por el
parque llegó un perro enorme, entonces empecé a correr y en el camino a casa
perdí las llaves.*

9 **a. ¿Sabes qué me pasó ayer?** CD2 ▶▶ 13

Escucha lo que cuenta Irene de su día de ayer y ordena los dibujos.

**b. Escucha otra vez y escribe la historia con ayuda de estos elementos usando
el tiempo verbal correspondiente.**

tener una noche emocionante
ir al cine
ir a tomar una copa
ser tarde
no haber metro
volver a pie
llegar a casa
descubrir
no tener las llaves

mirar las ventanas
haber luz
tocar el timbre
abrir la puerta
ser alto y moreno
explicar la situación
invitar a entrar
encontrar las llaves en el bolsillo

✎ 10, 11

Tarea final Una historia colectiva

**¿Quieres participar en la creación de muchas
historias? Con esta actividad es fácil convertirse
en autor.**

1. En una hoja en blanco cada alumno empieza
   a escribir una historia. Después de tres
   minutos, le pasa la hoja a su compañero
   de la derecha.

2. Cada vez que uno recibe una historia nueva,
   la lee y decide cómo continúa, escribiendo
   una o dos frases.

3. El profesor anuncia el final. Entonces se
   pasa la hoja una vez más y la próxima
   persona decide cómo termina la historia.
   Al final se exponen todas las historias
   en el aula.

*Era un día feo, llovía y
hacía frío.*

*Pero yo estaba contenta
porque era mi primer día
de trabajo.*

La clave está en el pasado

Capítulo 3: El escenario del crimen

Después de hablar con el director, fuimos a ver el
lugar donde estaba guardado el documento. Observar
el lugar es muy importante para la investigación.
Entramos en la habitación.
– ¿Sabe si han cambiado cosas? – le pregunté al
director del museo.
– Sí. Algunas. Tengo una foto de cómo estaba la
habitación antes del robo.

– Fantástico. ¿Me la puede mostrar? Así mi asistente
puede hacer una comparación.
El director me dio la foto que está a la izquierda.
Yo hice la foto que está a la derecha.

*Una tarea para ti, mi asistente: aquí tienes dos fotos del
lugar donde se guardaba el documento. Necesito una
descripción detallada de cómo era antes y después del
robo. ¿Puedes hacerla?*

De fiesta

Las Fallas de Valencia

Del 15 al 19 de marzo Valencia vive las Fallas, una fiesta llena de color, fuego y ruido para celebrar la primavera. ¿Todavía no has estado en las Fallas de Valencia? Pues no has vivido una de las fiestas más espectaculares de España. Me llamo Eva Martínez, soy profesora de español y quiero presentaros esta gran fiesta de mi ciudad.

El nombre viene de unas esculturas enormes de cartón que se llaman "fallas". Estas esculturas están formadas por muchas figuras y pueden tener hasta 20 metros de altura. Cada falla tiene un tema, generalmente de actualidad y de carácter satírico.

Cada barrio de la ciudad tiene su propia falla. Los vecinos se reúnen en asociaciones durante todo el año para prepararla. Después, las fallas se ponen en una plaza o en una esquina del barrio y el día 19 de marzo se queman. Mucha gente que no es de Valencia piensa que estamos locos: todo el año preparamos las fallas y después ¡las quemamos!

Pero no se quema todo: una figura se guarda. No toda la falla, sólo una figura. Hay un concurso y la figura ganadora no se quema, sino que va al Museo de las Fallas.

La fiesta dura cinco días y es muy, muy ruidosa. No sólo porque hay música, sino por el ruido de las explosiones de los petardos. Cada día, a las dos de la tarde, tiene lugar "la mascletá", un juego de petardos que tiene una "melodía". Para nosotros, los valencianos, es música; para los turistas, mucho ruido. Durante el día se visitan las fallas y se come y se bebe por la calle en los numerosos puestos de comida y

una falla

bebida. Por la noche, hay conciertos gratis de artistas muy famosos y a medianoche un espectáculo de fuegos artificiales. Los valencianos somos famosos por los fuegos artificiales. Luego, vamos a bailar y a pasarlo bien en los bares. Y a las ocho de la mañana, la fiesta empieza de nuevo con mucho ruido de petardos para despertar a los vecinos y para recordar que la fiesta sigue.

La noche de San José se queman las fallas. Es un espectáculo de fuego sin igual. De las fallas casi no queda nada. Y entonces ya empezamos a pensar en la fiesta del próximo año. ¿Nos vemos en Valencia?

■ *¿Conoces otra fiesta con figuras grandes? ¿Y con fuego?*
■ *¿En qué ocasiones hay fuegos artificiales en tu país?*

los petardos

la quema de las fallas

Comunicación

Hablar de recuerdos

¿Se acuerda de sus primeras vacaciones en la playa?
¿Recuerdas la moda de los ochenta?
Me acuerdo de los cuentos que me contaba mi hermana.
Recuerdo que una noche mi hermana me pidió un cuento.

Animales

el perro	el toro	el león
el gato	el caballo	la tortuga
el cerdo	la oveja	el ratón
la vaca	el pájaro	el delfín

Hablar de acciones habituales del pasado

Mi hermana y yo dormíamos en la misma habitación.
Mi abuela nos leía cuentos.
Nunca veíamos la televisión.

Hablar de acontecimientos en el pasado

Mi hermana me pidió un cuento antes de dormir.
Pero después de algunas frases se durmió.
Entonces al día siguiente lo repetí.

Diferenciar entre la descripción de una situación y los acontecimientos al relatar

Estaba cansado y me quedé en casa.
No tenía mucho tiempo, por eso decidí tomar un taxi.
Cuando entré en el coche, vi que *la conductora era muy guapa*.
Había mucho tráfico, por eso llegamos demasiado tarde.

Estructurar una historia

primero
luego
después
al final
de pronto

un domingo
al día siguiente
entonces
así que
total que

cuando
mientras
porque
como
por eso

Gramática

Verbos que cambian de significado cuando son pronominales

poner	→	¿Tú **ponías los dientes debajo de la almohada** cuando se te caían?
ponerse + Adj.	→	Cuando me compraban regalos, **me ponía muy contenta**.
ponerse + Subst.	→	Para la fiesta voy a **ponerme los zapatos rojos**.
encontrar	→	Esta mañana **he encontrado diez euros** en el suelo.
encontrarse	→	Esta mañana **me he encontrado con Luis** por la calle.
llamar	→	El teléfono no funciona. Tenemos que **llamar a un técnico**.
llamarse	→	Hola, **me llamo Cristina**. ¿Y tú?
dormir	→	¡Hoy **he dormido** diez horas!
dormirse	→	Cuando me contaban un cuento, **me dormía** más rápido.
quedar	→	**He quedado con unos amigos** para salir esta noche.
quedarse	→	Me han invitado a salir, pero prefiero **quedarme en casa**.

Algunos verbos cambian de significado cuando se usan con pronombre o sin él.

Diminutivos

cosa – cos**ita**	pequeño – pequeñ**ito**
libro – libr**ito**	gordo – gord**ito**
ratón – raton**cito**	bajo – baj**ito**
café – cafe**cito**	viejo – viej**ito** / viej**ecito**

Las terminaciones **-ito/-ita** o **-cito/-cita** se pueden añadir a sustantivos o adjetivos para darles un significado de "tamaño menor" u otros valores relacionados con la valoración afectiva que queremos expresar (cercanía, cortesía, ironía, menosprecio...).
A menudo también se usan para expresar cariño: abuel**ito**.

El uso del indefinido y del imperfecto

Acción principal: indefinido	Descripción, situación, circunstancias: imperfecto
El pulpo **se encontró** con una tortuga	mientras él **paseaba** por la playa.
Ella **se encontró** con un ratón	que **paseaba** por la playa.
Primero el ratón **encontró** un botón.	**Era** blanco, pequeño y brillante.
Al final **volvió** a su casa	que **estaba** en la habitación de un niño.
El ratón **tomó** el diente	porque **era** parecido a la perla.

Mirador A2

Un mirador es un lugar desde donde se puede mirar un paisaje. Aquí te invitamos a reflexionar sobre lo que has aprendido en las tres lecciones anteriores. Además, puedes encontrar consejos para aprender mejor.

Hablamos de cultura: lenguas en el mundo hispano

1 a. ¿Qué sabes de este tema? Marca tus respuestas. A veces hay más de una opción.
Luego lee el texto. ¿A qué preguntas del cuestionario responde?

1. El español
   ☐ es una de las 4 lenguas más habladas.
   ☐ se llama también "castellano".

2. El gallego es
   ☐ un dialecto.
   ☐ una lengua.

3. En gallego hay
   ☐ periódicos y libros.
   ☐ programas de radio.

4. El vasco
   ☐ es una lengua oficial en España.
   ☐ es una lengua románica.

5. La lengua oficial del Perú es
   ☐ el castellano.
   ☐ el quechua.

6. En Bolivia se aprende
   ☐ quechua o aymara en la escuela.
   ☐ el quechua en todas las escuelas.

Las lenguas oficiales de España

¿Recuerdas a José Mujika Eizagirre, el bombero de la unidad 13? ¿Y puedes imaginar por qué en un campeonato creían que era de Afganistán? Es que tiene un nombre vasco.
El vasco es, con el gallego y el catalán, una de las tres lenguas oficiales que se hablan en España además del español o castellano. El vasco se habla en el País Vasco y parte de Navarra y es realmente una lengua muy diferente porque, a diferencia de las otras tres, no viene del latín. En realidad todavía hoy no se conoce su origen.
El gallego se habla en Galicia y es parecido al portugués. El catalán se habla en Cataluña, en la Comunidad Valenciana y en las Islas Baleares. ¿Es

parecido a otras lenguas? Pues un poco al francés y al italiano. Es interesante ver cómo se tr ansforman las lenguas según el lugar geográfico donde se hablan.
¿Quieres saber cómo se dice "buenos días" y "adiós" en cada lengua? Aquí lo tienes en el orden "geográfico": desde el océano Atlántico hasta el mar Mediterráneo.

b. Escucha a unos hispanohablantes y compara con tus respuestas en el cuestionario. CD2 ▶▶ 14
¿Y en tu país? ¿Qué lenguas se hablan? ¿Son todas oficiales? ¿Hay dialectos? ¿Dónde? ¿En qué ocasiones se usan?

16

**similitudes y diferencias culturales • autoevaluación • una imagen
como actividad de expresión oral • estrategias de aprendizaje**

Ahora ya sabemos...

Aquí tienes la posibilidad de valorar lo que has aprendido en las últimas lecciones. Marca en los dibujos de las caras el nivel que crees tener en cada tema. Luego haz las tareas y compara los resultados con un compañero o pregunta a tu profesor si no estás seguro.

2 En la consulta del médico y en la farmacia. ☺ ☺ ☹
¿Qué dice el médico o el farmacéutico? ¿Y qué dice el paciente o cliente?

1. Para el problema de los ojos, puede tomar estas gotas dos veces al día.
2. ¡No sé qué me pasa, pero me duele mucho esta pierna!
3. No he dormido nada. Me siento mal. Hoy estoy fatal.
4. Vamos a ver, le voy a tocar la espalda. ¿Le duele aquí?
5. Tengo fiebre y mucha tos. Puede ser gripe, ¿verdad?

6. Necesito algo para el dolor de garganta. ¿Tiene algún jarabe sin receta?
7. ¿No tiene algo más fuerte para la diarrea?
8. Aquí tiene las pastillas. ¡Que se mejore!
9. ¿Necesito receta para estas gotas?
10. ¿Sabe usted si es alérgico a algún medicamento?

3 a. Experiencias de aprendizaje. CD2 ▶▶ 15 ☺ ☺ ☹
Lee estas respuestas. Después escucha las preguntas 1–4 y pon el número en la respuesta adecuada.

Ahora haz lo mismo con las preguntas 5–8. CD2 ▶▶ 16

☐ Sí, con los tiempos del pasado. Es lo que más me cuesta.
☐ Trabajar en parejas es lo que más me gusta. Así hablo más.
☐ Yo, los ejercicios, así puedo controlar si lo he hecho bien.
☐ Bueno, la "erre" y la "jota" me cuestan todavía.

☐ Sí, pero es un desorden con sistema.
☐ El piano me encanta. Me gustaría aprender a tocarlo.
☐ No, estoy bastante tranquila, es que me he preparado bien.
☐ Comparo mis frases con las reglas, eso me ayuda mucho.

b. Tu mesa de trabajo. ☺ ☺ ☹
En parejas. Describe la mesa donde estudias. ¿Qué cosas hay sobre la mesa y dónde están? Tu compañero la dibuja. Luego al revés.

4 El curso de español. ☺ ☺ ☹
Escribe una carta al director de la escuela donde aprendes español. Comenta los siguientes aspectos.

¿Qué curso hiciste antes que este y qué aprendiste?
¿Qué te gustó del curso y qué no?
¿Quién fue tu profesor, cómo era y qué sabes de él?

Terapia de errores

5 **a. Errores típicos.**
Silvia, una estudiante suiza, vivió un año con una familia española. Lee su carta de agradecimiento y busca los 10 errores. ¿Puedes clasificarlos según estos criterios?

- ortografía / acento   – tiempo verbal   – preposición   – orden de palabras
- concordancia   – forma del verbo   – conector   – pronombre

Querida familia:

¿Qué tal estáis? Yo, bien. Bueno, todavía me estoy adaptando a los horarios de aquí. Volví a mi casa ya desde cuatro meses, pero acuerdo me mucho de vosotros y de España.

Aquí me levanto a las siete y no tengo hambre, pero a las diez por la mañana necesito mi bocadillo de tortilla y mi café con leche cómo en España.

Os escribo porque quiero darles las gracias por el año maravillosa que pasé con vosotros. Me sentí como en mi propia casa y viví muchos experiencias interesantes y divertidas. Vosotros y yo aprendimos que "lo español" y "lo alemán" pueden combinar muy bien. En resumen, era una experiencia fantastica.

Ahora estoy preparado un viaje por Latinoamérica. Maite, ¿me acompañas?

Un abrazo a todos,
Silvia

b. Compara tus resultados con los de un compañero y explica tu decisión.
Luego entre todos se reescribe la carta sin errores para guardarla en el dosier.

Una imagen que da que hablar

6 **a. Al mirar un cuadro nos podemos hacer preguntas, incluso si no vamos a tener las respuestas.**
Primero mira el cuadro durante dos minutos y después cierra los ojos. ¿Qué recuerdas?

b. ¿Por qué el perro no juega con la pelota? ¿Quién es el señor de la cruz?
Estas son preguntas que alguien se ha hecho al mirar el cuadro. Y a ti, ¿qué te gustaría "preguntar" al pintor? Formula cinco preguntas. Luego, en grupos de tres, elegid las cinco más originales y presentadlas a la clase.

Equipo Crónica: Reinterpretación de las Meninas, España 1970

Aprender a aprender

7 **a. ¿Aprendes mejor hablando o cantando?**

Según los especialistas, todos tenemos ocho tipos de inteligencias, pero cada uno de nosotros puede tener unas más desarrolladas que otras. Eso tiene influencia en nuestra forma de aprender. Para ver si tienes una inteligencia dominante, marca con un color las cosas que te gusta hacer o que te parecen fáciles. ¿Dónde hay más color?

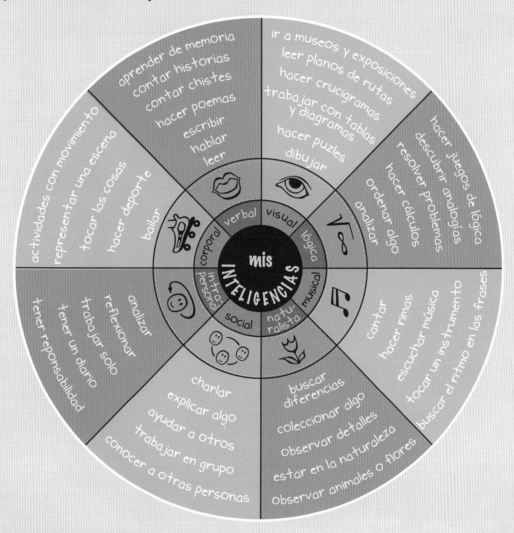

b. Ejercicios 'inteligentes'. Relaciona.

Ahora ya sabes qué inteligencias usas más. Vuelve a algunos ejercicios del libro. La mayoría de ellos tiene en cuenta una o dos inteligencias específicas. ¿A qué inteligencias crees que corresponden?

actividad	tipo de inteligencia
pág. 132, 2b	verbal
pág. 133, 4	visual
pág. 134, 6c	lógica
pág. 135, 8b	corporal
pág. 144, 2b	musical
pág. 149, 11	naturalista
pág. 150, tarea final	social
pág. 156, 3a	intrapersonal

c. Comenta las actividades con tus compañeros. ¿Te gustó hacerlas?

Si es así, probablemente coinciden con tu inteligencia dominante. Si no te gustaron, no te preocupes, seguramente no corresponden a tu forma preferida de aprender.

Lo quiero todo

formular preguntas y deseos en una tienda • describir el material y la forma de la ropa • referirse a objetos mencionados • elegir entre dos opciones • indicar el inicio, la continuación y el final de una historia

1 **a. ¿Cómo compramos?**

¿Tienes una tienda favorita? ¿Cuál?
¿Te gusta ir a los mercadillos?
¿Hay uno en tu ciudad? ¿Dónde? ¿Cuándo?
¿Has comprado alguna vez algo en un mercadillo? ¿Qué? ¿Dónde?
¿Sabes qué es **regatear**? ¿Sabes hacerlo?

b. Escucha dos diálogos. ¿A qué fotos se refieren? CD2  17 – 18

c. Escribe en cinco minutos una lista de todo lo que se puede comprar en estas tiendas.

panadería | zapatería | carnicería | frutería | verdulería | farmacia | papelería | droguería | tienda de ropa | tienda de antigüedades | librería

De compras en el Rastro

2 **a. El Rastro de Madrid.**
Lee el texto y marca las informaciones sobre los horarios y las cosas que se pueden comprar allí. ¿Hay mercadillos parecidos en tu ciudad?

El Rastro, más que un mercadillo

Los domingos y festivos de 9 h a 15 h los madrileños practican una de sus actividades favoritas: ir al Rastro, el mercadillo más típico de Madrid y casi de España. El Rastro está en Embajadores, un barrio del centro con mucha tradición, y se puede decir que todos los madrileños han comprado alguna vez algo allí.

En el Rastro se puede encontrar de todo. Si alguien busca libros, algún mueble para la casa, ropa de segunda mano, alguna revista antigua, arte, algo que colecciona... tiene que ir al Rastro. Nadie sale con las manos vacías.

La mejor hora para ir es a partir de las 11 h, pero algunos van antes porque es más tranquilo y se puede regatear mejor, es decir, negociar el precio con los vendedores. Regatear bien es un arte.

Para terminar la visita al Rastro, lo mejor es ir a tomar unas tapas con un vasito de vino o una cerveza fresca en alguno de los bares típicos de la Plaza de Cascorro.

Alguno y **ninguno** se transforman en **algún** / **ningún** cuando acompañan a un sutantivo:
Algún mueble para la casa.

Cuando **nada**, **nadie** y **ningún, ninguno/-a** van después del verbo, hay que usar **no** antes de este:
No compro **nada**.

b. Lee la tabla de los pronombres indefinidos.
¿Cuáles se refieren a personas, cuáles a cosas y cuáles a las dos?

solo, invariable	hace referencia a un sustantivo	
• ¿Usted colecciona **algo**? ○ No, **nada**. **Alguien** busca libros antiguos. **Nadie** sale con las manos vacías. Me gusta **todo**.	todo/-a/-os/-as alguno/-a/-os/-as ninguno/-a/-os/-as	Toda la gente va al Rastro. Algunos regatean. • ¿Tiene algún reloj? ○ No, ninguno.

c. Mira las fotos de las páginas 170 y 171 y decide si estas frases son verdaderas o falsas.
Luego, corrige las falsas.

1. Todos los hombres llevan gafas.
2. Alguien fuma pipa.
3. Hay algunos objetos de cerámica.
4. No hay ningún cuadro.
5. Alguien regatea el precio de un libro.
6. No hay nada de cristal.
7. Ninguno de los sombreros es negro.
8. Nadie mira el caballo de bronce.
9. En todas las fotos hay algo de color rojo.
10. No hay ninguna mujer.

 1-3

3 **a. Escucha a estas personas que han comprado algo y relaciona los diálogos con los objetos.** CD2 ▶▶ 19-22

b. Escucha otra vez y luego lee estos extractos de los diálogos.
¿Para quién son los objetos que han comprado: para la persona que habla,
para sus amigas, para su padre o para su hermana?

> **Me lo** he comprado esta mañana en el Rastro. Desde hace mucho tiempo quería uno así, de bronce y de estilo barroco.

> **Las** tenían en oferta. Pagabas dos pares y te llevabas tres. Quería regalar**les** algo a las dos. Como sé que **les** van a gustar, **se las** he comprado.

> **La** he comprado yo, pero voy a regalár**sela** a Malena para su comedor. ¿Verdad que es bonita?

> No, no son para mí. Desde que está jubilado **los** colecciona. Por eso **se los** he comprado.

¿Recuerdas?

Lo La Los Las	venden en el Rastro.
Me Te Le Nos Os Les	gusta mucho.

c. Ya conoces los pronombres de objeto directo (OD) e indirecto (OI). ¿Qué pasa si aparecen juntos? Completa la regla.

	OI	OD	
¿El espejo?	Me	lo	
¿La lámpara?	Te	la	
¿Los sellos?	~~Le~~ Se	los	he comprado en el Rastro.
¿Las sandalias?	Nos	las	
	Os		
	~~Les~~ Se		

El pronombre indirecto siempre va .... del directo. En la 3ª persona de singular y de plural **le / les** se convierten en .... :
Le compro una lámpara.
Se la compro.

4 **Malena ha ordenado el sótano de su casa y escribe este correo a un amigo.**
Por un error del programa de corrección, el ordenador ha eliminado los pronombres.
Reescribe el texto con los pronombres. La tabla de la página 181 te puede ayudar.

 4, 5

> Hola Jaime:
>
> Ayer empecé a ordenar el sótano y vi que tengo demasiadas cosas. Por ejemplo tengo todavía tu ordenador viejo. Tengo que devolver **a ti el ordenador**. ¿O puedo tirar **el ordenador**?
> También encontré una caja con libros. Los libros de ciencia ficción le gustan mucho a Pablo, así que doy **los libros de ciencia ficción a Pablo**. Está muy contento y va a venir esta noche a buscar **los libros de ciencia ficción**.
> ¿Recuerdas que compré una maleta en el Rastro? Es roja y de cuero. Ahora veo que tengo tres, así que en realidad no necesito **la maleta**. Creo que Amelia necesita una. ¡Pues regalo **la maleta roja a Amelia**!
> ¿Y sabes que tengo todavía las sillas que Fran y Marisa me prestaron? Voy a devolver **las sillas a Fran y a Marisa** mañana, porque necesitan **las sillas** este fin de semana para su fiesta. Me parece que soy una consumista, tengo muchas cosas, demasiadas.
>
> Un abrazo,
> Malena

material

de cuero ✦
de seda 🫛
de lana 🌀
de algodón

5 **a. Has ganado estos objetos y se los quieres regalar a tus compañeros.**
¿A quién se los regalas? Apunta el nombre al lado de cada objeto. Después pregunta a un compañero qué hace con cada objeto. Luego, al revés.

- ● ¿Qué haces con la bicicleta rosa?
- ○ Se la doy a Martina para su hija.

- – una bicicleta rosa
- – un cocodrilo de plástico para la bañera
- – una camiseta con la foto de Shakira
- – un oso de peluche de dos metros

- – un póster del equipo del Real Madrid
- – un libro de cocina china: "Cómo cocinar insectos"
- – unos pantalones rojos de cuero

b. Piensa en cuatro regalos que has recibido: el más original, el que más te gusta, el más inútil y el más feo. ¿Quién se los regaló?

- ● El más original fue un bolígrafo con luz. Me lo regaló mi amiga Patricia.

Gastando dinero

6 **a. Una pareja va de compras. Escucha y lee. ¿Cuál es el problema?** CD2 ▶▶ 23

- ● ¿Les puedo ayudar en algo?
- ○ Pues sólo queríamos mirar…
- ■ ¡Mira, Juan! ¡Qué vestido más bonito! Perdone, ¿me lo puedo probar?
- ● Claro. Allí están los probadores.
- ○ ¿Cómo te queda, Ana?
- ■ Muy bien, muy bien.
- ○ A ver… ¿No te queda estrecho? ¿Seguro que no necesitas una talla más grande?
- ■ No, no. La talla 38 es mi talla.
- ○ Vale, vale.
- ● ¿Y? ¿Qué tal? ¿Qué le parece el vestido?
- ■ Muy bien, pero me queda un poco largo.
- ○ Sí, sí, largo…

b. Escucha dos diálogos en otras tiendas. ¿Dónde tienen lugar? CD2 ▶▶ 24 – 25
Completa y marca la opción correcta.

1. En una ....
a. Los zapatos
☐ no están rebajados.
☐ tienen un 40 % de descuento.
b. El hombre
☐ calza el 43.
☐ no se prueba los zapatos.
c. El cliente quiere pagar
☐ con tarjeta de crédito.
☐ en efectivo.

2. En una ....
a. La clienta
☐ tiene un problema con un jersey.
☐ quiere comprar un jersey.
b. La clienta quiere
☐ probarse el jersey.
☐ cambiar el jersey.
c. La clienta
☐ no tiene el ticket de compra.
☐ necesita el ticket de compra.

¿Recuerdas?

Se la doy **a Martina**.
¿Qué **le** gusta **a su madre**?

 6 – 8

recursos para comprar

Sólo quería mirar.
¿Lo tiene en una talla más?
¿Lo tiene en otro color?
¿Me lo puedo probar?
¿Cuánto cuesta?
¿Lo puedo cambiar?

¿Qué número calza?
Está rebajado/-a.
¿Paga con tarjeta?
¿Paga en efectivo?

 9

c. Elige tres de los recursos para comprar de la página 174. Imagina qué frase se ha dicho antes. Después presenta el minitexto a la clase.

- ¿Qué desea?
- Sólo quería mirar.

- El violeta no me gusta. ¿Lo tiene en otro color?

7 a. Comprando.
Una empresa de venta por internet quiere conocer los hábitos de compra de sus clientes. Contesta las preguntas. Después se comparan las respuestas de la clase. ¿Observáis tendencias?

¡Conteste estas preguntas y gane un viaje a Tenerife!
→ ¿Qué edad tiene?
→ ¿En qué tipo de tiendas compra regularmente: supermercado, mercado, tienda del barrio...?
→ ¿Cuál de estas tiendas ofrece un servicio online?
→ ¿Qué productos ha comprado ya por internet?
→ Si compra por internet, ¿cuáles son sus motivos?
→ ¿Qué importancia tiene la marca para usted?
Gracias por su colaboración.

b. Lee otra vez las preguntas del cuestionario.
¿Cuándo se usa **qué** y cuándo se usa **cuál / cuáles**? Completa la regla y añade un ejemplo en cada columna de la tabla.

qué	cuál/es
¿Qué has comprado en el Rastro?	¿Cuál es su color favorito?
¿Qué prefiere, tiendas o mercadillos?	¿Cuál de estas tiendas ofrece un
¿Qué productos compra usted por internet?	servicio online?

Cual nunca precede a un sustantivo:
¿Cuál ~~vestido~~ quiere?

 10

c. En parejas. Primero completa las preguntas con qué, cuál o cuáles. Luego pregunta a tu compañero. Después, al revés. ¿Podéis ir de compras juntos?

1. ¿................. tipo de tiendas de ropa prefiere?
2. ¿................. son las tiendas donde compra regularmente?
3. ¿................. tienda de bricolaje puede recomendar? ¿Por qué?
4. ¿................. es la tienda que está más cerca de su casa?
5. ¿................. compra usted por internet?
6. ¿................. ha sido su compra más cara este año?

8 El precio de las cosas.

¿Estás dispuesto/-a...
- a pagar por un kilo de patatas biológicas el doble que por las normales?
- a pagar 2 € por un billete de metro para ir sólo hasta la próxima parada?
- a pasar por tres supermercados para comprar en cada uno los productos más baratos?
- a pagar 120 € por una entrada de un concierto de tu cantante/grupo favorito?

El precio de la fama

9 a. Una canción que vale millones: ¿conoces la canción "Borriquito"?
Con esta famosa rumba llegó el éxito del cantante Peret. Lee el texto
y marca las palabras relacionadas con la música.

Peret, una vida de ida y vuelta

La rumba tiene su origen en Cuba, pero en los años 50
la comunidad gitana de Barcelona empieza a mezclar la rumba
tradicional con los ritmos andaluces y el rock. Así nace la "rumba catalana".
Peret, el "rey" de la rumba, nace en 1936 en Mataró (Barcelona). Su nombre real es Pere
Pubill Calaf y viene de una familia gitana. No puede ir a la escuela porque tiene que
ayudar a su padre en el trabajo, pero aprende solo a leer y también a tocar la guitarra.
Peret empieza a cantar muy joven. Como no tiene éxito, sigue trabajando como
vendedor con su padre, pero su mujer, Sarita, lo anima a seguir cantando. En los
años 60 encuentra trabajo en un tablao flamenco en Madrid. Entonces deja de
trabajar con su padre y se dedica a la música.
A finales de los años 60 Peret es ya uno de los cantantes más famosos en España,
es el favorito del público, gana mucho dinero y empieza a llevar una vida de lujo.
En 1974 representa a España en el Festival de Eurovisión, pero su mayor éxito es
la rumba "Borriquito", que es también número uno en Holanda y Alemania.
Pero la fama tiene su precio. Dinero, fiestas, ... Peret sufre una grave
crisis en el año 1982 y decide abandonar su carrera musical. Deja de
cantar y se dedica completamente a la Iglesia Evangélica como pastor
y predicador. Ahí encuentra más satisfacción que en el mundo del
espectáculo y durante años sigue sin cantar en público.
En 1992 vuelve a cantar en los Juegos Olímpicos de Barcelona. En
el año 2000 vuelve a grabar un disco.
Para muchos artistas Peret sigue siendo un modelo y un maestro.

b. Contesta estas preguntas sobre Peret con las informaciones del texto.

1. ¿Cuándo **empieza a** cantar?
2. ¿Por qué **sigue trabajando** con su padre?
3. ¿Quién lo anima a **seguir cantando**?
4. ¿Cuándo **empieza a** llevar una vida de lujo?
5. ¿Por qué **deja de** cantar?
6. ¿En qué ocasión **vuelve a** cantar?

c. ¿Cómo se dice en tu lengua? Escríbelo en la siguiente tabla.

perífrasis verbales	
empezar a + infinitivo	....
seguir + gerundio	....
dejar de + infinitivo	....
seguir sin + infinitivo	....
volver a + infinitivo	....

11, 12

d. Cinco preguntas a Peret.
Prepara una entrevista al cantante Peret. Escribe cinco preguntas usando los interrogativos: **quién, cómo, cuándo, dónde** y **por qué**. Después, cada uno presenta sus preguntas y se eligen las diez más interesantes.

10 **¿Puedes resumir las frases usando las expresiones del cuadro de la página 54?**

1. Antes íbamos mucho al cine, por lo menos una vez por semana. Ahora tenemos DVD y vemos las películas en casa.
   Hemos dejado de ir al cine.
2. Yo canto en un coro. Desde hace unos meses tengo un nuevo trabajo y tengo que viajar mucho. Pero intento ir a todos los ensayos del coro.

3. Cuando era joven, Fernando tocaba la guitarra. Mientras trabajaba como representante no tenía tiempo. Pero ahora está jubilado y toca incluso en un grupo de jazz.

4. Mi padre coleccionaba sellos. Hace poco vendió su colección.

5. Me encanta leer y tengo la casa llena de libros. Un amigo me recomendó ir a la biblioteca en vez de comprarlos. Me pareció una buena idea, ahora voy regularmente.

6. Mis padres nunca han hecho deporte. El médico les dice que tienen que hacer algo, pero no les gusta y no lo hacen.

11 **a. Haced una encuesta en la clase. ¿Quién encuentra primero a una persona para cada aspecto?**

¿Quién de la clase
- ha dejado de fumar?
- ha empezado a aprender algo nuevo este año?
- sigue viviendo en la ciudad donde nació?
- sigue trabajando en la misma empresa desde hace más de 10 años?
- ha vuelto a casarse el año pasado?
- sigue sin recordar los indefinidos irregulares?
- ha vuelto a olvidar los deberes?

b. ¿Quieres cambiar tu vida?
Completa este pequeño poema. Luego se leen las diferentes versiones en la clase.

Mis buenos propósitos
Voy a cambiar mi vida.
¿Cómo? Me preguntas.
Empiezo a _____
y dejo de _____
Sigo _____
y vuelvo a _____
Voy a cambiar mi vida.
¿Cuándo? ¿Me preguntas?
Mañana, mañana.

Tarea final De compras

Un guión para un diálogo en una tienda.

1. En parejas. Elegid dos perfiles de personas, una tienda y una situación. Escribid un diálogo con instrucciones para representarlo. Para inspiraros, podéis revisar los diálogos de la unidad.

Perfiles
- Un vendedor amable
- Un vendedor antipático
- Un cliente complicado
- Un cliente que regatea

Tiendas
- Una boutique exclusiva
- Un mercadillo
- Una tienda de muebles y objetos de decoración

Situación
- Comprar un producto
- Cambiar un objeto
- Problema para encontrar el producto deseado

2. Luego cada pareja recibe el diálogo de otra y lo representa.

En una tienda de muebles de diseño: una vendedora amable y una clienta complicada.
Ella no encuentra lo que quiere.

(Una señora elegante entra en una tienda.)
- Buenas tardes.
+ Buenas tardes.
- Quería una silla elegante pero cómoda.
+ ¿Qué le parece esta?
- Esa es elegante ¿pero cómoda? No me gusta. ¿Tiene otras?
(La vendedora busca otras sillas.)
...

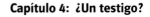

La clave está en el pasado

Capítulo 4: ¿Un testigo?

El siguiente paso era hablar con el vigilante. Se llamaba Antonio, estaba muy nervioso y parecía muy cansado. Tenía los zapatos y los pantalones sucios de barro.
- ¿Me puede contar qué pasó? – le pregunté.
- La noche empezó mal, llegué diez minutos tarde al trabajo y, además, la máquina de café no funcionaba.
- ¿A qué hora empieza usted a trabajar?
- A las nueve.
- Pero ayer llegó un poco tarde.
- Sí, a las nueve y media. Llovía mucho y había mucho tráfico. Siguió lloviendo hasta hace un momento. Entré, me puse el uniforme,…
- ¿Los zapatos son también parte del uniforme?
- Sí. Son zapatos especiales porque tenemos que movernos sin hacer ruido.
- Muy interesante. ¿Qué hizo después?

- Después hice mi ronda de control. Cada hora controlo todas las salas. Cuando terminé la ronda, busqué unas monedas para comprarme un café y observé las pantallas de las cámaras de vigilancia. En la ronda de las cuatro descubrí el robo.
- ¿Qué vio?
- Que la ventana de la oficina del director estaba rota. Desde fuera, porque los cristales de la ventana estaban dentro de la habitación.
- ¿Qué hizo cuando descubrió el robo?
- Llamé al director y esperé.
- ¿No salió del museo?
- No. Todavía no.
- Entonces dice usted mentiras.
- ¿Yo?
- Sí. Tres veces ha mentido usted.

Lee atentamente el testimonio del vigilante. ¿Has encontrado las tres contradicciones?

la Virgen de la Macarena

un paso

De fiesta

La Semana Santa

nazarenos

Hola, me llamo Charo Torres y soy sevillana, pero ahora vivo y trabajo en Alemania. ¿Una fiesta importante de mi ciudad? Pues, la Semana Santa que recuerda la pasión y la muerte de Jesucristo. Claro que esta fiesta cristiana se celebra en toda España y Latinoamérica en la semana antes de Pascua, pero la de Sevilla es la más espectacular. Para nosotros, los sevillanos, claro. Si preguntas en Málaga o Granada, te van a decir otra cosa… Pero bueno, yo os cuento cómo es en Sevilla.

¿Por qué es tan bonita? Porque aquí la Semana Santa se vive con una intensidad especial. En mi familia todos somos miembros de la "cofradía" de la Virgen de la Macarena, una de las casi 60 asociaciones de católicos que organizan las procesiones y cuidan todo el año los "pasos". Los pasos son unas figuras enormes que representan diferentes escenas (o pasos) de la pasión de Cristo o una imagen de la Virgen María. Mi preferida es la Macarena, por supuesto, una figura preciosa del siglo XVII que sale el Viernes Santo en la procesión. Aquí tenéis una foto.

Cada día de la Semana Santa hay procesiones de diferentes cofradías que recorren con sus pasos las calles llenas de gente.

Los "costaleros" de cada cofradía llevan el paso a hombros. No es fácil porque un paso puede pesar hasta seis toneladas. Por eso tienen que parar después de algunos metros para descansar y tomar fuerza. Entonces todo el mundo espera en silencio. Uno de los momentos más emocionantes es cuando vuelven a levantar el paso después de una pausa. Entonces se rompe el silencio y se escuchan aplausos y gritos.

Algo especialmente fascinante y misterioso de la Semana Santa andaluza son las "saetas". Así se llaman unos cantos improvisados que se cantan espontáneamente a las imágenes de los pasos. Cuando una persona empieza a cantar, toda la procesión se para. Las saetas tienen una melodía muy especial y recuerdan la tradición musical del flamenco y la música árabe. Son muy difíciles de cantar.

Pero quizás lo más famoso de nuestras procesiones son los "nazarenos", los miembros de la cofradía que acompañan el paso. Llevan una capucha muy alta, que cubre toda la cara menos los ojos, y una capa muy larga con los colores de la cofradía. Algunos van descalzos.

■ *¿Se celebra la Semana Santa en tu país? ¿Qué se hace? ¿Hay también procesiones?*
■ *¿Se come algo especial el Viernes Santo o el Domingo de Pascua?*

Comunicación

Describir la ropa

> ancho/-a
> estrecho/-a
> corto/-a
> largo/-a

Decir de qué material está hecho algo

una chaqueta	de seda
	de lana
	de cuero
	de algodón

Indicar el inicio, la continuación y el final

> Peret empieza a cantar muy joven.
> Pero sigue trabajando como vendedor.
> Después de una crisis deja de cantar.
> Vuelve a cantar en los Juegos Olímpicos.

Preguntas y expresiones en una tienda

> ¿Qué talla tiene/-s?
> ¿Qué número calza/-s?
> Está rebajado/-a.
> ¿Paga/-s con tarjeta o en efectivo?
> Sólo quería mirar.
> ¿Lo / La tiene/-s en una talla más / menos?
> ¿Lo / La tiene/-s en otro color?
> ¿Cuánto cuesta?
> ¿Me lo / la puedo probar?
> ¿Dónde están los probadores?
> ¿Lo / La puedo cambiar?
> ¿Me devuelven el dinero?

Gramática

El uso de qué **y** cuál/cuáles

> ¿**Qué** has comprado en el Rastro?
> ¿**Qué** prefieres: tiendas o mercadillos?
> Tenemos blusas y camisetas. ¿**Qué** quiere probarse?
> ¿**Cuál** es la tienda que está más cerca de tu casa?
> Si compra por internet, ¿**cuáles** son sus motivos?
> Tengo una blusa de seda y otra de algodón. ¿**Cuál** prefieres?

Se usa **¿qué?** para preguntar por la identidad de algo
en general o para escoger entre elementos diferentes.
Se usa **¿cuál?/¿cuáles?** para preguntar por cosas dentro de
un conjunto ya conocido o para escoger entre diferentes
cosas dentro de un tipo de elementos:
¿**Cuál** de las blusas te gusta más?
¿Cuál/cuáles? nunca va delante de un sustantivo:
¿Cuál blusa quiere?

Perífrasis con infinitivo y gerundio

empezar a hacer
volver a hacer
ir a hacer
dejar de hacer
seguir haciendo
seguir sin hacer

Pronombres indefinidos

invariables
¿Usted colecciona **algo**?
No, no colecciono **nada**.
Quiero comprar **todo**.
Alguien busca libros antiguos.
Nadie sale con las manos vacías.

variables	
todo/-a/-os/-as	**Toda la** ciudad va al Rastro.
	Todos los madrileños compran algo.
alguno/-a/-os/-as	¿Tienen **alguna** revista antigua?
ninguno/-a/-os/-as	Lo siento, no tenemos **ninguna**.

Algo, **nada** y **todo** se refieren a cosas, **alguien** y **nadie** a personas.
Los pronombres variables se refieren siempre a un sustantivo,
aunque no se mencione.
Alguno y **ninguno** se convierten en **algún / ningún** cuando preceden
a un sustantivo masculino: Buscamos **algún** mueble para la casa.
Cuando **nada**, **nadie** o **ninguno/-a/-os/-as** van detrás del verbo
tiene que ir obligatoriamente un **no** delante de este:
Hoy **no** compro **nada**.

Pronombres de objeto directo e indirecto

indirecto	directo	combinados	
me	me	me	
te	te	te	
le	lo, la	**se**	lo/la/los/las
nos	nos	nos	
os	os	os	
les	los, las	**se**	

Los pronombres directos e indirectos solo se diferencian
en la 3ª persona. Cuando hay dos pronombres en la frase,
el indirecto va delante del directo:
Me lo compro.
Cuando coinciden dos pronombres de 3ª persona,
le/les se convierten en **se**.
Los pronombres de objeto preceden al verbo;
pero, al usar un infinitivo, pueden colocarse justo
detrás de este:
Quiero comprár**melo**.

¡Qué amable!

A2

¡Enhorabuena! Nos alegramos mucho por el nacimiento del pequeño Martín.
Un beso grande para los papás y el bebé.
Verónica y Gustavo

Delta Construcciones cumple 100 años

Le invitamos cordialmente a la fiesta de nuestro centenario el próximo sábado a las 19:00 h en el Hotel Ritz, Avda. de Mayo, 1111.

Queridos abuelos:
Muchísimas gracias por el regalo de cumpleaños. ¡Es hermoso! Ha sido realmente una sorpresa, de verdad. Gracias otra vez.

Besos,

Marcela

Flores para mamá. En la mayoría de los países hispanohablantes el día de la madre se celebra el segundo domingo de mayo, pero en España es el primero. Y en Argentina es el tercer domingo de octubre.

18

felicitar • invitar • presentar a alguien • dar un regalo • ofrecer algo • pedir permiso • dar consejos

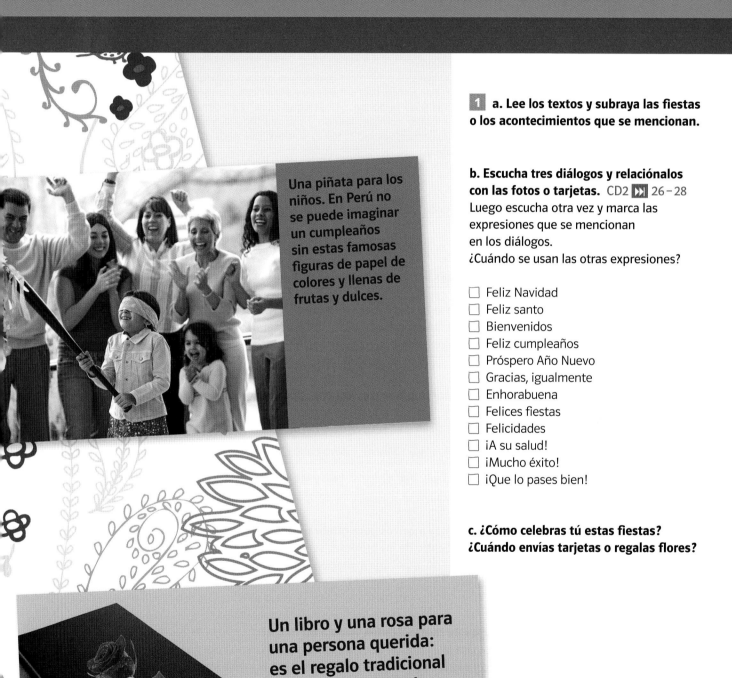

Una piñata para los niños. En Perú no se puede imaginar un cumpleaños sin estas famosas figuras de papel de colores y llenas de frutas y dulces.

1 a. Lee los textos y subraya las fiestas o los acontecimientos que se mencionan.

b. Escucha tres diálogos y relaciónalos con las fotos o tarjetas. CD2 ▶▶ 26–28
Luego escucha otra vez y marca las expresiones que se mencionan en los diálogos.
¿Cuándo se usan las otras expresiones?

☐ Feliz Navidad
☐ Feliz santo
☐ Bienvenidos
☐ Feliz cumpleaños
☐ Próspero Año Nuevo
☐ Gracias, igualmente
☐ Enhorabuena
☐ Felices fiestas
☐ Felicidades
☐ ¡A su salud!
☐ ¡Mucho éxito!
☐ ¡Que lo pases bien!

c. ¿Cómo celebras tú estas fiestas? ¿Cuándo envías tarjetas o regalas flores?

Un libro y una rosa para una persona querida: es el regalo tradicional en Cataluña el 23 de abril, que es el día de Sant Jordi y también el día del libro.

Te invito a mi fiesta

2 **a. ¿Te gusta organizar fiestas? ¿En qué ocasiones lo haces? ¿Dónde?**
¿Se baila? ¿Cuál fue la última fiesta que organizaste?

b. Lee esta invitación. ¿Cuándo, dónde y por qué tiene lugar la fiesta?

> Queridos amigos:
> ¿Sabéis qué pasa el próximo sábado? ¡Es mi cumpleaños! Esto hay que celebrarlo, ¿no? Estáis todos invitados a mi fiesta, que es en mi casa y empieza a las 9 de la noche. ¿Hasta qué hora? Eso depende de vosotros, porque va a haber comida, bebida y música toda la noche.
> Vais a venir todos, ¿verdad? ¿Me lo confirmáis? Aquí os espero.
> Hasta el sábado.
> Un abrazo,
> Adriana
>
> ¿Alguien puede traer música para bailar? Es que no sé si tengo suficiente.

c. Algunas amigas llaman a Adriana. Marca las opciones correctas. CD2 ▶▶ 29–31

1. ☐ Cristina va la fiesta. ☐ Cristina no puede ir a la fiesta.
2. ☐ María va a llevar música. ☐ María va a llevar un pastel.
3. ☐ María quiere llevar a su novio. ☐ María quiere llevar a un amigo.

d. María habla por teléfono con Adriana. Observa lo que dicen.

ir, venir y llevar, traer	ubicación
María: "Adriana, **voy** a tu fiesta y **llevo** cedés."	*María no está en casa de Adriana.*
Adriana: "¡Qué bien! **Vienes** a mi fiesta y **traes** cedés."	*Adriana está en su casa.*

Recuerda:
ir y **llevar** → de aquí a ahí
traer y **venir** → de ahí a aquí

3 **a. Siempre hay motivos para celebrar una fiesta.**
Decide qué día dentro de las próximas semanas quieres celebrar una fiesta.
Luego escribe en un papel una invitación explicando el motivo de la fiesta, cuándo y dónde es, etc.

b. En grupos de cuatro. ¿Quién viene a mi fiesta?
Cada uno pasa la invitación que ha escrito a otra persona del grupo, que decide si va o no a la fiesta y escribe una respuesta. Después pasa la invitación al siguiente, que también contesta por escrito. ¿Quién va a tu fiesta?

invitar	contestar por escrito
¿Qué haces el sábado? Es que doy una fiesta en mi casa. El sábado doy una fiesta, estás invitado/-a. El sábado celebro mi santo, ¿te apetece venir? Te escribo para invitarte a…	Gracias por la invitación. Voy con mucho gusto. ¿Llevo algo para comer o beber? ¡Hasta el viernes!

 1–3

¿Recuerdas?

Aceptar:
Vale, perfecto.
¡Claro! ¡Por supuesto!

Rechazar:
Me encantaría, pero…
Lo siento, pero es que…

¡Qué buen ambiente!

4 **a. En la fiesta de Adriana pasan muchas cosas.** CD2 ▶▶ 32 – 36

Lee y escucha los diálogos. Subraya las diferencias que hay entre el texto escrito y el que escuchas. Luego escucha otra vez (con pausas) y apunta las expresiones diferentes.

b. Busca en los diálogos y en las frases que has apuntado las expresiones para...

	¿Qué se dice?	¿Cómo se reacciona?
entregar un regalo:	Toma. Te he traído una cosita.	
presentar a alguien:		
ofrecer algo:		
pedir permiso:		

✎ 4, 5

5 a. En parejas. Escribid un diálogo entre la anfitriona y un invitado.
Aquí tenéis el guión. Después representadlo.

INVITADO

1. saluda y felicita
3. entrega un regalo

6. reacciona
8. reacciona (acepta / rechaza)
9. quiere bailar con la anfitriona
11. tiene que irse

ANFITRIONA

2. reacciona
4. reacciona
5. presenta al invitado a otro invitado
7. ofrece algo para beber y comer

10. reacciona
12. reacciona

b. El gran juego de la conversación social.

Se juega en grupos de 3 ó 4 con una moneda: cara = se avanza una casilla, cruz = tres casillas. Está permitido consultar la tabla de la página anterior. Si se cae en la misma casilla que un compañero, se puede repetir la frase.

1
¿Qué dices?

2
Tu compañero de la derecha y el de la izquierda no se conocen.
Tú los presentas.

3
Dibuja (o escribe) un regalo en un papel y dáselo a tu compañero de la derecha. Él reacciona.

4
Tu invitado no quiere postre, pero tú insistes. ¿Qué dice cada uno?

8
Recibes este mensaje de móvil: "Esta noche fiesta en mi casa, ¿vienes?"
¿Qué contestas?

7
La fiesta te gusta mucho. Coméntaselo a los otros invitados.

6
¿Qué dices para ofrecerla?
Tu compañero de la izquierda reacciona.

5
Tu compañero te comenta que tiene un nuevo trabajo muy bueno. ¿Cómo reaccionas?

9
¿Qué dices para ofrecerlo?
Tu compañero de la derecha rechaza y da una explicación.

10
Tu compañero de la izquierda te invita a una fiesta, pero no puedes ir.
Represéntalo.

11
Una invitada te desea ¡Feliz Navidad!
¿Qué le contestas?

12
Te gusta mucho la comida. ¿Qué le dices a la anfitriona?

Meta:
¡Enhorabuena!
Ya dominas la conversación social.

c. En parejas. ¿Recuerdas una fiesta en la que estuviste?
Cuéntasela a tu compañero. Después algunos voluntarios cuentan la fiesta de su compañero a toda la clase.

motivo de la fiesta | tipo de invitación (desayuno / cena…) | lugar de la fiesta | regalo | personas invitadas | actividades (bailar…) | pasarlo bien / aburrirse

¡Pasa, pasa!

6 **a. Cierra los ojos y escucha este poema. ¿Qué palabras recuerdas?** CD2 ▶▶ 37

Ven a mi fiesta.
Pasa, pasa.
Mi casa es tu casa.
Entra, entra,
aquí están tus amigos.
Ponte, ponte,
¿no quieres más comida?
Come, come,
todo esto es para ti.
¿Qué tal la fiesta?
Pasa, pasa.

Pasa, pasa.
Mi casa es tu casa.
Bebe, bebe
y brinda con nosotros.
Dime, dime,
¿te gusta esta música?
Baila, baila
hasta el amanecer.
Se acabó la fiesta.
Vuelve pronto.
Mi casa es tu casa.

b. Ahora escucha y lee el poema. Intenta memorizar por lo menos dos líneas.
Después, cierra el libro y escríbelas.

c. Entre todos intentad reconstruir el poema con los versos que habéis apuntado.

7 **a. Busca en el poema las formas del imperativo y completa la tabla y la regla.**

	pas**ar**	beb**er**	abr**ir**		poner	venir	decir
tú	....	....	abre		pon	ven	di
usted	pas**e**	beb**a**	abr**a**		ponga	venga	....
ustedes	pas**en**	beb**an**	abr**an**		pongan	vengan	digan

En el imperativo de **vosotros** la **-r** del infinitivo se cambia por una **-d**: pasa**d**, bebe**d**, veni**d**. Los verbos con cambio vocálico en presente lo mantienen en el imperativo: v**ue**lve, c**ie**rren.

b. Transforma el poema utilizando las formas de usted.

c. En parejas. El juego del robot.
Elige cinco actividades y escribe imperativos en la forma de **usted**. Da las órdenes a tu compañero, que tiene que hacer lo que tú dices. Luego al revés.

escribir su nombre en la pizarra | cerrar el libro | cruzar las piernas | aplaudir | levantarse y sentarse | venir aquí | dejarme un lápiz | tocarse la nariz / oreja | conjugar un verbo | cantar | cerrar los ojos | escucharme | repetir la frase "El imperativo es pan comido."

El imperativo se usa también para dar permiso. En este caso se suele repetir una vez. Los pronombres se colocan siempre detrás del verbo: ábre**la**, bája**lo**.

En español se intenta evitar responder solo con un **no**. Lo habitual es contestar con una excusa, que se entenderá como rechazo.

 6–8

el superlativo en -ísimo/-a
much**o** – much**ísimo** divertid**a** – divertid**ísima** tard**e** – tard**ísimo** ric**a** – ri**quísima**

8 a. ¿Puedo...?

En muchas situaciones tenemos que pedir permiso, también en las fiestas. Relaciona.

pedir permiso	reaccionar
¿Puedo usar esta servilleta? ¿Puedo ponerme un poco más de vino? ¿Puedo fumar aquí? ¿Te importa si bajo el volumen de la música?	Por supuesto, ponte, ponte. Mejor en el balcón. Claro que no. Bájalo, bájalo. Toma esta otra, esa está sucia.

b. En parejas. Estás en una fiesta. ¿Qué dices en estas situaciones?
Tu compañero reacciona. Luego al revés.

● ¿Puedo abrir la ventana?
○ Claro, ábrela, ábrela.

– Usted tiene calor.
– Usted tiene sed.
– Hay servilletas en la mesa y usted necesita una.

– Quiere sentarse en la única silla libre.
– Usted quiere otro trozo de tortilla.
– Usted no tiene cuchillo.
– Usted tiene frío y quiere cerrar la ventana.

Fue una gran fiesta

9 a. Pequeños malentendidos.
Un español y un alemán cuentan sus impresiones de la fiesta desde una perspectiva diferente. ¿Qué tema se trata en cada párrafo?

¿Qué tal la fiesta, Eduardo?
Muy bien. Fue divertidísima.
Fui con mi amigo Frank, que está de visita aquí en España. Frank lo pasó muy bien, pero ¡cómo come este chico! Adriana preparó muchas cosas riquísimas y le sirvió un plato lleno. Frank se lo comió todo. Y después otro y otro. ¡Nunca he visto a nadie comer tanto en una noche!

 ★ ★ ★

Frank le trajo una botella de vino a Adriana, la anfitriona, y se extrañó muchísimo porque ella lo abrió y se lo ofreció a los invitados. Era un buen vino. Frank sabe muchísimo de vinos. Estaba riquísimo.

 ★ ★ ★

No sé qué le pasó a Frank en la despedida. Dijo "adiós" y se fue. Así, sin más. No necesitó más de dos minutos. Nosotros pensamos que estaba enfadado o que tenía prisa. Es un buen amigo, pero a veces no entiendo su manera de actuar.

¿Qué tal la fiesta, Frank?
Me gustó mucho. Eduardo tiene unos amigos simpatiquísimos. Pero creo que piensan que no como suficiente porque Adriana, la anfitriona, siempre me ponía más comida y decía "Come, come". Y yo comía. Después otra vez. "Ponte, ponte más". Yo le decía que no, pero ella me ponía más y más comida. Al final ya no podía más.

 ★ ★ ★

Adriana debe ser una chica muy generosa. Le regalé un vino, un gran vino, buenísimo y bastante caro. Pero ella lo abrió y lo compartió con sus amigos. No lo guardó para una ocasión especial.

 ★ ★ ★

Se nota que todos son buenos amigos, porque no querían separarse. Estaban despidiéndose y decían "Bueno, es tardísimo, nos vamos" y empezaban otra vez a hablar. Lo dijeron por lo menos tres veces. Yo dije "adiós" y me fui. Necesitaba caminar porque había comido muchísimo.

b. Marca en el texto las palabras clave de cada malentendido.

c. ¿Qué pasó en la fiesta? Elige una opción.

1. ¿Por qué comió tanto Frank?
   ☐ Porque tenía hambre.
   ☐ Porque Adriana insistía mucho.
2. ¿Por qué Frank se sorprendió cuando Adriana abrió la botella de vino?
   ☐ Porque era muy caro.
   ☐ Porque era un regalo para ella y no para tomar en la fiesta.
3. ¿Por qué Frank se despidió tan rápido?
   ☐ Porque estaba enfadado.
   ☐ Porque en su país es normal despedirse así.

d. Al día siguiente Frank y Eduardo hablan de la fiesta. CD2 ▶▶ 38
Escucha la conversación y comprueba tus respuestas. Luego explica las reacciones de Frank.

hablar de normas

es normal	
es usual	+ infinitivo
tienes que	
no puedes	

10 **¿Qué tal ayer en el cine?**
Completa la tabla y luego el diálogo con la forma adecuada de algunos adjetivos.

adjetivo	-ísimo/-a
interesante	
	grandísimas
pocos	
	facilísimas
rico	
	cansadísima
buena	

- ¡La película de ayer fue .... !
- Bueno, estuvo bien, pero nada especial.
- ¿Y la sala del cine? ¡Era .... !
- ¿Tú crees? A mí me pareció normal.
- ¿Y el bocadillo que comimos después? ¿No estaba .... ?
- Sí…, estaba .... , pero el pan estaba duro.
- Carmen, ¿estás .... o de mal humor?

11 **a. Marca en el texto sobre los malentendidos todos los ejemplos de** buen **y** gran **y completa la tabla.**

	grande	bueno/-a	malo/-a
masculino	un .... vino	un **buen** amigo	hace **mal** tiempo
femenino	una **gran** sorpresa	una .... idea	no es .... idea

Las formas abreviadas de estos adjetivos se usan cuando preceden al sustantivo. Fíjate en el cambio de significado:
un gran libro (*calidad*)
un libro grande (*tamaño*)

 9, 10

b. Piensa en un ejemplo para cada caso y completa con buen, gran **o** mal **en la forma adecuada. Luego, en parejas, di tus ejemplos. Tu compañero reacciona.**

una *gran* actriz: *Penélope Cruz*   un .... trabajo: ....
un .... libro: ....   un .... día: ....
una .... película: ....   un .... consejo: ....
un .... amigo: ....   un .... ejercicio: ....

- Penélope Cruz es realmente una gran actriz, me gusta mucho.
- ¿De verdad? Pues, no sé…

reaccionar

¿De verdad?
¿Tú crees?
¡No me digas!
Tengo lo mismo.

¡Qué amable! A2

Portfolio
Guarda el "Manual de super-
vivencia" en tu dosier.

Tarea final Guía del invitado cortés

La oficina de turismo de tu ciudad te ha pedido escribir una pequeña guía para hispanohablantes que están invitados a una fiesta en tu país.

1. ¿Qué conviene hacer o no hacer en tu país cuando se recibe una invitación? Aquí tienes algunos aspectos que puedes tener en cuenta:

    ser puntual | llevar un regalo | llevar flores | abrir el regalo | comer todo lo que le ofrecen | hablar de la familia | hablar del sueldo | hablar del trabajo | ayudar en la cocina | vestirse bien | quitarse los zapatos | cuánto tiempo quedarse | cómo despedirse | …

2. Escribe ahora la guía con algunos consejos.

3. Finalmente, se exponen los textos en clase. ¿Son parecidos o hay muchas diferencias?

Manual de supervivencia

- Si alguien te invita su casa, es importante ser puntual.
- Si quieres llevar algo, …
- …

La clave está en el pasado

Capítulo 5: Una confesión

Ya sabíamos que Antonio, el vigilante, no decía la verdad. Esta fue su confesión:
– Es verdad, yo ayudé a los ladrones a robar "la fórmula".
– ¿Quiénes son los ladrones?
– La banda de los "monolingües", a la que también pertenezco.
– ¿Los monolingües?
– Sí. Somos un grupo de personas que odian las lenguas.
– ¿Por qué?
– Porque sirven para comunicar, para conocer nuevas culturas, para poder viajar por el mundo, para hacer amigos…
– ¡Pero todo esto es positivo!
– No para nosotros. Lo odiamos.
El vigilante hablaba como un fanático.
– Nuestro objetivo es boicotear el aprendizaje y…
En ese momento una flecha se clavó en el brazo de

Antonio. La flecha contenía "preteritina", una droga que borra las conjugaciones de los pasados de la memoria. Su efecto es inmediato. Esto es lo que el vigilante contó después:
– La banda *nacer* hace dos años. La *fundar* Juan Silencio. Antes Juan Silencio *ser* una apasionado de las lenguas. Él *poder* pasar horas haciendo ejercicios, *encantarle* los textos en otras lenguas, siempre *escuchar* diálogos y *cantar*… Pero un día *tener* una experiencia traumática: él *hacer* un ejercicio mal en clase y su profesor *reírse* de él. Entonces *perder* su amor por las lenguas y *empezar* a odiarlas. Por eso *decidir* boicotear el aprendizaje de lenguas: arrancar páginas de los diccionarios, escribir reglas falsas en las gramáticas y ahora, su golpe maestro: ¡ha robado "la fórmula"!

No tengo tiempo de escribir los verbos en su forma correcta porque tengo que seguir a la persona que ha disparado la flecha. ¿Puedes corregir la confesión?

De fiesta

El Velorio de Cruz de Mayo (Venezuela)

Hola, me llamo Silvia Colina y soy venezolana.

¿Una fiesta de mi país? Pues una fiesta fascinante y que, además, se celebra en todo el país es el Velorio de Cruz de Mayo, que empieza el tres de mayo y puede durar todo el mes. Aunque es una fiesta religiosa, también hay mucha diversión.

Xipetotec

Como en muchas fiestas de Latinoamérica, en el Velorio de Cruz de Mayo se unen elementos cristianos con antiguas tradiciones prehispánicas. Según la leyenda, la cruz de Cristo se encontró el día tres de mayo del año 324. Esta fecha coincide con una fiesta indígena para celebrar la primavera y la época de lluvias. Es el culto a la Madre Tierra y al dios maya Xipetotec. La cruz siempre formaba parte de las culturas prehispánicas,

simbolizaba la vida, por esto una fiesta con una cruz no significó nada nuevo.

Cuando se celebra el Velorio de Cruz de Mayo, se decoran cruces con papel de seda y se ponen en un altar decorado con sábanas blancas o azules que simbolizan el cielo, y claro, con muchas flores, plantas y velas. Las cruces están en lugares públicos o en la calle, donde todos pueden verlas.

Llevamos ofrendas de flores y frutas y cantamos canciones religiosas o profanas delante del altar. Por supuesto en una fiesta no puede faltar la comida y la bebida, así que cada uno trae un plato tradicional, y cerca de la cruz comemos y bebemos. Lo más típico es caldo de gallina, bollitos de maíz, queso blanco y dulces. ¡Hmm! ¡Qué rico! Para beber no puede faltar el café, para mantenerse despierto, y también bebidas alcohólicas como ron y cerveza.

A los venezolanos nos gusta mucho la música, por eso una fiesta sin música y baile no es fiesta. El Velorio de Cruz de Mayo es una fiesta religiosa, sí, pero después llega la música y el baile, y el velorio se convierte en "el bailorio". En mi ciudad, Santa Teresa del Tuy, se baila "el tambor". Los ritmos y los instrumentos musicales son diferentes en cada región, pero todos compartimos las ganas de disfrutar y pasarlo bien.

- *¿Conoces otras fiestas religiosas? ¿Y otras fiestas en mayo?*
- *¿Crees que se están perdiendo las fiestas tradicionales?*

Velorio de Cruz de Mayo, dibujo de Anton Goering, 1892

¡Qué amable!

Comunicación

Felicitaciones y buenos deseos

Feliz Navidad
Próspero Año Nuevo
Feliz cumpleaños
Feliz santo
Felicidades
Enhorabuena
Felices fiestas
Mucha suerte
Salud

Invitar

El sábado celebro mi santo, ¿te apetece venir?
El sábado doy una fiesta, estás invitado/-a.
Te escribo para invitarte a…

Aceptar y rechazar invitaciones

Gracias por la invitación. Voy con mucho gusto.
Vale, perfecto. ¿Llevo algo para comer o beber?
Me encantaría ir a tu fiesta, pero…

Dar un regalo y reaccionar cuando nos dan uno

- Tome, le he traído una cosita.
- ¡Muchas gracias! ¡Pero si no hacía falta!

- Mira, esto es para ti.
- Pero ¿por qué te has molestado?

Ofrecer algo y reaccionar

- ¿Te/le pongo un poco más?
- Gracias, pero ya he comido mucho.

- Toma/tome un poquito más.
- Muchas gracias, estoy lleno/-a.

Presentar a alguien y reaccionar

- Cristina, te presento a Frank, un amigo de Eduardo.
- Encantada. / Mucho gusto.

- Mira, Cristina, este es Frank.
- Hola, Frank, ¿qué tal?

Pedir permiso y reaccionar

- ¿Te importa si abro la ventana?
- ¡Ábrela, ábrela!

- ¿Puedo usar esta servilleta?
- Tome esta otra, esa está sucia.

Romper el hielo /empezar una conversación

En una fiesta:	¡Qué fiesta más divertida!
En el tren / autobús:	¿Sabe si falta mucho para llegar a…?
Siempre:	¡Qué frío / calor hace! ¿Verdad?

Buenas maneras y recomendaciones

En una fiesta:	Es normal / usual llevar un regalo.
En el tren / autobús:	Tienes que llegar puntual.
Siempre:	No puedes quitarte los zapatos.

Gramática

El uso de ir / venir **y** llevar / traer

> María: "Adriana, **voy** a tu fiesta y **llevo** cedés."
> Adriana: "¡Qué bien! **Vienes** a mi fiesta y **traes** cedés."

Cuando una persona se dirige hacia nosotros (hacia donde estamos), usamos **venir** y **traer**. En los demás casos (movimiento hacia otro lugar diferente de aquel en el que nos econtramos), se usan **ir** y **llevar**.

Gradación del adjetivo: -ísimo/-a/-os/-as

buen**o**	buen**ísimo**
divertid**a**	divertid**ísima**
grand**e**	grand**ísimo/-a**
tard**e**	tard**ísimo**
fácil	facil**ísimo**

El sufijo **-ísimo** expresa un grado muy alto o extremo de un adjetivo. Cuando los adjetivos acaban en vocal, esta se cambia por **-ísimo/-a/-os/-as**; cuando terminan en consonante, se añade después. A veces es necesario realizar cambios ortográficos: rico → ri**qu**ísimo.

Apócope de algunos adjetivos

	grande	bueno/-a	malo/-a
masculino	un **gran** vino	un **buen** amigo	hace **mal** tiempo
femenino	una **gran** sorpresa	una **buena** idea	no es **mala** idea

¡Atención!:
un gran libro (*calidad*)
un libro grande (*tamaño*).

El imperativo

	pas**ar**	beb**er**	abr**ir**
tú	pas**a**	beb**e**	abr**e**
usted	pas**e**	beb**a**	abr**a**
ustedes	pas**en**	beb**an**	abr**an**

	poner	venir	decir
tú	pon	ven	di
usted	ponga	venga	diga
ustedes	pongan	vengan	digan

	cerrar	probar	pedir
tú	ci**e**rra	pr**ue**ba	pide
usted	ci**e**rre	pr**ue**be	pida
ustedes	ci**e**rren	pr**ue**ben	pidan

El imperativo de **vosotros**, se forma cambiando la **-r** del infinitivo por una **-d**:
pasa**d**, veni**d**.
Los pronombres se colocan detrás del verbo. Si en la forma resultante el acento recae sobre la antepenúltima sílaba, hay que ponerle tilde:
pon**te**, ábre**la**.
A veces cambia la ortografía:
empezar → ¡Empie**c**e!

Vamos al parque

PIDANOS EL CIELO.
PIDANOS EL MAR.
PIDANOS LAS ESTRELLAS

animales y diferentes tipos de paisajes • organizar una excursión • expresar alegría y tristeza • mantener una conversación telefónica • dar instrucciones • expresar prohibición y obligación

19

1 **a. ¿Qué se ve en el anuncio de la página de la izquierda? ¿Puedes describir los diferentes paisajes?**

b. ¿A qué tipo de empresa crees que pertenece el anuncio?

☐ una compañía aérea
☐ una fábrica de puertas
☐ una oficina de turismo

c. Mira las imágenes de esta página y responde las preguntas.

¿Qué tienen en común las dos señales que aparecen?
¿Qué indica cada una?
¿En qué otros lugares puede haber señales como estas o del mismo tipo?

Doñana:
un paraíso natural

En todoterreno o en barco descubra con nosotros uno de los parques naturales más impresionantes de Europa: DOÑANA, Tel. +34 959 430 432 www.donanavisitas.es

El parque

¿Sabe dónde se encuentra la mayor reserva ecológica de Europa? En Andalucía. Es el Parque Nacional de Doñana, en las provincias de Huelva, Sevilla y Cádiz, que desde el año 1994 es Patrimonio de la Humanidad.

Sus pájaros

Doñana, con sus diferentes paisajes, es un lugar ideal para muchísimas especies de animales y plantas: pájaros, reptiles, peces… ¿Sabe cuántos pájaros pasan por Doñana en su emigración de Europa a África? ¡300.000! De todos los colores, grandes y pequeños. Imagine el cielo cubierto de flamencos de color rosa. ¡Un espectáculo único!

Un paraíso en el sur de España

2 **a. El Parque Nacional de Doñana.**
¿Sabías que España es uno de los países europeos con más variedad de animales y paisajes? Lee el texto de arriba. ¿Te gustaría visitar el Parque Nacional de Doñana?

b. Lee otra vez el texto y apunta todas las palabras relacionadas con paisajes y animales.
¿Puedes añadir más ejemplos en cada grupo?

paisajes: ....
animales: ....

3 **¿Eres amante de la naturaleza?**
Marca tus respuestas en este cuestionario. Luego compara con dos compañeros.

¿Eres un amante de la naturaleza?	sí	no
1. ¿Te gusta trabajar en el jardín?	☐	☐
2. ¿Tienes plantas o flores en tu casa?	☐	☐
3. ¿Puedes identificar más de tres árboles por sus hojas?	☐	☐
4. ¿Tienes un animal de compañía?	☐	☐
5. ¿Tienes un acuario?	☐	☐
6. ¿Ves programas sobre animales en la tele?	☐	☐
7. ¿Conoces la diferencia entre el elefante africano y el indio?	☐	☐
8. ¿Has ido al zoo o a un jardín botánico este año?	☐	☐
9. ¿Conoces algún parque natural en tu país?	☐	☐
10. ¿Te gusta hacer excursiones a la montaña?	☐	☐

Sus paisajes

En Doñana encontramos una gran variedad de paisajes: playas, bosques de pinos de un verde intenso y dunas de arena como en el desierto. Y también agua. Agua salada del mar en las marismas y agua dulce en los lagos y ríos. Un paraíso para la vida.

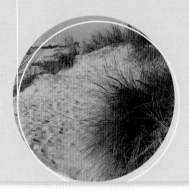

El lince

Este animal tan bello es el lince ibérico. Se llama así porque sólo se encuentra en la Península Ibérica. Por desgracia, está en peligro de extinción, sólo quedan pocos ejemplares. Por eso hay programas en España y Portugal para protegerlo. El lince ibérico es el símbolo del Parque de Doñana y del deseo de conservar su naturaleza única en el mundo.

Visitar Doñana es conocer uno de los paisajes más bellos de Europa. Un patrimonio que debemos cuidar y conservar.

4 **a. Rafael Piedra quiere hacer una excursión a Doñana con unos amigos.** CD2 ▶▶ 39
Escucha la reserva telefónica y completa el formulario.

Reserva de visitas Parque Nacional de Doñana

Fecha:
Número de personas:
Duración del recorrido:
Medio de transporte:
Precio:

b. Quieres hacer la siguiente excursión.
Escribe un correo para informarte y reservar las plazas. Añade dos preguntas más.

hacer la reserva para una excursión

Quiero hacer una reserva para…
¿Quedan plazas libres el dos de agosto?
¿Cuánto tiempo dura el recorrido?
¿De dónde sale el todoterreno / el autobús / el barco?

✏ 1, 2

El Cañón del Sumidero en Chiapas (México)

¿Le gusta la aventura? ¿Quiere ver un paisaje fascinante?
¿Ver cocodrilos, monos y pájaros exóticos en libertad?
Venga al Cañón del Sumidero. Una aventura inolvidable.
Salidas diarias a las 10:00, 13:00 y 16:00h

Reservas por teléfono +52 442 212 2899 o www.andalemexico.com

3, 4

5 **a. Rafael llama a sus amigos para decirles que ha hecho la reserva.** CD2 ▶▶ 40 – 42

Escucha y marca cómo reaccionan. ¿Cuáles de las expresiones de la izquierda utilizan?

	se alegra	se lamenta	¿Cómo lo dice?
Isabel			
La madre de Mariluz			
Enrique			

b. Vuelve a escuchar las llamadas.

Marca en la tabla las frases que escuchas.

hablar por teléfono

¿Puedo hablar con…?
¿De parte de quién?
¿Quiere dejarle algún recado?
Ahora mismo le paso.
Lo siento, se ha equivocado de número.
En este momento no está.
Este es el contestador automático de…

c. En parejas. Escribid un diálogo siguiendo estas instrucciones.

Después, poneos de espaldas y leed el diálogo.

A
– Marcas el número 32 68 94.
– Quieres hablar con el Sr. Rodríguez.
– Te presentas.
– Dices que has reservado las entradas de teatro para el domingo que viene.
– Das las gracias y te despides.

B
– Descuelgas.
– Preguntas por la persona que llama.
– Das una disculpa (ahora mismo no está en su despacho) y preguntas si quiere dejar un mensaje.
– Le dices que se lo dirás.

No busques excusas

6 **a. Dos agencias de publicidad proponen estas campañas de sensibilización ecológica. ¿Qué objetivo tienen? ¿Cuál te gusta más?**

No busques siempre excusas.
Sólo tienes que cambiar un poco tus costumbres.

⊃ **No te bañes, dúchate y ahorra agua.**
⊃ **No enciendas todas las lámparas de tu casa.**
⊃ **Separa los diferentes tipos de basura.**
⊃ **No uses la calefacción y el aire acondicionado en exceso.**
 ¿Ves qué fácil?

Ministerio de Medio Ambiente

¿El futuro? ¡No es tu problema!

★ No ahorres agua. Hay suficiente.
★ No separes la basura. Es mucho trabajo.
★ No tomes el autobús. ¿Para qué tienes coche?
★ En invierno pon la calefacción muy alta, no eres un pingüino.
★ En verano usa siempre el aire acondicionado.
★ Gasta, tira, consume, contamina. Sé egoísta.
★ Recuerda: tú eres el centro del universo.

Asociación Pro-Natura

b. ¿Qué hay que hacer según los anuncios para cuidar el medio ambiente?

no buscar excusas, ahorrar agua…

c. ¿Y tú? ¿Qué haces para cuidar el medio ambiente?

7 **a. El imperativo negativo.**
Subraya en los anuncios todas las formas del imperativo. ¿Observas alguna diferencia entre las formas que ya conoces y las negativas? Marca en el cuadro las formas que son diferentes del imperativo afirmativo.

	-ar	-er/-ir	cambio vocálico	irregular
tú	no tom**es**	no beb**as**	no enc**ie**nd**as**	decir: no di**gas**…
vosotros	no tom**éis**	no beb**áis**	no enc**e**nd**áis**	hacer: no ha**gas**…
usted(es)	no tom**e(n)**	no beb**a(n)**	no enc**ie**nd**a(n)**	ir: no va**yas**…

Para formar el imperativo negativo podemos tomar como base la primera persona del presente de indicativo. Los verbos en **-ar** llevarán terminaciones con **-e** (pasar: no pas**es**), los verbos en **-er** e **-ir** terminaciones con **-a** (no beb**as**).
Los pronombres están entre el **no** y el verbo: No se lo digas.

b. En parejas. Uno dice un imperativo afirmativo de estos verbos en la forma de tú**.**
Tu compañero dice el imperativo negativo correspondiente. Después, al revés.

pasar | comer | tocar | hablar | mirar | beber |
abrir | poner | venir | ir | hacer | entrar

● Mira.
○ No mires. Come.

c. Escribe un cartel con instrucciones para el Parque de Doñana.
¿Qué hay que hacer y qué no?

– hacer ruido
– hacer fuego
– tirar basura
– dar de comer a los pájaros
– ir solamente con guía
– seguir las instrucciones del guía
– llevar animales
– tocar los animales
– coger flores o plantas

Instrucciones para el parque

No haga ruido.

8 **Recuerdos de viajes y excursiones.**
En parejas. Inventad un anuncio de publicidad como el de la pág. 194 para estos objetos.

✎ 5–7

Los parques, los pulmones de la ciudad

9 **a. Escucha lo que dice una peruana sobre su parque preferido.** CD2 ▶▶ 43
¿Cómo se llama el parque? ¿Dónde está? ¿Desde cuándo existe? Luego escucha otra vez
y marca lo que hay en este parque.

- ☐ una fuente
- ☐ un estanque
- ☐ un quiosco
- ☐ un café
- ☐ bancos
- ☐ árboles
- ☐ césped
- ☐ una estatua
- ☐ caminos

b. ¿Hay parques en tu ciudad? ¿Te gusta ir? ¿Qué se puede hacer?
Tienes tres minutos para escribir actividades que se pueden hacer en un parque.

10 **a. En un parque.**
Observa este parque durante un minuto. Luego cierra el libro e intenta recordar el
máximo de informaciones: ¿Qué hay? ¿Qué están haciendo las personas?

b. Elige a una persona del parque y piensa en una frase que puede decir.
Luego lee tu frase. Tus compañeros tienen que adivinar quién la dice.

✎ 8, 9

c. Escucha estas conversaciones en el parque y relaciónalas con las personas. CD2 ▶▶ 44 – 47

11 **a. Lee ahora los diálogos y marca las palabras que indican posesión.**

1. ● Oye, ¿aquel niño es tu nieto?
   ○ No, el mío es el rubio.
   ● ¿Aquel al lado del árbol?
   ○ Eso es un perro. Mi nieto está allí, en el banco. Ponte las gafas, Mariano.

2. ● Esta pelota es mía.
   ○ No, la tuya es aquella, la roja. Esta es la mía.

3. ● Perdone, ¿ese perro es suyo?
   ○ No, es de aquella pareja de enamorados.

4. ● ¿Dónde están Luis y Pablo?
   ○ Allá, jugando al fútbol.

b. Ya conoces los posesivos mi, tu, su... **Mira los ejemplos.**
¿Qué diferencia observas con mío, tuyo, suyo...**? ¿Hay formas iguales?**

los pronombres posesivos

mío/-a/-os/-as
tuyo/-a/-os/-as
suyo/-a/-os/-as
nuestro/-a/-os/-as
vuestro/-a/-os/-as
suyo/-a/-os/-as

● **Mi** hijo ya habla.
○ **El mío** todavía no.

● ¿Esa pelota es **tuya**?
○ No, **la mía** es roja.

c. Escribe el primer y segundo diálogo de 11a cambiando nieto **por** nieta **y** pelota **por** camiones. **¿Qué más palabras cambian?**

d. Marca en los diálogos las palabras que indican distancia.
¿Cómo se dicen en tu lengua?

Este de **aquí.**
Ese de **ahí.**
Aquel de **allí.**

	masculino	femenino
singular	aquel	aquella
plural	aquellos	aquellas

¿Recuerdas?

Al alcance de la persona que habla: **este**
Más lejos para el que habla y más cerca para el que escucha: **ese**
Lejos para ambos: **aquel**
En correlación: **aquí, ahí, allí**
En Latinoamérica: **acá, allá**

12 **a. Un paseo por un parque imaginario.** CD2 ▶▶ 48
Cierra los ojos, relájate y escucha. Imagínate los detalles lo más concretamente posible.

 10 – 12

b. Toma notas de lo que "has visto". Luego, en parejas, comparad vuestros parques.

¿Cómo es la estatua?
Y los bancos, ¿cómo son?
¿Cómo es el árbol?
¿Hay muchos árboles en tu parque?
¿Hay mucho césped o no?
¿Qué tipo de gente hay?
¿Qué están haciendo?

Oímos ruido de agua, ¿es una fuente o un río?
¿Tocas el agua o sólo la miras?
¿Dónde te sientas? ¿Qué haces?
¿Cómo vuelves a casa?
¿Te ha gustado el paseo?

● Mi parque era grande.
○ El mío también.

Tarea final **Diseñamos un parque**

Vais a planificar un parque. Podéis gastar 10 000 €.

1. En grupos de tres. Decidid las cosas que va a tener vuestro parque y dibujad un plano.

Artículo	Unidad	Precio
Fuente:	1	500 €
Banco:	1	180 €
Árbol:	1	30 €
Césped:	m²	3 €
Quiosco:	1	1.000 €
Planta exótica:	1	20 €
Pájaros exóticos:	la pareja	120 €
Papelera:	1	65 €
Servicios:	1	1.500 €

prohibición y obligación

está prohibido
(no) hay que
(no) se debe
Imperativo

2. Escribid un cartel con lo que está prohibido hacer en el parque.
   Buscad también un eslogan para animar a vuestros compañeros a visitarlo.

3. Cada grupo presenta su parque y muestra el plano. Los otros pueden hacer preguntas.

La clave está en el pasado

Capítulo 6: Así fue

Salí del Museo de la Ciencia y vi a alguien que corría por la calle. Llevaba unos pantalones y un jersey negros, guantes y una máscara en la cara. En ese momento pensé: "Es la persona que ha drogado a Antonio, el vigilante, con preteritina."
Empecé a correr también. La persona con la máscara era muy rápida. Pero por suerte yo hago deporte varias veces a la semana, así que la alcancé. Le quité la máscara. Era una mujer.
– ¿Quién es usted? – le pregunté mientras llamaba a la policía con el móvil.
– Me llamo Carmen Sinabla.
– ¿Por qué le ha dado la droga al vigilante? ¿Cómo robaron "la fórmula"?
– No voy a decir nada.
De pronto, sacó unos comprimidos del bolsillo de los pantalones, me miró y dijo:
– Nuestra banda conoce muchas drogas especiales para boicotear los idiomas. Esta se llama "indefinina".

Después de tomarla, es imposible conjugar los indefinidos irregulares.
– ¡Oh! ¡No!
No pude hacer nada. Se la metió en la boca. Repetí mi pregunta:
– ¿Cómo robaron "la fórmula"?
– Robar la fórmula *serió* muy fácil. Cuando *sabimos* que "la fórmula" estaba en el museo, *estabimos* observando el edificio durante varias semanas. Después *podimos* introducir a uno de los miembros de la banda, Antonio, como vigilante. Él nos *deció* a qué hora teníamos que entrar en el museo y así lo *hacimos*.
– ¿De quién fue la idea?
– Del jefe, de Juan Silencio.
– ¿Dónde está ahora "la fórmula"?
– La tiene él.

Esta vez la banda de los monolingües tampoco va a lograr sus objetivos. Estoy segura de que tú, mi asistente, puedes poner orden en este caos mientras yo hablo con la policía.

De fiesta

La Noche de San Juan

Noche. Fuego. Fuego en la playa, gente bailando y cantando. En toda España se celebra una fiesta de fuego. ¿Sabes qué día es? San Juan, la noche más corta del año. Esta fiesta antiquísima se celebra en muchos países en la noche del 23 al 24 de junio. Si alguien mira desde el cielo, ve miles de hogueras que iluminan las costas de todo el mundo, desde Noruega hasta el norte de África, desde Bolivia hasta mi tierra: Galicia.

Hola. Me llamo Leonor y soy de La Coruña. Aquí, en mi ciudad, la fiesta de San Juan es la más importante de todo el año. En esta noche mágica se mezclan rituales, tradiciones y supersticiones. Hay muchas leyendas que se cuentan

una gaita

las sardiñadas

de generación en generación. Una de ellas dice que los demonios y las *meigas* (así se llaman las brujas en gallego) salen esta noche para recibir al verano. ¿Brujas? Sí, son muy populares aquí. Por eso es tan importante encender hogueras por todas partes porque se dice que el fuego nos protege de ellas. También se dice que los enfermos se curan o que las mujeres pueden saber el futuro. En Galicia se suele decir de las brujas: "Haberlas, haylas."

En realidad la fiesta comienza casi un mes antes, cuando empezamos a recoger madera para la hoguera de nuestro barrio, que tiene que ser la más grande, claro. El día 23 por la mañana se ven muchas mujeres volver del mercado con un ramo de hierbas aromáticas. Según la tradición, hay que poner el ramo en agua durante la noche. Al día siguiente se usa este agua para lavarse la cara y las manos y así protegerse contra las enfermedades durante todo el año.

Por la tarde empieza la gran fiesta en las calles con grupos folclóricos y bandas de música. A mí personalmente me gusta mucho escuchar la música de las gaitas, el instrumento tradicional

de Galicia. También se come y se bebe. La comida típica son las "sardiñadas" (ya te imaginas qué es, ¿no?) que se preparan en la puerta de muchos bares. El olor del delicioso pescado se respira por toda la ciudad.

A las doce en punto se enciende la hoguera mayor en la playa y se canta y se baila alrededor de ella. Algunos, los más valientes, saltan por encima del fuego gritando *Meigas fóra!* ("¡Fuera brujas!") para alejar a los malos espíritus. Otros piden un deseo, porque se dice que los fuegos de San Juan tienen también propiedades mágicas. ¿Es verdad? No lo sé, pero, por si acaso, yo siempre pido uno.

■ *¿Se celebra la Noche de San Juan en tu ciudad o en tu país? ¿Cómo?*
■ *¿Conoces alguna superstición?*
■ *¿En qué ocasiones se pide un deseo en tu país?*

la hoguera de San Juan

Comunicación

Animales

el flamenco	el pájaro
la sardina	el pez
el cocodrilo	el reptil
el lince	el mono

Paisajes

el bosque	el árbol
la duna	la arena
el lago	el río
la playa	la marisma

En el parque

la fuente	el banco
el estanque	la estatua
el césped	el quiosco
la planta	la papelera

Organizar una excursión

Quiero hacer una reserva para…
¿Quedan plazas libres el dos de agosto?
¿Cuánto tiempo dura el recorrido?
¿De dónde sale el todoterreno / el autobús / el barco?
¿Cuánto cuesta la excursión?

Expresar alegría

¡Qué alegría!
¡Cuánto me alegro!
¡Me hace mucha ilusión!
¡Estupendo!
¡Qué bien!

Lamentarse por algo

¡Qué pena!
¡Qué lástima!
¡Qué mala suerte!

Mantener una conversación telefónica

Diga. / Dígame.
¿Puedo hablar con…?
¿De parte de quién?
¿Quiere dejar un recado?
Ahora mismo le paso.
Lo siento, se ha equivocado de número.
En este momento no está.
Este es el contestador automático de…

Prohibición y obligación

Está prohibido…
Hay que…
No hay que…
Se debe…
No se debe…
Respete las plantas.
No tire basura.
No haga ruido.

Gramática

El imperativo negativo

	-ar	-er / -ir	encender (e → ie)
tú	no pases	no bebas	no enciendas
vosotros	no paséis	no bebáis	no encendáis
usted	no pase	no beba	no encienda
ustedes	no pasen	no beban	no enciendan

	poner	ir	hacer
tú	no pongas	no vayas	no hagas
vosotros	no pongáis	no vayáis	no hagáis
usted	no ponga	no vaya	no haga
ustedes	no pongan	no vayan	no hagan

La primera persona del presente de indicativo es la base para el imperativo negativo.
Esto ayuda especialmente para la formación de los verbos irregulares: hago → no hagas.
Los verbos en **-ar** llevarán terminaciones con **-e** (pasar: no pas**e**s);
los verbos en **-er** e **-ir**, terminaciones con **-a** (beber: no beb**a**s).
Los verbos con cambio vocálico en presente lo mantienen en el imperativo:
enc**ie**ndo → no enc**ie**ndas, p**i**do → no p**i**das.
Los pronombres están entre **no** y el verbo: No **se lo** digas. No **te** bañes.
Las formas para **usted/ustedes** son iguales para el afirmativo y el negativo.

Los demostrativos

este	esta	
estos	estas	de aquí

ese	esa	
esos	esas	de ahí

aquel	aquella	
aquellos	aquellas	de allí

Se usa **este/esta/estos/estas** para referirse a cosas que están al alcance
de la persona que habla.
Se usa **ese/esa/esos/esas** para referirse a cosas que están más lejos
de la persona que habla y más cerca de la persona que escucha.
Para referirse a cosas que están fuera del espacio de ambos interlocutores
se usa **aquel/aquella/aquellos / aquellas**.
Del mismo modo se usan **aquí, ahí** y **allí** (en Latinoamérica **acá** y **allá**).

Los pronombres posesivos tónicos

el mío	la mía	los míos	las mías
el tuyo	la tuya	los tuyos	las tuyas
el suyo	la suya	los suyos	las suyas
el nuesto	la nuestra	los nuestros	las nuestras
el vuestro	la vuestra	los vuestros	las vuestras
el suyo	la suya	los suyos	las suyas

Cuando el sustantivo es conocido o se ha mencionada ya,
podemos repetirlo si usamos un pronombre posesivo con
artículo:
Mi hijo ya habla. – **El mío** todavía no.
Para hacer referencia al poseedor de una cosa, podemos usar el
verbo **ser** seguido de un pronombre posesivo sin artículo:
¿Esta pelota **es tuya**? – Sí, **es mía**.

Mirador  A2

Hemos pasado la mitad del nivel A2. Ha llegado el momento de hacer una pausa y reflexionar desde el mirador sobre lo que hemos aprendido hasta aquí.

Hablamos de cultura: la cortesía

1 **a. ¿Qué haces o no haces tú?**
Marca una alternativa según tu opinión. No hay respuestas correctas o erróneas.
Luego lee el texto y compara con tus respuestas.

b. Escucha a unos hispanohablantes que hablan de la cortesía. CD2 ▶▶ 49
Compara con tus respuestas en el cuestionario. ¿Hay diferencias? ¿Y entre las personas que hablan?

Esta es tu casa

La cortesía es el arte de comportarse amablemente. Existe en todas las culturas, pero cada una la expresa de una manera diferente.

Un ejemplo del mundo hispano: estás invitado a una fiesta. Allí vas a escuchar muchas frases como "¡Qué bien te veo!" o "¡Qué guapa estás!", que se dicen por cortesía. No se trata de decir la verdad o mentir.

Cuando llega la hora de despedirse, seguramente el anfitrión va a decir: "¿Pero ya te quieres ir? ¡Si es muy pronto!" De esta forma te quiere decir que tu compañía es agradable. En realidad, puedes irte tranquilamente y dar alguna excusa como "Ya es muy tarde." o "Mañana tengo que levantarme temprano." Otra frase muy usual en la despedida es "Vuelve cuando quieras, esta es tu casa." si se trata de la primera vez que vas. Eso puede llevar a malentendidos porque no hay que tomarlo literalmente. Es simplemente una fórmula de cortesía.

¿Quieres un buen final para despedirte de forma cortés? "¡La próxima vez, en mi casa!"

20

similitudes y diferencias culturales • autoevaluación • una imagen como
actividad de expresión oral • estrategias de aprendizaje

Ahora ya sabemos...

Aquí tienes la posibilidad de valorar lo que has aprendido. Marca el nivel que crees tener en cada tema. Luego
haz las tareas y compara los resultados con los de tu compañero o pregunta al profesor si no estás seguro.

2 En un mercadillo o en una tienda. ☺ ☺ ☹

¿Qué dice el vendedor o la vendedora? ¿Y qué dice el cliente o la clienta?

1. Es una buena oferta, paga dos y se lleva tres, ¿qué le parece?
2. Lo siento, no tenemos tallas más grandes.
3. Me pruebo las dos, ¿dónde están los probadores?
4. ¡No puede ser! ¡Pregunté hace una hora y había todavía dos!
5. Me encantan, pero me quedan un poco estrechos.

6. Las camisetas están allí, al lado de las camisas.
7. Quería unos pantalones de algodón para el verano.
8. ¿Me los pueden reservar durante dos horas, por favor?
9. ¡Pantalones, chaquetas de caballero, de señora, de niño! ¡Todo barato, muy barato!
10. Le queda muy bien. También lo tenemos en amarillo, si lo prefiere.

3 Informarse para una excursión. CD2 ▶▶ 50 ☺ ☺ ☹

Lee estas respuestas. Después
escucha las preguntas 1–4
y pon el número
en la respuesta adecuada.

☐ Soy Felipe Herrera, de la agencia de viajes "TodoTurismo".
☐ Sí, pero reservar por teléfono es mucho más seguro.
☐ 230 euros, e incluye las dos comidas.
☐ Sí, tiene dos posibilidades: en inglés o alemán. ¿Cuál le interesa a usted?

Ahora haz lo mismo
con las preguntas 5–8. CD2 ▶▶ 51

☐ Del aparcamiento principal, directamente delante de la empresa.
☐ En este momento no está. ¿Quiere dejarle un recado?
☐ Para esos días no, lo siento, sólo quedan para el día siete y ocho.
☐ Entre 5 y 6 horas si hace el camino al lago, o dos días si recorre también los bosques.

4 Hablar de un parque o un paisaje. ☺ ☺ ☹

En parejas. Elige un parque o un paisaje y descríbelo. Tu compañero lo dibuja. Luego, al revés.
¿Reconocéis vuestros parques o paisajes?

5 Escribir una invitación. ☺ ☺ ☹

Quieres invitar a tus compañeros de clase a una fiesta. Escribe la invitación mencionando
estos aspectos.

- motivo de la fiesta
- lugar, fecha, hora
- colaboración para la fiesta (ensalada, pastel, vino…)
- confirmación de asistencia

Terapia de errores

6 **a. Errores visibles e invisibles.**
Lee los dos textos y marca en ellos los errores.

Querido señor Conde:

Quería informarme sobre las excursiones a Sierra Nevada que organiza suya empresa. Me gustaría saber si se quedan plazas libres en el agosto y cuál oferta hay para grupos numerosos.

Un abrazo,
Jorge Palacios

Estimados amigos:

Tengo el placer de invitarvos a mi cumpleaños el jueves. Si alguién puede llevar música, genial ☺. Yo tengo nada. Mis discos regalé a mi ex-novia. No os olvidéis: jueves en la casa mía a las 22.00 en punto.

Atentamente,
Fernando

---

b. ¿Cuántos errores has encontrado?
¿Has notado que no todos son de gramática o de ortografía? A veces decimos cosas que son correctas, pero no son adecuadas en esa situación. Vuelve a leer las cartas. ¿Qué errores de adecuación encuentras? Luego reescribe las dos cartas en su estilo adecuado. Así tienes un modelo para tu portfolio.

Una imagen que da que hablar

7 **a. Mira el cuadro. ¿Qué título le puedes poner?**
Luego en parejas, escribid un diálogo entre dos personas del cuadro.
Tus compañeros adivinan quiénes están hablando.

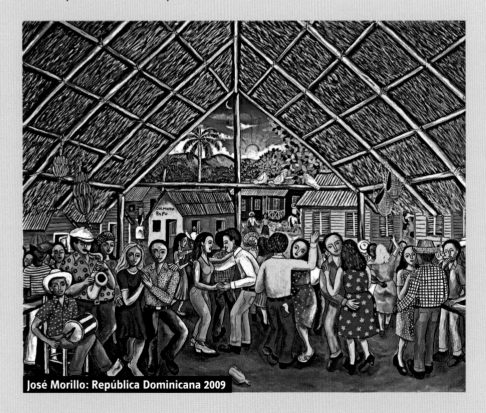

José Morillo: República Dominicana 2009

b. ¿Cómo te imaginas la fiesta?
Toma notas, teniendo en cuenta los siguientes aspectos. Después describe la fiesta. Tienes que hablar por lo menos dos minutos.

¿Cuál es el motivo de la fiesta?
¿Quién es el anfitrión?
¿Qué tipo de música tocan los músicos?
¿Qué hay para comer y beber?

Aprender a aprender

8 **a. Antes de leer.**

El aspecto exterior de un texto ya nos da información y con eso hacemos predicciones sobre el contenido. En nuestra lengua lo hacemos automáticamente, en español necesitamos un poco de entrenamiento. ¿Qué predicciones puedes hacer sobre el texto de abajo? Comparad vuestras ideas.

¿Qué información te da la foto?
¿Qué información te da el título?
¿Qué tipo de texto es (artículo, cuento, entrevista…)?

¿Qué información esperas encontrar?
¿Qué sabes del tema?

b. Primera lectura.

Para una primera lectura activa conviene concentrarse en estos aspectos.

¿Qué palabras entiendes?
¿Hay palabras internacionales, cifras, nombres, etc.?
¿Cuáles son las palabras clave?

ÉXITO DE LAS COOPERATIVAS DE COMPRA

Lo 'bio' está al alcance de todos

La producción de alimentos ecológicos ha crecido un 15 % en España.

Un 30% de los consumidores españoles compra de vez en cuando o regularmente alimentos ecológicos. Este boom está relacionado con las cooperativas de compra. Son personas que se unen para comprar verduras o frutas bio directamente de los productores por un precio similar al que se paga por productos convencionales. Se calcula que unas 50.000 familias compran así, y cada mes se crean nuevas cooperativas o asociaciones.

"Los grupos de compra ecológica aumentan", explica Pedro Gumiel, socio de Gumendi, una de las grandes productoras de productos ecológicos. "Cuando empezamos, teníamos que exportar casi toda nuestra producción porque aquí no había consumo. Hoy en día el mercado español absorbe casi todo."

Comprar productos fabricados o cultivados de forma tradicional parece una vuelta al pasado, pero el fenómeno de las cooperativas de compra es algo absolutamente moderno y que utiliza las últimas tecnologías. La cooperativa Gumendi pone cada día la oferta en su página web y los grupos de compra pueden hacer sus pedidos a través de ella. ∎

Adaptado de Tiempo

---

c. Segunda y tercera lectura. ¿Eran correctas tus predicciones?

¿A qué preguntas básicas (quién, qué, dónde, cuándo, por qué) contesta el texto?

d. Después de leer.

¿Qué sabes ahora que antes no sabías? ¿Es suficiente la información general o quieres entender detalles?
¿Puedes resumir el texto en un mapa asociativo?

compra ecológica

Proyectos con futuro

"Instrumentos musicales en vez de pistolas" era la visión de José Antonio Abreu cuando fundó "El Sistema Nacional de Orquestas Juveniles e Infantiles de Venezuela" en 1975. Su objetivo: ofrecer a niños y jóvenes de barrios marginales la posibilidad de integración social a través de una educación musical. Treinta años después este proyecto tiene unos 350.000 miembros en todo el país. No todos llegarán a ser músicos famosos, pero la mayoría realizará su sueño de un futuro mejor.

"Cambiar las cosas está en nuestra mano" dicen los 57.000 voluntarios de Cáritas, que dedican dos, tres, cinco o veinte horas a la semana al trabajo en esta organización, aunque no es tan atractiva ni tiene tanto márketing como otras.
Cuando los servicios sociales del estado no pueden ayudar, mucha gente se dirige a las oficinas de Cáritas.

describir proyectos sociales • hablar del futuro • expresar hipótesis • hacer comparaciones • expresar una necesidad • expresar sentimientos

1 **a. Lee la descripción de estos tres proyectos sociales. ¿Qué tipo de trabajo realiza cada organización?** Luego haz un mapa asociativo con el vocabulario para hablar de proyectos sociales y compara con los de tus compañeros. ¿Qué palabras te parecen útiles para aprender?

b. ¿Conoces actividades parecidas en tu país?

Una biblioteca para todos es uno de los últimos proyectos de la Asociación de Hermanamiento La Trinidad-Moers. Desde 1989 los miembros de esta asociación trabajan para realizar numerosos proyectos en su ciudad-hermana nicaragüense. Su filosofía: ayuda para autoayuda. 100% de las donaciones que reúnen van directamente a los proyectos.

¿Quieres saber cómo funcionan las orquestas de niños en Venezuela? ¿Cómo viven sus miembros y qué significa la música para ellos? La película "El Sistema" les acompaña en su vida diaria y muestra actividades y proyectos de los niños, que aprenden un instrumento gracias a la ayuda de esta organización.

Una escuela llena de futuro

2 **a. Dos niños de la orquesta del 'Sistema' se presentan.**
Lee estos textos y marca las formas de **ser** y **estar** con dos colores diferentes.

" Hola, soy Pablo, tengo once años y estoy en una de las orquestas del "Sistema" desde hace ocho años. Soy trompetista. Hoy estoy un poco nervioso porque tenemos un concierto importante. Es en la ópera de Caracas. Lo va a dirigir Gustavo Dudamel, que es un director de orquesta muy famoso. Pero no estoy nervioso por eso, sino porque va a venir mi mamá al concierto. Mi mamá es la más guapa del mundo y siempre está de buen humor. "

" Yo me llamo Lidia, soy de Caracas. En la orquesta toco el violín, que es un instrumento muy bonito, pero también es difícil. Tengo que practicar muchas horas todos los días. A mí me gusta, a mis vecinos, no. Estoy muy contenta porque mis abuelos vienen al concierto de hoy. Creo que están muy orgullosos de mí, porque siempre dicen que soy el tesoro de la familia. "

b. Completa la regla y la tabla con las formas adecuadas de ser **y** estar.

Yo .... Pablo y .... venezolano.	.... en la orquesta desde hace 8 años.
.... trompetista.	Hoy .... un poco nervioso.
.... un instrumento bonito.	Mis abuelos .... orgullosos de mí.
Quiero .... famoso como Gustavo.	Mi mamá siempre .... de buen humor.
El concierto .... en la ópera de Caracas.	La ópera .... en el centro de la ciudad.

3 Lee el texto sobre el origen de la orquesta y tacha las formas falsas.

En 1975 José Antonio Abreu fundó "El Sistema". En esa época era / estaba
profesor de economía en la universidad y ya estaba / era convencido de que la
música era / estaba una posibilidad de ayudar a niños de barrios pobres.
El concepto que estaba / era detrás del trabajo de Abreu es / está sencillo:
una orquesta es / está un lugar donde los niños aprenden a escucharse y respetarse
los unos a los otros. En vez de ser / estar en la calle, pasan la tarde en uno de los
"núcleos" que forman "El Sistema".
Hoy las orquestas del "Sistema" son / están en muchas ciudades y pueblos de
Venezuela y el proyecto ha sido / estado modelo para otros países.

✎ 1-3

4 a. Pablo y Lidia hablan de sus planes. ¿Son parecidos o diferentes?

De mayor quiero ser como Gustavo.
Viajaré por todo el mundo, tendré
muchos amigos y hablaré varios idiomas.
Tocaré música clásica y jazz, que también
me gusta mucho. Para eso tengo que
seguir estudiando, si no estudio, no
realizaré ninguno de mis sueños.

Yo no sé todavía qué haré de
mayor. A veces pienso que seré una
violinista famosa. Otras veces estoy
segura de que estudiaré medicina
y descubriré un medicamento que
curará a mucha gente. De todos
modos, lo que es seguro es que
seguiré tocando el violín.

b. ¿Qué visión tienen Pablo y Lidia de su futuro?

De mayor Pablo quiere ....
Lidia quiere ....

c. El futuro.
Marca en los textos las formas del futuro que aparecen y completa la regla.

	verbos regulares	verbos irregulares			
yo	hablar**é**	decir	**dir**é, …	salir	**saldr**é, ….
tú	hablar**ás**	hacer	**har**é, …	querer	**querr**é, …
él / ella / usted	hablar**á**	poder	**podr**é, …	saber	**sabr**é, …
nosotros/-as	hablar**emos**	poner	**pondr**é, …		
vosotros/-as	hablar**éis**	tener	**tendr**é, …		
ellos / ellas / ustedes	hablar**án**	venir	**vendr**é, …	hay	**habr**á

Se forma el futuro
añadiendo la terminación
al ....
Los verbos irregulares tienen
una raíz irregular, pero
terminaciones regulares.

5 ¿Irán al concierto? Escucha y marca la opción correcta. CD2 ▶▶ 52-55

1. ☐ Paco no va al concierto.
   ☐ Todavía no sabe si irá.
2. ☐ Lloverá por la noche.
   ☐ Llueve y seguirá lloviendo.

3. ☐ Irán a la fiesta después del concierto.
   ☐ No podrán ir porque tienen otra invitación.
4. ☐ Raúl no irá al concierto.
   ☐ Raúl llega a tiempo para el concierto.

ENTREVISTA CON GUSTAVO DUDAMEL:

Un músico para el siglo XXI

>> Normalmente no se asocia Latinoamérica a la música clásica...

>> Hasta ahora no, aunque tenemos algunos grandes nombres, como Barenboim o Argerich. Pero en los próximos años, muchos nuevos nombres .... (salir) de Latinoamérica. Se .... (hablar) de los músicos latinoamericanos. Y algunos .... (venir) del "Sistema Nacional de Orquestas de Venezuela". Ya lo .... (ver) usted.

>> Usted se formó en el "Sistema". ¿Qué significa esto para usted y su país?

>> Es como una gran familia. Tú escuchas una orquesta en Venezuela y sientes que pasa algo. Hay una energía enorme que nos ha convertido en una potencia musical. Y la música ha traído un cambio social, porque el "Sistema" es realmente un programa de integración social muy efectivo: con los niños viene también la familia.

>> ¿Qué aporta la nueva generación de músicos?

>> Una nueva forma de entender la música, que no .... (tener) tantos límites, que .... (ser) más fresca, con más energía. Creo que la música es alegría y emoción, pero sobre todo creo que la música puede cambiar el mundo.

>> De usted ya se habla y mucho. ¿Cree que la fama cambiará su forma de ser?

>> No. Sé quién soy, soy consciente de mi origen. Para mí, trabajar con gente de mi país es algo hermoso, somos una familia. Por eso yo no .... (cambiar). No .... (dejar) Venezuela ni .... (abandonar) mis actividades con la Orquesta Simón Bolívar.

>> ¿Cómo ve el futuro?

>> Lleno de música, claro.

---

6 a. Grandes orquestas de pequeñas personas.
Lee la entrevista con Gustavo Dudamel y completa el texto con las formas del futuro.

b. Según Dudamel, ¿qué cambiará en el futuro y qué no?

c. ¿Qué pasará? Combina las partes de frases usando la forma correcta del verbo.

| En el futuro
Me pregunto si | mucha gente
muchos niños del "Sistema"
algunos de ellos
Dudamel (no)
la música | hablar de los músicos de Latinoamérica.
realizar sus sueños.
tener un puesto en un conservatorio.
tocar en una orquesta internacional.
ser diferente.
recibir un premio.
salir del país.
cambiar su forma de vivir. |

✎ 4, 5

d. "Si no estudio no realizaré mis sueños", dice Pablo, el trompetista.

¿Y tú, qué propósitos tienes para el futuro? Aquí tienes algunos ejemplos.

– trabajar menos
– hacer más deporte
– hacer un examen

– comer más verdura
– dedicar más tiempo a la familia
– ver menos la tele

– salir más
– aprender a...
...

¿Recuerdas?

Para hablar del futuro también podemos usar **ir a** + infinitivo.

7 a. ¿Cómo será en 10 años?

Piensa en una persona de tu entorno (tu pareja, tus padres, un vecino, tu profesor...) y escribe un pequeño texto sobre cómo piensas que será su vida en 10 años. ¿Dónde y cómo vivirá, cómo será su trabajo, su familia, su tiempo libre...?

b. Lee tu texto a un compañero, que adivina qué es como hoy y qué es diferente.

8 a. ¿Cuánta música hay en tu vida?

En grupos de tres, hablad sobre este tema a partir de las preguntas. Luego presentad un resumen a la clase. ¿Se puede formar la orquesta o el coro del grupo?

¿Qué tipo de música te gusta? ¿Odias algún tipo de música?
¿Cuándo escuchas música? ¿Puedes leer o concentrarte escuchándola?
¿Tocas algún instrumento? ¿O te gustaría aprender a tocar uno? ¿Cuál?
¿Cantas en un coro o en una banda?

b. Escucha estos fragmentos de música. CD2 ▶▶ 56 – 59

¿Qué asocias con ellos? ¿Qué instrumentos reconoces?

Me hace pensar en...
Me recuerda...
Me pone triste / alegre.
Me da ganas de bailar.

✎ 6

Voluntarios

9 a. ¿Conoces estas ONG (ONG = organización no gubernamental)?

¿Tienen actividades en su país? Explica sus actividades.

defender los derechos humanos
dedicarse a la ayuda humanitaria
defender los derechos de los niños
luchar contra la pobreza
apoyar el comercio justo
dedicarse al medio ambiente

ONG	voluntarios	socios	ingresos públicos	ingresos privados	gastos gestión	gastos proyectos
Amnistía Internacional	1.817	58.530	3%	97%	12%	88%
Cáritas Española	56.998	------	38%	62%	7,7%	92%
Cruz Roja Española	180.084	870.012	32%	64%	64%	30%
Intermón Oxfam	1.829	243.570	33%	67%	13%	87%
UNICEF	1.090	200.000	17%	83%	26%	68%
Greenpeace	350	103.180	0%	100%	12%	65%

http://ong.consumer.es/

b. ¿Te gustaría colaborar en alguna de esas organizaciones? ¿Cuál? Explica tus motivos.

10 a. Mira la estadística de la página anterior y di si las frases son correctas o falsas.
Luego completa la tabla.

☐ Greenpeace tiene más socios que Amnistía Internacional, pero menos que Oxfam.
☐ En UNICEF trabajan tantos voluntarios como en Amnistía Internacional.
☐ De todas las ONG la Cruz Roja es la que tiene más socios.
☐ Greenpeace es la que recibe menos ingresos públicos.
☐ Los gastos de administración de Cáritas son tan altos como los de Greenpeace.
☐ UNICEF no gasta tanto en administración como la Cruz Roja.

¿Recuerdas la comparación?

Es **más** grande **que**…
Es **menos** grande **que**…
Es **tan** grande **como**…
Es **el / la más** grande.
Es **el / la menos** grande.
Gasta **más / menos que**…

 7, 8

verbo + ...	tanto/-a/-os/-as + ...
La gente no sabe **tanto** de Oxfam **como** de otras organizaciones. La música clásica no me gusta **tanto como** el jazz.	Cáritas no tiene **tanto** márketing **como** otras organizaciones. Greenpeace no tiene .... socios **como** la Cruz Roja.

b. En grupos de tres. ¿Conoces bien a tus compañeros?
Busca un aspecto en común y una diferencia con cada uno.

Sabine tiene tantos años como yo, pero yo tengo más hermanos que Peter.

11 a. Mira la foto de la persona de abajo y haz suposiciones.

nacionalidad: ....
edad: ....
profesión: ....
lugar: ....
actividades de tiempo libre: ....

¿Recuerdas?

Creo que…
Pienso que…
Puede ser…

Para expresar hipótesis referidas al presente también se puede usar el futuro.

expresar suposiciones

Será…
Tendrá unos… años.
Supongo que es…
Quizás tiene su propia tienda.
Me imagino que…

b. Lee ahora el texto y compara con tus suposiciones.

Lali Coca Machado es voluntaria en una de las tiendas de *Koopera* en Bilbao que venden ropa y objetos de segunda mano.

"Durante muchos años me he dedicado a la familia, pero ahora tengo cuarenta y nueve años y los niños son grandes. De repente, te encuentras con tiempo libre, y el yoga y el taichi no son suficientes para llenar el hueco. Sentía la necesidad de ayudar. De todos los proyectos de Cáritas el que más me gustó fue *Koopera*. En esta tienda hay ropa, electrodomésticos, juguetes, libros y comida ecológica. Aquí se combinan reciclaje y solidaridad. Yo compro toda mi ropa en la tienda, desde los vaqueros hasta el abrigo. Es interesante porque te puedes encontrar con todos los perfiles posibles de la sociedad: musulmanas con su velo que vienen tanto a comprar como a charlar un rato, gente de la clase media que busca ropa "vintage" o personas que están en una situación extrema, pero que, a pesar de todo, conservan su dignidad."

Adaptado de XL Semanal

c. Has comprado algo en Koopera. Explica a otra persona qué es esta tienda.

12 Para trabajar como voluntario en una ONG, ¿qué cualidades se necesitan?
Ordena estas cualidades de más a menos según la importancia que tienen para ti.
Compara y coméntalo con tus compañeros.

ser creativo / sensible / responsable / flexible / tolerante
tener disciplina / motivación / paciencia / buena salud / entusiasmo / reponsabilidad
ser capaz de organizar / trabajar en equipo / escuchar / improvisar

necesidad y obligación	
Es necesario	
Se debe	+ infinitivo
(No) Hay que	
Hace falta	+ inf. / sust.

✎ 9, 10

13 a. Escucha a otros dos voluntarios y completa las fichas. CD2 ▶▶ 60 – 61

Tipo de actividad ....
....
Motivo ....
....
Tiempo dedicado ....
Cualidades necesarias ....
....

Tipo de actividad ....
....
Motivo ....
....
Tiempo dedicado ....
Cualidades necesarias ....
....

b. Escucha otra vez y marca las expresiones que se mencionan.

☐ Quería hacer algo por los demás.
☐ A mí me aporta mucho.
☐ Quería poner mi granito de arena.

☐ He aprendido a ser más comprensiva.
☐ Me da pena. / Me emociona.
☐ Me hace mucha ilusión.

**14 a. "Siempre imaginé que el Paraíso sería algún tipo de biblioteca", dijo Jorge
Luis Borges. ¿Cuál es la relación del grupo con los libros? Haz una encuesta.**

¿Quién del grupo…
– lee en voz alta a sus hijos o nietos?
– escucha libros en CD?
– lee normalmente antes de dormir?
– va regularmente a una biblioteca?
– regaló un libro el mes pasado?
– fue a una lectura el año pasado?

**b. Un concurso de lectura.
¿Quieres participar?**
Elige un capítulo de "La clave está en el
pasado" y prepárate para leerlo en voz alta.
(Si hay diálogo, trabajad en parejas). Luego
algunos voluntarios leen el texto que han
elegido. Los que no quieren participar
pueden formar parte del jurado. ¿Quién
gana el concurso?

Destruida en la guerra en 1979
y reconstruida con la ayuda de la
Asociación de Hermanamiento,
la biblioteca de La Trinidad es hoy
punto de encuentro para toda la
comunidad. Vienen sobre todo
jóvenes para leer o estudiar porque
los libros no se prestan.

✎ 11, 12

Tarea final Tu granito de arena

Quieres colaborar en un proyecto o una asociación.

Portfolio
Guarda la carta en tu dosier.

1. Completa el formulario teniendo en cuenta
    - el público que te interesa
      (niños, enfermos, personas mayores…)
    - el tipo de asociación
      (proyectos de carácter social, cultural,
      de medio ambiente…)
    - el tiempo que puedes dedicar
    - las cualidades que te pueden servir
    - tus experiencias

2. Los formularios se exponen en el aula.
    Todos los leen y forman grupos según los
    intereses.

3. Cada grupo decide en qué organización
    o proyecto quiere colaborar y escribe una
    carta para ofrecer su colaboración

Nombre _____

Motivo _____

_____

Intereses _____

Tiempo disponible _____

_____

Cualidades _____

_____

Experiencias _____

_____

_____

La clave está en el pasado

Capítulo 7: Un confidente

Por desgracia, Carmen Sinabla no nos dijo dónde
podíamos encontrar a Juan Silencio. Pero no era
problema porque yo tenía una idea: decidí hablar con
Pepe "el ratón" López. Pepe "el ratón" era camarero
en un bar de la Plaza de Cataluña y sabía todo lo que
pasaba en Barcelona. Era uno de mis confidentes,
no era caro y siempre tenía buena información para
mí. Sólo tenía un problema: no sabía decir las cosas
directamente.
Entré en el bar. Pepe "el ratón" estaba detrás de la
barra.

– Hola, ratón. ¿Qué tal?
– No estoy mal. ¿Un café con leche, como siempre?
– Sí. Y un poco de información.
– ¿Qué quieres saber?
– ¿Conoces a un hombre llamado Juan Silencio?
– No digo que no.
– Es decir, sí. ¿Sabes si últimamente ha participado en
un robo importante?
– Yo no lo sé, pero el primo del vecino de una sobrina
de un compañero de trabajo me dijo algo del robo de
una fórmula.
"El ratón" siempre habla así.
– ¿Sabes dónde vive Juan Silencio? – le pregunté.

– No vive lejos.
– Es decir .....*vive cerca.*................

Entonces le enseñé un mapa de la zona y seguí las
explicaciones de Pepe "el ratón".

– No vive delante de la universidad.
– Es decir .....*vive*................
– Su piso está en una de las calles que están entre la
calle Muntaner y la calle Balmes, concretamente en la
que está más lejos de la calle Balmes.
– Es decir .....*en la*................ ¿En qué número?
– Muy fácil. El número es la multiplicación de los
días de las semana por las estaciones del año. A este
número hay que añadir los meses. ¿Está claro?

*¡Uf! ¡Qué lío! ¿Puedes reformular las frases del camarero
y marcar en el mapa dónde vive Juan Silencio?*

De fiesta

La Verbena de la Paloma

Si pensamos en Madrid en agosto, seguramente pensamos en calor, mucho calor, ¿no? O en la ciudad casi vacía porque mucha gente se ha ido de vacaciones. O quizás recordamos una canción de los años ochenta que decía "Vaya, vaya, aquí no hay playa". Y todo es verdad. En Madrid no hay playa, pero tenemos terrazas maravillosas para tomar algo con los amigos y una fiesta muy típica, la Verbena de la Paloma.

Hola, me llamo Nieves Castells y, como te puedes imaginar, soy de Madrid. Me gustaría hablarte de esta fiesta que celebramos el día 15 de agosto. Las verbenas son fiestas populares en honor al santo patrón de una ciudad o de un barrio. Nuestra verbena es en honor a la Virgen de la Paloma. Empieza ya el 6 de agosto, cuando se ponen puestos en muchas de las calles que están cerca de la Iglesia de la Virgen de la Paloma. En los puestos se venden dulces, bebidas, hay tómbolas,

un barquillero

bailando chotis

los churros

música, … El dulce más popular son los "churros", que tienen muchísimas calorías, pero están riquísimos.

Otro dulce especial, que tiene para mí muchos recuerdos de la infancia, son los "barquillos". Son unos tubos hechos de una masa de harina, azúcar y canela. Los vendedores se llaman "barquilleros" y llevan normalmente un traje típico madrileño, una cesta con los barquillos y una ruleta con números. Esta ruleta es para probar la suerte: el que saca el número más bajo invita a los otros. Los barquilleros presentan los barquillos con unos versos:

"¡Al rico barquillo de canela
para el nene y la nena,
son de coco y valen poco,
son de menta y alimentan,
de vainilla ¡qué maravilla!,
y de limón
qué ricos, qué ricos, qué ricos
que son!"

La verbena empieza por la noche. Muchos madrileños, hombres y mujeres, van vestidos con los trajes típicos de la ciudad. Ellos, los "chulos", con su traje, la gorra y el pañuelo. Ellas, las "chulapas", con vestido, el mantón y un clavel en el pelo. Siempre hay baile. El más famoso, porque es el típico de Madrid, es el "chotis". ¿Sabe de dónde viene el nombre de este baile? El nombre da una pista. Viene de la palabra alemana "schottisch", que significa "escocés". Pero el baile no es de Escocia, sino de Bohemia.

La fiesta termina con la procesión de la Paloma, el día 15. Ese día sacan la imagen de la Virgen de la Iglesia. Es un privilegio de los bomberos de Madrid bajar la imagen de su lugar y ponerla en su carroza, decorada con cientos de claveles, para luego pasearla por las calles del barrio.

Después de la procesión se acaba la fiesta. En Madrid sigue haciendo calor, hay mucha gente de vacaciones y no tenemos playa, pero lo hemos pasado muy bien. El año próximo volveremos a ir de fiesta.

- *¿Hay alguna fiesta parecida en tu país?*
- *¿Cuándo y dónde la gente lleva trajes regionales?*

Comunicación

Compromiso social

la ONG	los derechos humanos
la asociación	la ayuda humanitaria
la integración social	el comercio justo
la donación	defender los derechos
el servicio social	apoyar un proyecto
el / la voluntario/-a	luchar por / contra

El carácter y las habilidades

ser	creativo / sensible / responsable / flexible / tolerante
tener	disciplina / motivación / entusiasmo / buena salud / paciencia
ser capaz de	organizar / trabajar en equipo / escuchar / improvisar

Hablar del futuro

De mayor quiero ser como Gustavo.
Tocaré música clásica y jazz.
Todavía no sé qué haré de mayor.

Expresar hipótesis

Tendrá unos 50 años.
Seguramente tiene familia.
Quizás tiene su propia tienda.
Será vendedora.
Supongo que es española.
Me imagino que le gusta su trabajo.

Expresar necesidad

Se debe	
Hay que	+ infinitivo
No hay que	
Es necesario	
Hace falta	+ infinitivo / sustantivo

Expresar sentimientos e interés

Me recuerda…
Me hace pensar en…
Me pone triste / alegre.
Me da pena. / Me emociona.
Me hace ilusión.
Quería hacer algo por los demás.
A mí me aporta mucho.
Sentía la necesidad de ayudar.
Quería poner mi granito de arena.
He aprendido a ser más comprensiva.

Gramática

El uso de ser **y** estar

ser	
Soy Pablo.	*Nombre*
Soy venezolano, de Caracas.	*Procedencia*
Soy trompetista.	*Profesión*
Es un instrumento bonito.	*Definición*
Gustavo es muy simpático.	*Carácter*
El concierto es en la ópera de Caracas.	*Eventos*

estar	
Hoy estoy un poco nervioso.	
Mis abuelos están orgullosos de mí.	*estado anímico*
Mi mamá siempre está de buen humor.	
El concierto ha estado muy bien.	*Valoración*
La ópera está en el centro de Caracas.	*Ubicación*

Se usa **ser** para definir e identificar personas y cosas, y también para describir el carácter. Se usa **estar** para ubicar o para describir el estado de una persona o cosa: Marcelo está enfermo. La tienda está cerrada.

Comparar

verbo + **tanto**
La música clásica me gusta **tanto como** el jazz.
Greenpeace no gasta **tanto** en administración **como** UNICEF.

tanto/-a/-os/-as + sustantivo
Cáritas no tiene **tanto** márketing **como** otras ONG.
Greenpeace no tiene **tantos** socios **como** la Cruz Roja.
Al concierto de Dudamel no va **tanta** gente **como** al cine.

Tanto es invariable cuando afecta al verbo. Cuando modifica a un sustantivo, concuerda en número y género con él: **tanto/-a/-os/-as**.

El futuro

	hablar	ser
yo	hablar**é**	ser**é**
tú	hablar**ás**	ser**ás**
él / ella / usted	hablar**á**	ser**á**
nosotros/-as	hablar**emos**	ser**emos**
vosotros/-as	hablar**éis**	ser**éis**
ellos / ellas / ustedes	hablar**án**	ser**án**

Formas irregulares del futuro

decir	**dir-**		
hacer	**har-**	é	hay → **habr**á
poder	**podr-**	ás	
poner	**pondr-**	á	
salir	**saldr-**	emos	
tener	**tendr-**	éis	
venir	**vendr-**	án	

La terminaciones para el futuro son iguales en todas las conjugaciones y se colocan detrás del infinitivo. Los verbos irregulares tienen una raíz irregular, pero las terminaciones son regulares.
Se usa el futuro para hacer predicciones y para expresar hipótesis sobre el presente:
¿Sabes dónde están mis gafas? – **Estarán** en la mesa del salón.

Muy informados

1

2

3

hablar sobre los medios de comunicación • suponer y sugerir •
expresar acuerdo y desacuerdo • vocabulario de la informática

22

1 **a. Lee los textos y subraya la información que se refiere a las fotos.**

7.00 "Son las siete de la mañana, una hora menos en Canarias." Media España se levanta con esta frase y las noticias de la radio. A partir de ahora y hasta la noche, la radio acompaña la jornada de muchos españoles.

11.00 La hora del café en el bar de la esquina. Muchos aprovechan este momento para conectarse a internet, porque en algunos bares hay conexión gratis.

12.00 La primera lectura del día. En el camino al trabajo, al parque o al bar se compra el periódico en el quiosco. El País regala hoy una película, El Mundo un libro, la Vanguardia un CD. Y todos tienen cupones para motivar al lector a volver a comprar el periódico mañana. Con diez cupones, un DVD gratis.

17.00 Hora en la peluquería para cortarse el pelo e informarse en las revistas del corazón sobre la vida de los famosos y las familias reales.

21.00 Empieza el Telediario. Otra vez suben los precios. El tiempo para el fin de semana será perfecto.

b. ¿Es igual en tu país? ¿Qué es diferente?

Yo me informo así

2 **a. Contesta este cuestionario sobre los medios de información.**

¿Estás bien informado?

1. Yo me informo sobre todo
   - ☐ leyendo el periódico.
   - ☐ escuchando la radio.
   - ☐ viendo las noticias de la televisión.

2. Cuando leo el periódico,
   - ☐ leo primero los titulares.
   - ☐ lo leo del principio al final.
   - ☐ busco la sección que más me interesa (deporte, anuncios, bolsa...).

3. En la tele veo sobre todo
   - ☐ noticias y reportajes, para informarme.
   - ☐ películas o deporte, para relajarme.
   - ☐ Me da lo mismo, lo mío es el zapping.

4. Veo las noticias
   - ☐ normalmente en el mismo canal.
   - ☐ siempre a la misma hora.
   - ☐ cuando puedo.

5. Cuando escucho la radio,
   - ☐ elijo los programas que me interesan.
   - ☐ el programa me da lo mismo, tengo la radio siempre encendida.
   - ☐ Casi nunca escucho la radio.

6. Uso también otros medios como
   - ☐ internet.
   - ☐ teletexto.
   - ☐ otros, por ejemplo ....

b. En parejas. Comparad vuestras respuestas y presentad a la clase un aspecto en común.

c. ¿Es lo mismo o diferente?
Completa la columna de la izquierda con ejemplos. ¿Cómo se traducen las expresiones de las otras columnas?

el mism**o** *canal*	aquí mismo	No es lo mismo.
la mism**a**	ahora mismo	Todos dicen lo mismo.
los mism**os**	hoy mismo	Me da lo mismo.
las mism**as**	yo mismo/-a	

d. Completa las preguntas con mismo/-a/-os/-as. Luego busca a una persona para cada aspecto. ¿Quién las encuentra primero? Finalmente, presenta los resultados.

¿Quién de la clase...	Nombre
– lee *el mismo* periódico que tú?	....
– vio ayer .... programa en la tele?	....
– se acostó ayer a .... hora?	....
– usa .... programas de ordenador?	....
– tiene .... zapatillas de deporte?	....

- ● ¿Qué periódico lees?
- ○ *El País.*
- ● Ah, yo también.

- ● Katharina y yo leemos el mismo periódico.

 1–3

MARTES 5 DE ENERO

rtve TVE 1

10.15 Esta mañana

06.30 Telediario matinal
10.15 Esta mañana
Presenta Pepa Bueno
14.30 Corazón, corazón
Crónica sobre famosos, moda y cine
15.00 Telediario 1
15.55 El tiempo
16.00 Amar en tiempos revueltos
Cap. 121: Héctor recibe una mala noticia.
17.10 En nombre del amor
Camila le devuelve el collar a Paloma.
18.00 España directo
20.00 Gente
Espacio de debate
21.00 Telediario 2
21.50 El tiempo
22.00 Cine para todos
Ana Karenina
01.45 Telediario 3
02.00 TVE es música

ANTENA 3

22.00 Fútbol, Copa del Rey

06.30 Las noticias de la mañana
10.15 La aventura de saber
La inteligencia del pulpo
12.30 La ruleta de la suerte
Presenta Jorge Fernández
14.00 Los Simpson
Los Simpson deciden pasar las vacaciones en Tomdalylandia.
15.00 Noticias
16.00 Multicine
Babe, el cerdito valiente
19.15 El diario
21.00 Noticias
22.00 Fútbol. Copa del Rey
Real Madrid – FC Barcelona
Retransmisión en directo
23.30 Los hombres de Paco
Cap. 35: Un muerto y un mensaje
00.15 Redacción 7
Programa de reportajes
02.00 Marca y gana

TELECINCO

16.45 Rex, un policía diferente

06.30 Informativos
09.00 El programa de Ana Rosa
12.30 Bricomanía
Consejos para hacer bricolaje
14.00 Karlos Arguiñano en tu cocina
Alcachofas gratinadas con queso
15.00 Informativos
15.30 Saber y ganar
16.45 Rex, un policía diferente
19.00 Amazonas
Viaje por el río más largo del planeta
20.00 Pasapalabra
Tres candidatos pasan a semifinales.
20.55 Informativos
Incluye información deportiva y previsión meteorológica.
22.30 Hospital Central
Fernando lucha contra el cáncer.
00.30 Los mejores videoclips de música

La televisión

3 **a. Lee la programación de televisión.**
Busca un ejemplo para cada tipo de programa poniendo al lado el número correspondiente. ¿A qué hora hay noticias? ¿Y películas o series?

1. noticias
2. deporte
3. película
4. el tiempo
5. documental
6. concurso
7. telenovela
8. serie
9. tertulia
10. dibujos animados
11. programa de actualidad
12. programa musical

b. ¿Puedes dar un ejemplo para cada tipo de programa en tu país?

c. ¿Con qué frecuencia ves la tele? ¿Qué programas te gustan más?
Clasifica los programas de la lista según la frecuencia con la que los ves y comenta los resultados.

frecuencia	programas
Regularmente:	
De vez en cuando:	
Raramente:	
Nunca:	

• Veo las noticias regularmente. Nunca veo concursos.

4, 5

Florencio "¿La televisión ideal? Pues… más deporte, sobre todo fútbol, y todos los partidos gratis en la televisión pública. En realidad me gustaría un canal sólo de fútbol y con la retransmisión de todos los partidos en directo."

Belinda "La televisión debería ser más educativa: tendría sobre todo noticias, programas culturales, documentales. Yo pondría más programas infantiles con contenidos educativos y menos violencia."

Cecilia "Mi tele ideal daría, sobre todo, entretenimiento. Yo pondría más películas, series, telenovelas y por la noche más concursos. Y también más dibujos animados para mis hijos. Quizás habría que reducir programas políticos aburridos. Es que yo veo la tele para relajarme."

Rodrigo "Una buena televisión informaría más sobre actualidad y política. También habría más tertulias con discusiones entre personas interesantes porque te dan distintos puntos de vista del mismo tema."

4 **a. Lee estas opiniones sobre la tele y marca una palabra clave en cada comentario.**

b. En los comentarios hay una nueva forma verbal: el condicional.
Marca las formas en el texto. Después, traduce a tu lengua las frases de la tabla.

verbos regulares	irregulares	
informar**ía**	decir – diría	La tele debería ser más educativa.
informar**ías**	hacer – haría	Yo pondría más películas y series.
informar**ía**	poder – podría	
informar**íamos**	poner – pondría	*Forma de cortesía:*
informar**íais**	tener – tendría	¿Podría decirme la hora, por favor?
informar**ían**	hay – habría	Me encantaría ir a tu fiesta, pero…

5 **a. ¿Cómo debería ser la tele según las personas de arriba?**
Completa las frases y marca la opción correcta.

1. ☐ A Belinda le _gustaría_ *(gustar)* tener más programas educativos.
   ☐ Belinda _____ *(poner)* más dibujos animados para niños.
2. ☐ Según Rodrigo, la tele _____ *(deber)* ofrecer más deporte.
   ☐ Rodrigo _____ *(ampliar)* las noticias con más análisis de la actualidad.
3. ☐ Cecilia y Florencio _____ *(quitar)* las telenovelas.
   ☐ Cecilia _____ *(cambiar)* programas políticos por series y películas.
4. ☐ Para Florencio una buena tele _____ *(tener)* más deporte.
   ☐ Florencio _____ *(quitar)* programas aburridos de política.

b. La tele: ¿qué pondrías o quitarías tú?
En grupos. Se juega con una moneda. Si sale cara, dices qué pondrías en la tele. Si sale cruz, dices qué programa quitarías.

• Yo pondría más documentales.

¿Recuerdas?

Me gustaría aprender a tocar el piano.

Las terminaciones para el condicional se añaden al infinitivo. Los verbos irregulares cambian en la raíz, no en las terminaciones, igual que las formas irregulares del futuro.

6 **a. Escucha a dos amigos que hablan de la tele.** CD2 ▶▶ 62
¿Puedes explicar la situación en una frase?

b. Lee los argumentos a favor y en contra de la tele y escucha otra vez.
¿Cuáles mencionan?
¿Quieres añadir otros?

Con la tele no hay comunicación en las familias.

La televisión ofrece mucha información interesante.

Ver la tele es una actividad pasiva.

La tele es un tema importante de conversación.

Muchos programas tienen muy poco nivel.

Con la tele también se aprende.

Siempre se puede encontrar un buen programa.

Ver la tele es una forma cómoda de relajarse.

Hay que aprender a ver la tele, muchos no saben.

La tele es importante para la gente que no puede salir de casa.

c. ¿Estás de acuerdo?
Un voluntario lee una de las opiniones de arriba. Tus compañeros de la derecha
y de la izquierda reaccionan usando expresiones de este cuadro. Luego otro lee
la siguiente opinión, y así sucesivamente.

expresar acuerdo	expresar duda	expresar desacuerdo
Estoy de acuerdo.	Depende (de)…	No estoy de acuerdo.
Sí, es cierto.	Sí, es verdad, pero…	Eso no es verdad.
Es verdad.	Es probable.	Yo creo que no.
Tienes razón.	No sé, puede ser.	No, en absoluto.

 10, 11

7 **Una vida sin tele.**
¿Puedes imaginarte cómo sería tu vida sin televisión? Escribe un pequeño texto
mencionando algunos aspectos que cambiarían. Luego se comparan los textos.
¿Cuáles son los cambios más mencionados?

Busca en internet

8 **a. La abuela de Susi quiere aprender a usar internet.** CD2 ▶▶ 63
Lee y escucha el diálogo y marca las palabras que tienen que ver con el mundo
de la informática. Luego relaciónalas con los símbolos de abajo.

- Susi, en la peluquería me han dicho que en internet hay una revista que se llama "Sesenta y pico", que es para gente de mi edad. Me gustaría leerla, pero no sé cómo se hace. ¿Me ayudas?
- Claro, mira, con este botón enciendes y apagas el ordenador, y la pantalla se enciende con este otro.
- Esto ya lo sabía.
- Bueno, perdona. Con el ratón haces clic aquí en este símbolo y así te conectas a internet. Y aparece el buscador google.
- Esto es nuevo. A ver, ¿qué es un buscador?
- Un programa que busca la información que quieres saber.
- ¿Y cómo lo sabe?
- Es muy fácil. Escribiendo aquí una palabra clave, por ejemplo el nombre del periódico. Mira, ya está. Si te interesa algún artículo, podemos imprimirlo. O lo puedes copiar en un documento y guardar en esta carpeta con tu nombre, "Mercedes". Haciendo clic aquí puedes abrir y cerrar tus documentos, ¿ves qué fácil?

- ¡Qué bien! Pues guárdame este artículo sobre el deporte y la tercera edad, o mejor, me lo imprimes, que ya tengo impresora.
- Sí, claro. Ya está. Mira, abuela, también tienes enlaces a otras páginas web del mismo tema.
- Cursos de natación, concurso de cocina, excursiones… ¡Cuántas cosas interesantes se descubren navegando por internet!

símbolos

- 📄 ....
- 📁 ....
- 🖨 ....
- 💾 ....
- 📄 ....

b. La abuela de Susi ha escrito rimas para recordar el vocabulario del ordenador.
¿Puedes completarlas? ¿Cuántas puedes aprender de memoria en dos minutos?

Espera un momento,
yo guardo este cuento
en un ....

Me haces el favor,
abres el ....
y buscas un actor.

En la ....
del ordenador
se ve una playa
donde hace calor.

Hora tras hora
imprime la ....

Dime lo que haces
con estos ....

c. Piensa en tres cosas que se pueden hacer con estos verbos sin decir el verbo, tus compañeros lo adivinan.

marcar | abrir | cerrar | guardar | enviar |
borrar | copiar | encender | imprimir

- Puerta, documento y bolso.
- ¿Abrir?

✎ 12, 13

d. Escribe tres frases (verdaderas o falsas) con los verbos de arriba.
En cadena. Cada uno lee una frase. Si es verdadera, el grupo levanta el brazo derecho, si es falsa, el izquierdo.

- Para enviar un correo electrónico necesitas un sello.

España	Latinoamérica
el ordenador	la computadora
el móvil	el celular
encender	prender

9 **"Navego por internet escuchando música"**

¿Cómo se dicen las frases anteriores en tu lengua? ¿Y qué cosas haces tú al mismo tiempo? Marca tres actividades y coméntalas.

● Conduzco escuchando música.

	A	B	C	D	E	F	G	H	I	J
A ver la tele										
B escuchar música										
C cantar										
D ducharse										
E planchar										
F hacer deporte										
G leer el periódico										
H cocinar										
I conducir		X								
J desayunar										

> **¿Recuerdas el gerundio?**
>
> Acción en desarrollo:
> **Estoy viendo** la tele.
>
> Modo:
> Me informo **viendo** la tele.
>
> Simultaneidad:
> Me ducho **cantando**.

10 **a. Lee el texto y marca los motivos para usar internet.**

¿Para qué se usa internet? "Para leer mi correo electrónico", es la respuesta más usual a esta pregunta. Muchos lo usan también para buscar información o para chatear. Y hay cada vez más gente que se decide por este medio para comprar o para comparar precios de productos. Muchos jóvenes lo usan para bajar música o hablar gratis por "teléfono" a través de Skype.

¿Por qué lo hacen? Las respuestas más frecuentes son "porque es práctico" y "porque es rápido". Por rapidez, por comodidad, por necesidad o por trabajo, internet forma parte de nuestras vidas. ¿Te imaginas una vida hoy en día sin internet?

para	por
para mí	por necesidad / comodidad
para mis hijos	por la mañana / tarde / noche
para informarme	Damos un paseo virtual por el barrio.
para mañana	He comprado un móvil por 20 euros.

> Con **para** expresamos la finalidad, el destino o el destinatario. **Por**, sin embargo, expresa el motivo, el lugar o el precio. También usamos **por** junto con verbos como **decidirse** o **interesarse**.

b. Lee las respuestas de una encuesta y completa con por **o** para.

1. ¿Internet? Lo necesito sobre todo .... el trabajo. .... mí es tan necesario como el teléfono, es muy importante .... buscar información. Mis hijos lo usan .... placer, ... chatear y eso… Bueno, también .... necesidad porque en el colegio también lo tienen que usar.
2. Yo lo uso sobre todo .... comprar, es que no puedo salir de casa .... problemas de salud. Es muy práctico aunque preferiría pasear .... el barrio y ver las tiendas.

c. Y tú, ¿usas internet? ¿Para qué? ¿Con qué frecuencia? ¿Podrías vivir sin usarlo?

✎ 14, 15

Tarea final La clase y los medios

Una encuesta sobre el uso de los medios en la clase.

1. La clase se divide en tres grupos. Cada grupo toma uno de los tres temas y elabora un cuestionario con unas cinco preguntas. Podéis preguntar por preferencias, frecuencia, motivos…

CUESTIONARIO

Tema: ....

¿Dónde lees el periódico?
¿Lees revistas regularmente?
…

Temas
La prensa
La televisión
Internet

2. Una persona de cada grupo va a otro y hace las preguntas a los compañeros. Toma notas de las respuestas.

3. Cada "entrevistador" vuelve a su grupo con la información que ha apuntado y la comenta con sus compañeros. Luego el grupo resume la información en un texto.

4. Cada grupo presenta su texto.

La clave está en el pasado

Capítulo 8: Retrato robot

Por fin tenía una pista importante. Ya sabía dónde vivía Juan Silencio. Fui hasta la dirección, calle Aribau, 40. Era un bloque con muchos pisos en el que vivían muchas personas. Imposible encontrarlo aquí. Entonces decidí preguntar a la gente del barrio. Primero hablé con el dueño de un quiosco.
– ¿Juan Silencio? Sí, lo conozco. Colecciona novelas policíacas y viene cada semana a comprarlas.
– ¿Me lo podría describir?
– Pues, alto, delgado. Parece muy serio, siempre lleva traje y corbata.
El quiosquero no me pudo dar más informaciones, pero la camarera del bar "El cafecito", que estaba cerca de la casa de Juan Silencio, también lo conocía.
– Juan viene todas las mañanas a desayunar. Se sienta cerca de la ventana y lee el periódico.
– ¿Qué aspecto tiene?
– Es delgado, tiene el pelo negro y corto.

– ¿Lleva gafas?
– Sí. Es una lástima, porque tiene unos ojos verdes preciosos…
– Vaya, vaya. ¿Alguna característica más?
– Bueno, últimamente lleva barba.
– ¿Sólo barba?
– Sí, sólo barba, sin bigote. Una barba corta. Muy sexy.
Finalmente, como Juan Silencio parecía aficionado a la literatura, entré en una librería. La librera lo conocía también.
– El señor Silencio es un buen cliente nuestro. Es un gran lector.
La descripción de la librera coincidía con las informaciones que ya tenía, pero me dio un detalle interesante:
– Lleva un pendiente en la oreja izquierda.

Bueno. Ya sabemos mucho. ¿Has tomado notas?
¿Podrías dibujar el retrato robot de Juan Silencio?

De fiesta

Las fiestas de la vendimia en La Rioja

¿Quién no conoce los vinos de La Rioja?

Hola. Me llamo Begoña y soy de Logroño, la capital de La Rioja. Mi región es conocida en el mundo entero por sus magníficos vinos, sobre todo los tintos, aunque los blancos son cada vez mejores. Los vinos de la Rioja tienen la Denominación de Origen Calificada (D.O.C.), un certificado de calidad que confirma que el vino se ha producido en esta región.

Un vino de Rioja siempre es bueno, pero no es lo mismo comprar un vino de *crianza* que un vino *gran reserva*. *Crianza*, *reserva* y *gran reserva*, de menor a mayor calidad, son categorías de calidad que se definen por el tiempo que pasa el vino en el barril y en la botella.

El vino es una parte fundamental en nuestra vida y, además, marca el paisaje de La Rioja. A mí me parece hermoso, sobre todo en otoño, cuando las viñas cambian

paisaje de viñas en otoño

de color. Es también la época más importante, porque se realiza la vendimia, es decir, se recogen las uvas de las que después se hará el vino.

Yo diría que todos, absolutamente todos los pueblos y ciudades de La Rioja, grandes o pequeños, celebran en otoño sus fiestas de la vendimia.

Aquí, en Logroño, las fiestas de la vendimia se llaman "Fiestas de San Mateo" y empiezan el 21 de septiembre. Es una fiesta muy antigua, que se celebra desde el siglo XII. Como en todas las fiestas populares, hay música, bailes, comida…

Se come muchísimo y muy bien porque celebramos también la

Feria Gastronómica.

¿Qué se come? De todo, pero lo mejor son las especialidades de la región, como las patatas con chorizo. ¡Qué ricas! Y claro, se bebe vino. El nuestro, el rioja.

Una parte preciosa de las fiestas es cuando al final se hace la "ofrenda del primer mosto". El mosto es el nombre que tiene el zumo de la uva. En la ofrenda, niños de toda La Rioja llenan la "cuba" con las primeras uvas recogidas. Después las uvas se pisan de la manera tradicional, con los pies, para sacar el mosto. Este mosto se ofrece a la patrona de Logroño, la Virgen de la Valvanera. Finalmente, se quema la cuba. ¡Es muy emocionante!

Bueno, sólo me queda brindar con vosotros con un buen vino de mi tierra. ¡Salud!

■ *¿Hay fiestas del vino en tu región?*
■ *Marca en el texto todas las palabras relacionadas con el vino. Después puedes hacer tu pequeño diccionario del vino, escribiendo una lista de las palabras con la traducción a tu lengua.*

niña llenando la cuba con uvas

patatas a la riojana

Comunicación

Programas de televisión

las noticias	la telenovela	los dibujos animados
el tiempo	el documental	el programa de actualidad
el deporte	el concurso	el programa musical
la película	la serie	la tertulia

Adverbios de frecuencia

regularmente
de vez en cuando
raramente
nunca

Acuerdo

Estoy de acuerdo.
Sí, es verdad.
Es verdad.
Tienes razón.

Duda

Depende (de)…
Sí, es verdad, pero…
Es probable.
No sé, puede ser.

Desacuerdo

No estoy de acuerdo.
Eso no es verdad.
Yo creo que no.
No, en absoluto.

Ordenadores e internet

el ordenador	encender / apagar el ordenador
la pantalla	hacer clic
el botón	conectarse a internet
el ratón	navegar por internet
la impresora	marcar un texto
el CD-Rom	enviar un mensaje
el buscador	abrir / cerrar ⎤
la página web	copiar
el enlace	guardar
el programa	bajar un documento
el documento	borrar
la carpeta	imprimir ⎦

Describir el modo

Me informo viendo las noticias de la televisión.
Haciendo clic en este símbolo abres el documento.
¡Cuántas cosas se descubren navegando por internet!

Indicar la simultaneidad de dos acciones

Mucha gente lee el periódico desayunando.
No conviene conducir hablando por teléfono.
Me ducho cantando.

Gramática

El uso de mismo

como adjetivo
el mism**o** canal
la mism**a** hora
los mism**os** programas
las mism**as** películas

como intensificador
Aquí mismo tienes un enlace interesante.
Ahora mismo empiezan las noticias.
Te mando el mensaje **hoy mismo**.
Ella misma ha diseñado su página web.

como pronombre
No es lo mismo.
Todos dicen lo mismo.
Me da lo mismo.

La preposición para

Veo la tele **para** informarme.	*finalidad, objetivo*
Pondría más programas **para** niños.	*destinatario*
He pagado la conexión **para** un mes.	*fecha límite, plazo*
Quería un billete **para** Valencia.	*destino*
Para mí la tele es algo pasivo.	*opinión*

La preposición por

Uso internet **por** necesidad.	*razón, motivo*
Compramos **por** internet.	*medio*
Pondría más películas **por** la noche.	*momento del día*
Se puede dar un paseo virtual **por** el barrio.	*lugar, paso*
Lo he comprado **por** 20 euros.	*precio*

El condicional

	hablar	ser
yo	hablar**ía**	ser**ía**
tú	hablar**ías**	ser**ías**
él / ella / usted	hablar**ía**	ser**ía**
nosotros/-as	hablar**íamos**	ser**íamos**
vosotros/-as	hablar**íais**	ser**íais**
ellos / ellas / ustedes	hablar**ían**	ser**ían**

Formas irregulares del condicional

decir	**dir-**	
hacer	**har-**	ía
poder	**podr-**	ías
poner	**pondr-**	ía
salir	**saldr-**	íamos
tener	**tendr-**	íais
venir	**vendr-**	ían

hay → **habría**

Las terminaciones del condicional son iguales para todas las conjugaciones y se añaden al infinitivo. Los verbos irregulares cambian la raíz, pero las terminaciones son regulares. Las raíces irregulares son las mismas que en el futuro.
El condicional se usa para: expresar cortesía (¿**Podría** decirme la hora, por favor?); proponer o recomendar (La tele **debería** ser más educativa.); hablar de realidades hipotéticas (Yo **pondría** más películas y series.)

¡Buen trabajo!

hablar de la situación laboral personal • valorar actividades profesionales •
redactar una carta de solicitud de empleo • ordenar sucesos en el pasado •
comunicarse con compañeros de trabajo

23

1 **a. Mira las fotos. ¿Cuántas profesiones puedes identificar en un minuto?**

**b. Escucha estos sonidos.
¿Con qué profesiones los asocias?**
CD2 ▶▶ 64 – 69

1. ....
2. ....
3. ....
4. ....
5. ....
6. ....

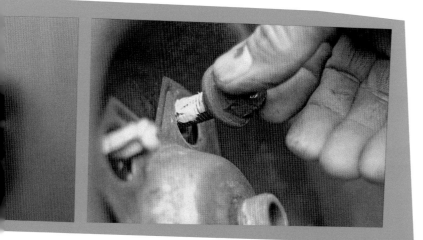

c. Piensa en una profesión (de las que se ven en las fotos u otras).
Tus compañeros te hacen preguntas para identificarla. La respuesta puede ser solamente **sí** o **no**.

vender productos
atender a clientes
organizar
reparar cosas
transportar
producir algo
cuidar a personas

● ¿Trabaja en una oficina?
○ No.
● ¿En una tienda?

¿A qué te dedicas?

2 **a. El trabajo, ¿vocación o necesidad?**
Lee lo que dice esta persona. ¿Está contenta con su trabajo o no? ¿Por qué?

Por nada del mundo

Me llamo Mariluz, soy médica en el Hospital Clínico Universitario en Santiago de Chile.
Mi trabajo es para mí más que una simple profesión: es una vocación, mi pasión desde pequeña. Por eso no fue problema estudiar tantos años, los exámenes, el trabajo mal pagado al principio. Y sí, a veces es duro: muchas horas de trabajo, demasiados pacientes, turnos de noche, el estrés. Pero estoy ayudando a la gente y tengo la sensación de hacer algo bueno e importante, y eso para mí es fundamental. ¡No cambiaría mi profesión por nada del mundo!

b. Apunta los aspectos positivos y negativos que menciona de su profesión.
¿Puedes añadir otros aspectos?

⊕ ....   ⊖ ....
⊕ ....   ⊖ ....
⊕ ....   ⊖ ....

c. Escucha a otra persona que habla de su trabajo. ¿Qué es diferente? CD2 ▶▶ 70

3 **Condiciones de trabajo.**
Busca por lo menos a una persona para cada aspecto.

¿Quién de la clase...	nombre
– es empleado en una empresa?	
– es autónomo?	
– trabaja a tiempo completo?	
– trabaja a tiempo parcial?	
– tiene horario fijo?	
– tiene horario flexible?	
– trabaja por turnos?	
– tiene un trabajo manual?	
– está satisfecho con su sueldo?	
– no cambiaría su trabajo por nada del mundo?	

¿Tu trabajo te da satisfacción?

4 **a. ¿Jefe simpático o trabajo interesante? ¿Qué es más importante para ti?**
¿Y para los españoles? Lee el texto y el diagrama.

Ser feliz en el trabajo: ¿misión imposible?

El trabajo es una parte fundamental en la vida de las personas, para algunas quizás la más importante. Por eso nuestra calidad de vida depende también de nuestro trabajo. ¿Qué nos hace ser felices en el trabajo?
La revista *Tiempo* ha elaborado una encuesta entre trabajadores españoles. Los resultados son sorprendentes: muchos piensan que el sueldo es lo más importante, pero no es tan importante como la calidad del trabajo y el buen ambiente. Otros factores, como la seguridad y tener un buen jefe no tienen tanta importancia como se pensaba. *Texto adaptado de* Tiempo

5,2% Promoción
12,7% Otros
28,9% Tener un trabajo interesante
Puesto seguro 6,0%
7,6% Desarrollo personal
17,4% Buen ambiente de trabajo
9,8% Buen horario
12,4% Buen sueldo

b. En un programa de radio se comentan los resultados de la encuesta. CD2 ▶▶ 71
Escucha y marca los factores que se mencionan. ¿De qué otros factores se habla?

c. ¿Y qué es importante para ti?
Elige cinco de estos aspectos y ordénalos de más a menos importantes. Luego coméntalos con tus compañeros. ¿Cuáles son los cinco aspectos más importantes para la clase?

tener responsabilidad | tener buen ambiente de trabajo | tener prestigio |
sentirse útil | tener un puesto fijo | recibir reconocimiento | buen sueldo |
posibilidad de promoción | buen horario | trabajo interesante / variado |
muchas vacaciones | …

5 **a. ¿Cómo es tu día de trabajo?**
Aquí tienes una lista de actividades típicas. Haz un diagrama con tus actividades y coméntalo con un compañero. Pregunta a tu profesor si necesitas alguna palabra.

✎ 1–4

- Paso la mitad del día hablando con clientes.

coordinar / organizar	hablar por teléfono
visitar clientes	escribir correos electrónicos
hacer contactos	archivar documentos / facturas
trabajar en equipo	asistir a reuniones
leer / escribir informes	presentar proyectos
calcular algo	otros: ....

Mi día de trabajo

porcentajes
10% el / un diez por ciento

cantidades
½ la mitad
⅓ un tercio, dos tercios
¼ un cuarto, tres cuartos

hablar del trabajo
Trabajo en…
Soy responsable de…
Me encargo de…

b. Mi trabajo y yo.
Escribe en un papel un texto presentando tu trabajo con aspectos positivos y negativos, pero no escribas tu nombre. Tu profesor recoge los papeles y los reparte. ¿Sabes de quién es el texto que has recibido?

El español al lado de casa

6 **a. ¿Hay posibilidades de hablar o escuchar español en tu ciudad? ¿Cuáles?**
Haced una lista en la pizarra.

b. Lee el artículo y completa la tabla con la información del texto.

	el correo electrónico	la página web	la revista
público			
contenido			
objetivo			

PERSONAS E IDEAS // La Guía

La Guía – una historia de éxito

La Guía es una revista de noticias, entrevistas e informaciones para los hispanohablantes que viven en la región de Fráncfort.

La revista empezó en 1999 como correo electrónico que Claudio Blasco enviaba a sus alumnos para informarles de los eventos relacionados con el mundo hispanohablante en la región: cine, música, literatura... "Lo hice para mostrarles que el español era algo que podían usar también aquí y porque ya me había dado cuenta del interés por la lengua y sus posibilidades de uso."

Ese correo electrónico, que había empezado con 40 lectores, llegó a 500 en pocos años. El siguiente paso fue una página web con informaciones que también interesaban a los hispanohablantes que viven en esa región, como por ejemplo médicos o abogados que hablan español, direcciones de consulados y de tiendas donde se pueden comprar productos de sus países.

Finalmente, en 2008, Claudio decidió crear una revista en papel. "Era algo que ya me había pedido muchos de los lectores." *La Guía* aparece cada dos meses y tiene una tirada de 5.000 ejemplares. "Antes lo hacía todo yo solo, pero ahora tengo un equipo de colaboradores." Además del calendario de eventos y de direcciones útiles, *La Guía* ofrece también entrevistas y pequeños reportajes. Y algo más: detrás de esta revista hay un concepto y una filosofía que Claudio nos explica así: "Una de nuestras metas es la integración de los hispanohablantes en Alemania. Mejorar nuestra imagen mostrando la riqueza de nuestras culturas y presentando historias de personas que viven y trabajan con éxito en esta región." La historia de *La Guía* es también una historia de éxito. ∎

MUY PERSONAL

Nombre Claudio Blasco, argentino
1977 Llegada a Alemania
1979 – 85 Estudios de Ciencias Económicas
1988 Traductor, profesor de español
2000 – 06 Empleado en Deutsche Bank
2008 Editor de la revista *La Guía*

Curiosidad
Cuando llegó a Alemania, tuvo que aprender alemán porque antes no había tenido contacto con esta lengua.

7　**a. ¿Correcto o falso? Busca las informaciones en el artículo.**

1. Antes de llegar a Alemania, Claudio no había aprendido alemán.
2. Cuando empezó en el Deutsche Bank, ya había terminado sus estudios.
3. Cuando creó la página web, el correo electrónico había llegado a 500 lectores.
4. En 2008 creó una revista en papel porque mucha gente se lo había pedido.
5. Antes de crear la revista ya había buscado un equipo de colaboradores.

b. En el texto y las frases anteriores hay un tiempo nuevo: el pluscuamperfecto.
Marca las formas en las frases de arriba y completa la regla.

	haber	participio
yo	había	
tú	habías	formado
él / ella / usted	había	tenido
nosotros/-as	habíamos	pedido
vosotros/-as	habíais	sido
ellos/-as / ustedes	habían	

Antes de llegar a Fráncfort, Claudio no **había aprendido** alemán.
El correo electrónico, que **había empezado** con 40 lectores, llegó a 500 en pocos años.

El pluscuamperfecto se forma con el .... de **haber** y el ....
....
Se usa para hablar de acciones que ocurrieron antes de otra acción o suceso en el pasado.

8　**a. Ignacio Romero busca trabajo como colaborador de** La Guía. **Ayer tuvo una entrevista de trabajo. ¿Qué había hecho antes? Ordena los pasos.**

☐ leer el anuncio del periódico
☐ escribir el currículum
☐ informarse sobre la revista
☐ confirmar la cita para la entrevista
☐ enviar el CV con la carta de solicitud

☑ comprar el periódico
☐ hacerse fotos
☐ comprarse un traje
☐ ir a la peluquería
☐ comentarlo con amigos

LA GUÍA
Cartelera de eventos en enero y febrero de 2010

b. En cadena, contad la historia del final al principio.

● Antes de llegar a la entrevista, ya había confirmado la cita.
○ Antes de confirmar la cita…

9　**¿Y tú? ¿Cómo ha sido tu vida profesional hasta ahora?**
Cada uno comenta una experiencia combinando los elementos de las columnas.

Antes de	terminar mis estudios aprender español empezar a trabajar estar en mi empresa actual tener este jefe pedir un aumento de sueldo	ya todavía no nunca	hacer unas prácticas trabajar en… / como… escribir muchas cartas de solicitud ser responsable de… tener buen ambiente laboral …

✎ 5-7

En España:
un puesto de prácticas
En Latinoamérica:
un puesto de pasante

OFICINA DEL PEREGRINO en Galicia ofrece prácticas durante el Año Santo.
Requisitos:
– estudiantes entre 18–25 años
– conocimientos de inglés o francés
– don de gentes
Duración: 1 de mayo a 15 de octubre
Remuneración: 500 € / mes
Solicitudes: www.caminosantiago.org

Viajes Trotamundo
Asistente de dirección

Perfil:
– diplomado en turismo
– experiencia mínima de 2 años
– buen nivel de inglés
– conocimiento a nivel de usuario del paquete Office
Ofrecemos:
– contrato fijo
– posibilidad de promoción
Interesados enviar currículum a c.rocio@viajestrotamundo.es

Prácticas hotel
Hotel de **** en Málaga busca estudiante de turismo para su departamento financiero.

Se requiere:
• buena presencia
• inglés hablado y escrito
• conocimientos básicos de administración
• ganas de aprender

Se ofrece
• puesto de prácticas (3 meses)
• horario flexible
www.muchoviaje.es

Asunto: solicitud de puesto de prácticas

Estimados señores:

En respuesta a su anuncio publicado en "Muchoviaje" el 30 de marzo, me dirijo a ustedes para solicitar un puesto de prácticas.

Soy estudiante de Ciencias Económicas en la Universidad de Viena en el quinto semestre. Este año estoy en España con el programa de intercambio universitario Erasmus.
Soy una persona trabajadora, responsable, organizada y con muchas ganas de aprender. Como puede ver en mi CV, ya tengo experiencia laboral y me interesa especialmente ampliar mis conocimientos en el sector de turismo y hostelería. Tengo buen nivel de español y de inglés hablado y escrito. Estaría disponible desde el uno de mayo hasta el 30 de septiembre.

Les agradecería la oportunidad de presentarme personalmente. Para cualquier información estoy a su entera disposición.

A la espera de recibir una respuesta favorable, les saluda atentamente

Julia Engel

PD: Adjunto CV y certificados académicos

números ordinales

1°	primero	1ª	primera
2°	segundo	2ª	segunda
3°	tercero		...
4°	cuarto		
5°	quinto		
6°	sexto		
7°	séptimo		
8°	octavo		
9°	noveno		
10°	décimo		

✎ 8, 9

Me voy de prácticas

10 **a. Julia, una estudiante austríaca, contesta a uno de estos anuncios.**
Lee su carta de solicitud. ¿Qué puesto le interesa?

b. Completa la ficha de la jefa de personal.

Candidata: *Julia Engel* ....
Estudios: ....
Idiomas: ....
Cualidades: ....
Experiencia: ....
Disponibilidad: ....

c. ¿Y tú? ¿A qué anuncio responderías? Escribe una carta.

11 a. Cuando Julia empezó las prácticas, le pasaron muchas cosas.
¿Qué pasó realmente? Marca la información que corresponde a la primera frase.

1. Cuando Julia entró en la sala, ya había empezado la reunión.
   - ☐ Julia llegó puntual.
   - ☐ Julia llegó tarde.

2. Cuando Julia llegó al restaurante, sus compañeros ya se habían ido.
   - ☐ Julia vio a sus compañeros.
   - ☐ Julia no vio a sus compañeros.

3. Cuando Julia hizo la presentación, se rompió el ordenador.
   - ☐ El ordenador se rompió antes de la presentación.
   - ☐ El ordenador se rompió durante la presentación.

4. Cuando Julia dejó la empresa, encontró otro trabajo.
   - ☐ Julia dejó la empresa porque tenía otro trabajo.
   - ☐ Julia encontró otro trabajo después de dejar la empresa.

b. Julia tiene mucho que hacer, todos le piden algo. CD2 ▶▶ 72 – 77
Escucha y pon el número del diálogo correspondiente.

- ☐ Las fotocopias ya están hechas.
- ☐ El teléfono está desconectado.
- ☐ Los vuelos ya están reservados.
- ☐ La carta de reclamación está escrita.
- ☐ La máquina de café está rota.
- ☐ La sala de reunión está cerrada.

---

estar + participio

- ● ¿Has **hecho** las fotocopias?
- ○ Sí, ya están **hechas**.
- ● ¿Has **reservado** los vuelos a Lima?
- ○ Ya están **reservados**.

Con **estar** + participio participio indicamos el resultado de una acción. En este caso, el participio concuerda en género y número con el sustantivo.

12 Y para terminar... ¡A jugar!
¿Conoces el tres en raya? La clase se divide en dos grupos (cruz y círculo). Por turnos, cada grupo elige una casilla y contesta. Si la respuesta es correcta, pueden poner su símbolo. El objetivo es "ganar" 3 casillas en una línea (vertical, horizontal o diagonal).

tres en raya

O		O
	X	X
		X

 10

Medico: tres aspectos positivos de esta profesión.	**¿Sabes quién de tu grupo tiene horario fijo? Nombra dos aspectos positivos.**	**¿Qué trabajos están mal pagados en tu país?**
Habla un minuto sobre tu trabajo.	**"Claudio Blasco decidió crear *La Guía* porque..."** Menciona dos motivos.	**Tres profesiones que empiezan con la letra "C".**
¿Cómo se dicen en español las profesiones de cada persona de tu grupo?	**Menciona tres cualidades importantes para conseguir trabajo.**	**Profesor:** tres aspectos negativos de esta profesión.

📁 **Portfolio**
Guarda tu anuncio en
tu dosier.

Tarea final Intercambio de trabajitos

Una bolsa de intercambio de trabajos.

1. Piensa en tu trabajo y también en tus actividades de tiempo libre o en las cosas que sabes hacer. Luego escribe un anuncio ofreciendo tus servicios (p. ej.: ayuda con el ordenador, escribir cartas en inglés, ayudar en la mudanza…).

2. Se exponen las ofertas de trabajos o servicios. Todos las leen y buscan lo que les interesa. Negocian con la persona que ofrece el servicio (intercambio de servicio o precio, condiciones, cuándo, qué necesita, cuánto tiempo…).

3. ¿Qué anuncio ha tenido más éxito?

> **¿Poco tiempo? ¿Profesor muy estricto?**
> Ofrezco ayuda para tus deberes del curso.

> **Cocinera excelente** hace tartas y pasteles para su fiesta.
> Experiencia: 3 hijos, 5 nietos.
> Especialidad en chocolate y frutas.

> **¿Problemas con el ordenador?**
> Informático simpático te ofrece ayuda.

La clave está en el pasado

Capítulo 9: ¿Dónde está "la fórmula"?

Esperé varias horas delante de la puerta del edificio hasta que, por fin, apareció Juan Silencio. Entró en la casa y yo lo seguí. Vivía en el segundo piso. Toqué el timbre y él abrió la puerta.
– ¿Es usted el señor Juan Silencio? – le pregunté.
– Sí. ¿Y usted quién es?
– Soy la detective Alba Serrano y la persona que me acompaña es mi asistente – respondí.
– ¿Qué quieren?
– Sabemos que usted y su banda robaron "la fórmula". Entramos en el piso y nos sentamos en el salón. Inconscientemente tomé un libro que estaba sobre una mesita. Era grande, de colores vivos, con una foto de las manos de un guitarrista en la portada.
– ¿Cómo lo han sabido? – preguntó Juan Silencio.
– Uno de sus cómplices, el vigilante del museo, confesó. Y también hablamos con uno de los miembros de la banda, Carmen Sinabla.
– Vaya – dijo. – ¡Qué mal lo hemos hecho si nos han descubierto tan rápido. Pero en realidad me alegro.
– ¿Por qué?

– Porque después de robar "la fórmula", la leí y esto me hizo recordar lo maravilloso que es aprender lenguas.
– ¿Qué hizo con "la fórmula" después de robarla?
– La escondí – dijo Juan Silencio – porque de pronto tuve miedo.
– ¿Miedo? ¿De qué?
– De los otros miembros de mi banda, los monolingües. Algunos son muy radicales y querían destruir "la fórmula".
– ¿Dónde la escondió?
Juan Silencio no respondió sino que hizo otra pregunta:
– ¿Cuál es el mejor lugar para esconder un papel?
Pensé un momento y le dije:
– Otros papeles.
– Correcto. Entonces, la siguiente pregunta. ¿Qué es lo mejor que se puede hacer con papel?
Esta vez no tuve que pensar, respondí inmediatamente.
– Libros.
– Correcto también. Una última pregunta. ¿Qué libro tiene usted ahora mismo en las manos?

¡Allí estaba la fórmula! Escondida en ese libro.
Pero, ¿dónde? ¿Lo sabes tú?

De fiesta

El Día de los Muertos en México

Flores de todos los colores, música, comida, bebida y ¡esqueletos! Es el Día de los Muertos, una de las fiestas más importantes de mi país, México.

Me llamo Blanca Alicia Merino, soy de Puebla en México y enseño español en Berlín.

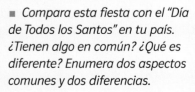

Para personas de otras culturas, la muerte es un tema triste, un tema tabú del que no se habla. Para nosotros, los mexicanos, es un tema cotidiano que vemos incluso con un poco de humor y de ironía. No entendemos la muerte como un final, sino como una transición de una dimensión a otra, en la que viven los muertos. Como muchísimas fiestas en Latinoamérica, tiene su origen en las culturas indígenas, que creían que un día al año los muertos volvían al mundo para visitar a sus familiares vivos. Por eso, la celebración del Día de los Muertos es una de las grandes fiestas y tiene aspectos alegres.

Celebramos la fiesta del 31 de octubre al 2 de noviembre. ¿Cómo es? La parte más importante son las "ofrendas": en las casas instalamos altares en honor a los familiares muertos, decorados con flores, velas y fotos. Durante esos días nos sentamos ante los altares para recordarlos. También se pone su comida y bebida preferida para darles la bienvenida. Un elemento que no puede faltar y que me parece fascinante son los símbolos de la muerte: esqueletos y calaveras. Los dulces tradicionales que se comen en estos días tienen también esta forma. En las pastelerías se venden calaveras de azúcar o de chocolate y el famosísimo "pan de muerto", que es el dulce más popular.

Las calles están decoradas también con muchas flores y los motivos tradicionales de la fiesta, los esqueletos y las calaveras. Aunque la muerte es triste, usamos colores alegres y estamos de buen humor. La noche del último día celebramos la fiesta en los cementerios.

una calavera

Decoramos las tumbas con flores de colores vivos, la flor preferida es la caléndula, pero en México decimos "cempasúchil" o flor de los muertos. Todo el cementerio está cubierto de estas flores de color naranja y su aroma sirve –según la tradición– de guía a los muertos. Nos reunimos todos para comer y beber con nuestros antepasados. Todo el cementerio está iluminado. A veces incluso se canta y se baila. Así nos despedimos de nuestros muertos hasta el próximo año. Como ve, se trata de una celebración muy diferente a las tradiciones de otros países. Por su antigüedad y su importancia cultural, el Día de los Muertos fue declarado Patrimonio Cultural de la Humanidad por la UNESCO.

■ *Compara esta fiesta con el "Día de Todos los Santos" en tu país. ¿Tienen algo en común? ¿Qué es diferente? Enumera dos aspectos comunes y dos diferencias.*

en el cementerio

Comunicación

Describir el trabajo y las condiciones laborales

Soy empleado/-a.
Soy autónomo/-a.
Tengo un puesto fijo.
Trabajo a tiempo completo / parcial.
Tengo horario fijo / flexible.
Trabajo por turnos.
Tengo un trabajo manual.
Trabajo en equipo.

Tener mucha responsabilidad.
Tener un buen sueldo / prestigio.
Tener un buen ambiente de trabajo.
Tener reconocimiento. / Sentirse útil.

Funciones y actividades en el trabajo

coordinar / organizar
atender a clientes
atender a pacientes
cuidar a personas
leer / escribir informes
asistir a reuniones
calcular cosas
archivar documentos
escribir facturas
presentar proyectos
reparar cosas
producir / vender productos

Habilidades y características de un trabajador

tener + sustantivo	ser + adjetivo
conocimientos de…	diplomado/-a en…
experiencia en…	organizado/-a
don de gentes	responsable
buena presencia	trabajador/a
ganas de aprender	ordenado/-a

Características de un empleo

contrato fijo
contrato de tres meses
puesto de prácticas
posibilidad de promoción

Redactar una carta de solicitud de empleo

Encabezamiento	Estimados señores:
Motivo de la carta	En respuesta a su anuncio… Me dirijo a usted(es) para solicitar un puesto de prácticas.
Presentarse	Soy estudiante de… Soy una persona… Tengo experiencia laboral y me interesa…
Disponibilidad	Estaría disponible desde el… hasta el… / a partir de…
Cierre	Le(s) agradecería la oportunidad de presentarme personalmente. Para cualquier información estoy a su entera disposición.
Fórmula de despedida	A la espera de recibir una respuesta favorable, le(s) saluda atentamente.

Gramática

Porcentajes

10%	el diez por ciento
	un diez por ciento
12,3%	el / un doce coma
	tres por ciento

Cantidades

½	la mitad
⅓	un tercio
⅔	dos tercios
¼	un cuarto
¾	tres cuartos

Números ordinales

1°	primero	1ª	primera
2°	segundo	2ª	segunda
3°	tercero		…
4°	cuarto		
5°	quinto		
6°	sexto		
7°	séptimo		
8°	octavo		
9°	noveno		
10°	décimo		

El participio

pretérito perfecto: participio invariable
¿**Has hecho** las fotocopias?
¿**Has reservado** los vuelos a Lima?
¿**Has escrito** la carta de reclamación?

Junto con el verbo **haber**, el participio se utiliza para formar el pretérito perfecto. En este uso, es invariable.

Estar + participio

estar + participio: participio variable
Las fotocopias ya **están hechas**.
Los vuelos ya **están reservados**.
La carta de reclamación **está escrita**.

Con **estar** + participio expresamos el resultado de una acción. En este caso, el participio se usa como adjetivo y concuerda en género y número con el sustantivo al que se refiere.

El pluscuamperfecto

	imperfecto de haber	participio
yo	había	
tú	habías	formado
él / ella / usted	había	tenido
nosotros/-as	habíamos	pedido
vosotros/-as	habíais	sido
ellos / ellas / ustedes	habían	

El pluscuamperfecto se usa para hablar de acciones que ocurrieron antes de otra acción o suceso en el pasado:
Antes de llegar a Fráncfort, Claudio no **había aprendido** alemán.
En 2008 creó la revista porque mucha gente se lo **había pedido**.

Mirador A2

Hablamos de cultura: en el trabajo

1 **a. ¿Qué haces o no haces tú?**
Marca una alternativa según tu opinión. No hay respuestas correctas o incorrectas.

1. Mis compañeros de trabajo
   - ☐ son solo colegas. No mezclo el trabajo con la vida privada.
   - ☐ son también amigos. Hacemos cosas juntos en nuestro tiempo libre.

2. Hablar de cosas privadas con colegas
   - ☐ no me parece adecuado.
   - ☐ lo hago sólo si son mis amigos.
   - ☐ para mí es una cosa normal.

3. Creo que en el trabajo el aspecto exterior
   - ☐ es importante: hay que vestirse bien o maquillarse.
   - ☐ depende de la profesión.
   - ☐ da igual, lo importante es trabajar bien.

4. Para comer con clientes de la empresa
   - ☐ voy a la cantina o pido unos bocadillos para no perder tiempo.
   - ☐ voy a un restaurante.

5. Para comunicarme con colegas de mi empresa prefiero
   - ☐ escribirles un correo electrónico.
   - ☐ llamarlos por teléfono.
   - ☐ ir a su despacho y hablar directamente con ellos.

b. Escucha a unos hispanohablantes. CD2 ▶▶ 78
¿Hay diferencias con tus respuestas? ¿Y entre las personas que hablan?

c. Lee el texto. ¿Qué otros aspectos sobre el trabajo se mencionan?

Trabajar en España

En general, la jornada laboral en España son ocho horas, pero mucha gente se queda en la oficina más tiempo. ¿Qué hace la jornada tan larga? Dos aspectos importantes son el trato amable con los compañeros de trabajo y la larga pausa para el almuerzo.

El trato con los compañeros significa emplear tiempo con ellos. No sólo se habla de temas laborales, sino también personales, por ejemplo: "¿Qué tal el fin de semana?", "¿Nos tomamos un café y te cuento lo que me pasó ayer?"
La larga pausa para el almuerzo, con café incluido,

puede durar dos horas: es muy bueno para la salud, pero consume tiempo.
Algunos trabajadores envidian los horarios de otros países de Europa. Cuando llega el calor, muchas empresas permiten a sus empleados hacer "horario de verano", que es trabajar de ocho a tres de la tarde.

similitudes y diferencias culturales • autoevaluación • una imagen como actividad de expresión oral • estrategias de aprendizaje

Ahora ya sabemos...

Aquí tienes la posibilidad de valorar lo que has aprendido en las últimas lecciones. Marca el nivel que crees tener en cada tema. Luego haz las tareas y compara los resultados con los de un compañero o pregunta a tu profesor si no estás seguro.

2 **Hablar sobre medios de comunicación.** 😃 😐 ☹
Lee las respuestas de una encuesta y marca si las personas están de acuerdo (A), en contra (C) o dudan (D).

1. Yo también creo que en cien años nadie leerá en papel.
2. ¡Qué va! Seguiremos leyendo libros y comprando el periódico. ¡Seguro!
3. Sí, bueno, es probable. Pero no sé si todo el mundo tendrá acceso a internet.
4. Estoy totalmente de acuerdo. Para el medio ambiente sería mejor dejar de imprimir.
5. No sé. Yo creo que no. La gente ya tiene que usar el ordenador todo el día.
6. Por supuesto. Los nuevos medios son cada vez más importantes.
7. Para algunas cosas sí utilizaremos el ordenador, para otras no. Depende.
8. Puede ser. La verdad es que no me interesa mucho el tema.

3 **Hablar del trabajo.** CD2 ▶▶ 79 😃 😐 ☹
Lee estas respuestas. Después escucha las preguntas 1 – 4 y pon el número en la respuesta adecuada.

Haz lo mismo con las preguntas 5 – 8. CD2 ▶▶ 80

☐ Sí, pero estoy bastante nerviosa.
☐ Parece responsable y trabajador. Y con mucha experiencia.
☐ Tendrá unos treinta años, pienso.
☐ Bueno, el sueldo no es lo más importante. Tengo responsabilidad y me siento útil.

☐ Aburridísimo. Me paso la mitad del día escribiendo listas.
☐ Sí, y siempre está de buen humor.
☐ Los vuelos están reservados y el hotel también.
☐ Está disponible a partir de junio.

4 **Hablar del futuro.** 😃 😐 ☹
¿Cómo te imaginas que será la sociedad dentro de 20 años? Escribe un pequeño texto. Puedes tener en cuenta estos aspectos.

¿Cómo trabajaremos?
¿Cómo pasaremos el tiempo libre?
¿Qué nuevos problemas habrá?
¿Cuáles de los problemas de hoy se solucionarán?

> *La sociedad del futuro*
>
> *En mi opinión, la sociedad de mi país será bastante diferente. En el mundo profesional habrá muchos cambios. Por ejemplo, los nuevos medios tendrán mucha influencia y nos jubilaremos más tarde...*
>
> *Además, pensaremos más en el medio ambiente y...*

Terapia de errores

5 a. Errores de interferencia.

Un tipo especial de errores son los que hacemos por influencia de nuestra lengua materna. ¿Puedes encontrarlos en estos diálogos que contienen errores típicos de estudiantes alemanes? Luego corrígelos, compara tu versión con la de un compañero y explica tus cambios.

1. ● Tenemos que comprar un regalo para Elena. Es que lunes tiene cumpleaños.
   ○ ¿Qué te parece un perfume o un buen diccionario?
   ● No sabemos cuál perfume usa, un diccionario me gusta mejor.

2. ● Mira, me he comprado este vestido para la fiesta. ¿Cómo te gusta?
   ○ Es bonito, pero el amarillo no te queda bueno. ¿No lo tenían en un otro color?

3. ● ¿No llevas un secador al balneario? En el Corte Inglés los tienen en oferta para 20 €.
   ○ No es necesito, seguro que está también uno en el hotel.

b. ¿Qué trucos se pueden utilizar para evitar errores?
Haced una lista con todas las ideas del grupo. ¿Qué nuevos trucos quieres probar?

Una imagen que da que hablar

6 a. Mira la imagen.
Elige a una persona y haz suposiciones sobre su edad, familia, gustos, trabajo y vida privada. Luego preséntala a tus compañeros.

b. Una nueva empleada.
Alguien que va a trabajar en esta empresa habla con una de las personas de la imagen para saber qué le espera. En parejas, escribid un diálogo entre los dos. Si queréis, podéis representarlo después.

Aprender a aprender

7 **Entender más.**

¿Te cuesta entender el CD? No te preocupes, escuchar textos de un CD no es como participar en una conversación donde ves a la persona con quien hablas. Si no entiendes algo, puedes decir "Perdón, no entiendo" o "¿Puede repetirlo?". ¿Cómo entrenarse para comprender mejor? ¿Recuerdas a los hispanohablantes de "Hablamos de cultura"? Marca lo que has hecho antes, durante y después de escuchar.

Antes de escuchar
- [ ] me aseguro que entiendo la situación.
- [ ] pienso en lo que sé sobre el tema.

Al escuchar
- [ ] me concentro en lo que entiendo.
- [ ] no me fijo en lo que no entiendo para no perder el hilo.
- [ ] apunto palabras clave para recordar mejor.

Después de escuchar
- [ ] vuelvo a pensar en todo lo que he entendido.
- [ ] pienso qué podría significar lo que no he entendido.
- [ ] vuelvo a escuchar el cedé.

8 **Expresiones útiles en español.**

Estas expresiones aparecen con frecuencia en una conversación. ¿Y si las aprendes de memoria? Puedes repetirlas en voz alta delante del espejo, cantarlas o gesticular mucho al decirlas para recordarlas mejor.

Para empezar:
Oiga. / Oye. | ¿Qué cuentas? |
¿Qué tal? | ¡Qué frío hace!

Para seguir:
¿De verdad? | ¡Qué bien! |
¡No me digas! | ¿Y eso? | ¡Qué horror!

Para llenar una pausa:
Pues… | Bueno… | A ver… | ¿Sabes?

Para dar su opinión:
Pues yo creo que sí / que no. |
¡Qué va! | Desde luego. | Por supuesto.

¡Enhorabuena! Has llegado al final del A2, pero la aventura continúa. Te esperamos en el siguiente nivel con más temas interesantes para seguir conociendo el mundo del español. ¡Nos vemos!

¡Nos vemos!

Libro del alumno

A1
A2

A1

Autoras
Eva María Lloret Ivorra
Rosa Ribas
Bibiana Wiener
Margarita Görrissen
Marianne Häuptle-Barceló
Pilar Pérez Cañizares

Asesoría y revisión
Antonio Béjar, José Ramón Rodríguez

Coordinación editorial y redacción
Mónica Cociña, Pablo Garrido, Dr. Susanne Schauf, Beate Strauß

Diseño y dirección de arte
Óscar García Ortega, Luis Luján

Maquetación
Luis Luján, Asensio S.C.P.

Documentación
Andrea Fiumara, Olga Mias

Ilustración
Jani Spennhoff, Barcelona

Fotografías
Cubierta David Madison/Getty Images **Unidad 1** pág. 11 Jarno Gonzalez/
Istockphoto, Elke Dennis/Istockphoto, Irving Birkner/Istockphoto, IDS.
photos/Flickr, etireno/Flickr; pág. 12 Hulton Archive/Getty Images, Peter
Jordan/Getty Images, Tony Vaccaro/Getty Images, Steve Granitz/Getty
Images; pág. 13 Difusión; pág. 15 Ivan Bajic/Istockphoto; pág. 16 Oficina de
Turismo México, Carlos Adampol/Flickr, J David/Flickr; pág. 19 Charles Taylor/
Istockphoto, Joel Carillet/Istockphoto, Jose Girarte/Istockphoto, RIOMANSO/
Flickr, ydnammmm/Flickr, Alex Steffle/Flickr; **Unidad 2** pág. 22 Fundación
"la Caixa"; pág. 21 Kristian Sekulic/Istockphoto; pág. 26 Digitalskillet/
Istockphoto; pág. 27 Fundación "la Caixa", NickStenning/Flickr; pág. 28
Ljupco Smokovski/Dreamstime, Derek Latta/Istockphoto; pág. 31 star5112/
Flickr, WireImage/Getty Images, ELISA GARRIDO/Istockphoto, Klett-Archiv;
Unidad 3 págs. 38-39 Alex Mares-Manton/Getty Images; pág. 41 Xavi/Flickr.
compág. 34-35 Difusión; pág. 36 Chocolates Valor SA, Zsuzsanna Kilian/
SXC; pág. 39 Gianni Ferrari/Getty Images, Quim Llenas/Getty Images; pág.
43 Guillermo Ramírez/Flickr, alq666/Flickr, Adal-Honduras/Flickr, Holger
Mette/Dreamstime, Bibiana Wiener; **Unidad 5** pág. 51 Mediterránea Detalles
y Regalos S.A.; pág. 52 Olga Lyubkina/Istockphoto, jerryhat/Istockphoto,
Andres Peiro Palmer/Istockphoto, Syagci/Istockphoto, Ilker Canikligil/
Istockphoto, Klaudia Steiner/Istockphoto, Tschon/Istockphoto, Vyacheslav
Anyakin/Istockphoto, Juanmonino/Istockphoto, Subjug/Istockphoto,
YinYang/Istockphoto, Elena Schweitzer/Istockphoto, Marc Harrold/
Istockphoto, Denis Gagarin/Istockphoto, Stefano Tiraboschi/Istockphoto,
Stefano Tiraboschi/Istockphoto, Elena Schweitzer/Istockphoto, MARIA
TOUTOUDAKI/Istockphoto; pág. 53 Ove Tøpfer/SXC; pág. 55 Javi Vte Rejas/
Flickr, okate366/Flickr, Boca Dorada/Flickr, Javier Lastras/Flickr, Javier
Lastras/Flickr, Javier Lastras/Flickr, Juan Pablo Olmo/Flickr, Marijn de Vries
Hoogerwerff/Flickr; pág. 56 Nossirom/sxc, Juan Fernandez/Flickr, Grapa/
Flickr, Matías Garabedian/Flickr, Ricardo Martins/Flickr; pág. 57 V. Abreu; pág.
59 Arvind Grover/Flickr, Ardyiii/Flickr, Carlos Adampol/Flickr, Arvind Grover/
Flickr, Mat Honan/Flickr, Bibiana Wiener; **Unidad 6** pág. 62 Klett-Archiv,
Neil Beer/Getty Images, Francisco Javier Alcerreca Gomez/Istockphoto,
Terence Mendoza/Istockphoto, Klett-Archiv; pág. 64 Austin Evan/Flickr,
Juanmonino/Istockphoto, son of groucho/Flickr, Cenk Unver/Istockphoto,
Brytta/Istockphoto; pág. 65 Mladen Mladenov/Istockphoto, Warwick
Lister-Kaye/Istockphoto, Olivier Blondeau/Istockphoto, Oscar Calero/
Istockphoto, Rich Harris/Istockphoto, Alexandra Draghici/Istockphoto, Sami
Suni/Istockphoto, Susanne Schauf/Klett; pág. 67 GŮmez, Helma/Klett; pág.
66 Carlos Felipe Pardo/Flickr; pág. 69 Christopher Bazeley/Istockphoto,
Klett-Archiv; pág. 71 Jean Baptiste Lacroix/Getty Images, Amaianos/
Flickr, GŮmez, Helma/klett, laloking97/Flickr; pág. 74 Luis Angerich/Flickr,
Marga Carrió/Flickr, Hywell Martinez/Flickr, Cayetano/Flickr, Piutus/Flickr,
Cayetano/Flickr; pág. 76 harryfn/Istockphoto, Nick Stubbs/Istockphoto,
Klett-Archiv; pág. 77 Antonio Fiol/Flickr; pág. 79 Anna 7/Flickr; pág. 80 Brian
Snelson/Flickr, Todd Nienkerk/Flickr; pág. 82 Bracketing Life/Flickr; pág.
83 Denise Chan/Flickr, Yamil Salinas/Flickr, Marcio Ramalho/Flickr, Mikko
Koponen/Flickr, Klett-Archiv; **Unidad 9** pág. 90 rmkoske/Flickr, Tommy
Ingberg/Istockphoto, Vyacheslav Shramko/Istockphoto, Natallia Bokach/
Istockphoto, Mark Herreid/Istockphoto, Ivan Gulei/Istockphoto, Jitalia17/
Istockphoto, Rafa Irusta/Istockphoto, sumnersgraphicsinc/Istockphoto,
Guillermo Lobo/Istockphoto, NoDerog/Istockphoto; pág. 92 Alex Chang/
Flickr, robert van beets/Istockphoto; pág. 93 Vicente Barcelo Varona/
Istockphoto, compostelavirtual.com/Flickr, Marianne Huptle-Barcelo/klett;
pág. 95 wayra/Istockphoto, Christian Haugen/Flickr; pág. 96 Geir Pettersen/
Getty Images, Elifranssens/Dreamstime, Živa Kirn/Istockphoto, Klett-Archiv;
pág. 99 Pilar Klewin/klett, Matt Riggott/Flickr, Véronique Debord-Lazaro/
Flickr, Anoldent/Flickr; **Unidad 10** pág. 102 Quim Llenas/Cover/Getty Images;
pág. 103 PD/Wikimedia commons; pág. 104 Birgitte Magnus/Istockphoto,
Voyagerix/Istockphoto, Nikada/Istockphoto, Andrey Shchekalev/Istockphoto,
Carmen Martínez Banús/Istockphoto, Ingmar Wesemann/Istockphoto, Chris
Schmidt/Istockphoto, René Mansi/Istockphoto, Stephen Moore/Istockphoto,
William R. Minten/Istockphoto, Webphotographeer/Istockphoto, Diakowa-
Czub/Istockphoto, Blackred/Istockphoto, Joselito Briones/Istockphoto, René
Mansi/Istockphoto; pág. 105 hypergon/Istockphoto, Mustafa Hacalaki/
Istockphoto; pág. 106 Oleksii Popovskyi/Istockphoto, Ana Sousa/Istockphoto;
pág. 107 Hauhu/dremstime; pág. 108 Marko Kudjerski/Flickr; pág. 111 Alastair
Rae/Flickr, Phillie Casablanca/Flickr, Cordyph/Flickr, Addy Cameron-Huff/
Flickr, Tae Sandoval Murgan/Flickr, Klett-Archiv; **Unidad 11** pág. 114 Ulises
Estrada/Flickr, Mario Castro/Flickr, Jose del Corral/Flickr; pág. 118 Francisco
Javier Martín/Flickr; pág. 119 Chocolates Valor SA; pág. 121 Lawrence of
Arabia/Wikimedia commons; pág. 123 Klett-Archiv, Carlos Adampol/Flickr,
Juan Pablo Olmo/Flickr, Matt Riggott/Flickr, Alberto Patrian/Secretaría de
Turismo Argentina.

Todas las fotografías de www.Flickr.com están sujetas a una licencia de
Creative Commons (Reconocimiento 2.0 y 3.0).

Audiciones CD 1
Estudio de grabación Tonstudio Bauer GmbH, Ludwigsburg y Difusión.
Locutores Bibiana Abelló, José María Bazán, Mónica Cociña, Grizel Delgado,
Carlos Fernández, Miguel Freire, Pablo Garrido, Helma Gómez, Pilar Klewin,
Eva Llorens, Lucía Palacios, Ernesto Palaoro, Carmen de las Peñas, Pilar
Rolfs, Verónica Romero, Roberto Sánchez **Música** Difusión **Ambientes**
dobroide, inthecad, Tim Kahn, pagancow, Regenpak, partymix.

Agradecimientos
Bibiana Abelló, Barbara Ceruti, Agustín Garmendia, Eva Llorens, Edith
Moreno, Laia Sant, Sergio Troitiño, Pol Wagner.

Agradecemos especialmente la colaboración en la sección Panamericana de
Víctor Aguilar, Helma Gómez, Evelyn Guzmán, Matilde Guzmán, Héctor Inca,
Hortensia Malfitani, Hilda Mateo y Pilar Rolfs.

A2

Autoras
Eva María Lloret Ivorra
Rosa Ribas
Bibiana Wiener
Pilar Pérez Cañizares
Colaboración
Dr. Margarita Görrissen, Dr. Marianne Häuptle-Barceló
Coordinación editorial y redacción
Mónica Cociña, Pablo Garrido, Dr. Susanne Schauf, Beate Strauß
Diseño y dirección de arte
Óscar García Ortega, Luis Luján
Maquetación
Asensio S.C.P.
Ilustración
Jani Spennhoff, Barcelona
Fotografías
Unidad 13 pág. 130 Beowulf Sheehan/writers/Album, Joan Vidal/Album, Album/i15-KPA-ZUMA; pág. 132 Istockphoto; pág. 133 Bibiana Wiener, pág. 136 Istockphoto, Avenue Images, pág. 137 Departamento de Documentación del Diario Vasco, pág. 139 Bibiana Wiener, Javier Aparicio, García Ortega, Istockphoto; **Unidad 14** pág. 142 Istockphoto; pág. 143 Istockphoto; pág. 145 Istockphoto, Archivo Klett; pág. 146 Istockphoto; pág. 147 Departamento de Comunicación Balneario de Mondariz, Aguas de Mondariz; pág. 148 Departamento de Comunicación Balneario de Mondariz; pág. 151 Achivo Klett, Dreamstime; **Unidad 15** pág. 154 mcertou/Flickr, Edith Moreno; pág 155 BIbiana Wiener; pág. 156 Istockphoto, Thinkstock/Getty Images; pág. 158 Archivo Klett; pág. 159 Thinkstock/Getty Images; pág. 160 Istockphoto; pág. 41 Archivo Klett, Age fotostock, joe calhoun/Flickr; **Unidad 16** Museu Fundación Juan March, Palma; **Unidad 17** págs. 170 y 171 Age fotostock, Istockphoto, Archivo Klett; pág. 172 Istockphoto, Archivo Klett, ShutterStock; pág. Album/Martí E. Berenguer; pág. 179 Juan Carlos Guijarro/flickr, Album/Miguel Raurich, Archivo Klett; **Unidad 18** pág. 180 Avenue Images, Istockphoto; pág. 185 Istockphoto; pág. 186 Avenue Images, Istockphoto; pág. 187 MEV Verlag GmbH; pág. 189 wikimedia commons; **Unidad 19** pág. 194 Secretaría General de Turismo; pág. 195 Dreamstime; pág. 196 Daniel Lombraña González/Flickr, ShutterStock; pág. 197 Javier Lopez Bravo/Flickr, Istockphoto, gripso_banana_prune/Flickr; pág. 199 Istockphoto, Thinkstock; pág. 200 Age fotostock; pág. 203 F1 online/Digitale Bildagentur, Archivo Klett, Istockphoto; **Unidad 20** pág. 208 José Morillo; pág. 209 Thinkstock/Getty Images; **Unidad 21** pág. 210 Archivo Klett; págs. 211-214 Luis Cobelo; pág. 216 Carlos Luján/Nophoto; pág. 217 Archivo Klett; pág. 219 Bibiana Wiener, IHQ/Flickr, AFP/Getty Images; **Unidad 22** págs. 222-223 Istockphoto, ShutterStock, Bibiana Wiener; pág. 224 Difusión; pág. 225 Istockphoto, Diario Información Dept. de Publicidad ; pág. 226 Istockphoto, Archivo Klett; pág. 227 Dreamstime; pág. 228 Istockphoto; pág. 231 Istockphoto, Archivo Klett, La Rioja Turismo, Marqués de Cáceres, Avenue Images; **Unidad 23** pág. 234 Istockphoto, ShutterStock; pág. 236 Istockphoto; pág. 238 Archivo Klett; pág. 239 Archivo Klett; pág. 240 MEV Verlag GmbH, ShutterStock; pág. 241 Archivo Klett, Jorge Nava/Flickr, AFP/Getty Images; **Unidad 24** pág. 248 Javier Pierini.

Todas las fotografías de www.Flickr.com están sujetas a una licencia de Creative Commons (Reconocimiento 2.0 y 3.0).

Audiciones CD 2
Estudio de grabación Tonstudio Bauer GmbH, Ludwigsburg y Difusión.
Locutores José María Bazán, Mónica Cociña, Miguel Freire, Pablo Garrido, Helma Gómez, Pilar Klewin, Lucía Palacios, Ernesto Palaoro, Carmen de las Peñas, Pilar Rolfs, Carlos Segoviano, Teresa Staigmiller, Julia Vigo.

Agradecimientos
Carolina Domínguez, Agustín Garmendia, Edith Moreno, Veronika Plainer, Victoria Senén (Gabinete de Prensa. Fundación Juan March).

Agradecemos especialmente la colaboración en la sección De fiesta de Javier Aparicio, Carmen Barrio de Alarcón, Nieves Castells Fernández, Silvia Colina, Pilar Klewin, Leonor Lemp, Begoña Sáenz, Eva Martínez, Blanca Alicia Merino, Charo Torres Calderón, Virginia Zepeda Villagra.

ISBN: 978-84-8443-787-1
Depósito legal: B 14046-2012
Reimpresión: noviembre 2017
Impreso en España por Novoprint